**Ce qu'on dit de**

***Bouillon de poulet pour l'âme du golfeur, La 2e ronde***

« Ce livre est vraiment un trou d'un coup! »

**Mark King**
Président, Taylor Made/Adidas Golf Company

« *Bouillon de poulet pour l'âme du golfeur, La 2e ronde* gagne le "Grand Slam". »

**Dave Abeles**
Vice-président, Global Sales Cobra Golf

« *Bouillon de poulet pour l'âme du golfeur, La 2e ronde* a su saisir la perspicacité, la chaleur et le point de vue qui distinguent le golf de tous les autres sports. »

**Nat G. Rosasco**
Directeur général, Pro Select Precision Golf

« Pour moi, le golf n'est pas seulement un jeu pour tout âge, c'est aussi mon affaire. *Bouillon de poulet pour l'âme du golfeur, La 2e ronde* honore le jeu d'une façon qui fait ressortir la véritable essence du golf et de la vie elle-même. »

**David Leverant**
Chef des opérations,
Dunlop Golf/Focus Golf Systems, Inc.

« Cette suite, meilleure que l'original, célèbre le triomphe de l'esprit humain grâce à ce jeu unique qu'on appelle golf. »

**Brian Patermo**
Vice-président, Golf Sales West, Inc./Tornado Golf

Jack Canfield
Mark Victor Hansen
Jeff Aubery
Mark Donnelly
Chrissy Donnelly

De nouvelles histoires inspirantes et drôles sur le parcours de golf

Traduit par Fernand A. Leclerc et Lise B. Payette

SCIENCES ET *CULTURE*
Montréal, Canada

L'édition originale de cet ouvrage a été publiée sous le titre
CHICKEN SOUP FOR THE GOLFER'S SOUL : THE 2ND ROUND

Health Communications, Inc., Deerfield Beach, Floride (É.-U.)
ISBN 1-55874-982-9

Réalisation de la couverture : Alexandre Béliveau



Dépôt légal : 2e trimestre 2003
Bibliothèque nationale du Québec
Bibliothèque nationale du Canada

ISBN 2-89092-318-5

**Éditions Sciences et Culture**
5090, rue de Bellechasse
Montréal (Québec) Canada H1T 2A2
**(514) 253-0403** Fax : (514) 256-5078
Internet : http://www.sciences-culture.qc.ca
Courriel : admin@sciences-culture.qc.ca

Nous reconnaissons l'aide financière du gouvernement du Canada par l'entremise du Programme d'Aide au Développement de l'Industrie de l'Édition pour nos activités d'édition.



IMPRIMÉ AU CANADA

*Avec honneur et respect,*
*nous dédions ce livre*
*à la mémoire de Payne Stewart,*
*et à sa merveilleuse famille*
*à laquelle il était si attaché.*

# *Table des matières*

Remerciements . . . . . . . . . . . . . . . . . . . . . . . . . . . . 9
Introduction . . . . . . . . . . . . . . . . . . . . . . . . . . . . 12

**1. Le premier tertre de départ**

Qui est le plus grand golfeur? *Graham Porter* . . . . . . . . 16
Le paradis d'Augusta *Jeff Aubery* . . . . . . . . . . . . . . . . . . 22
Les cent plus beaux parcours de golf *Bruce Nash et Allan Zullo* . . . . . . . . . . . . . . . . . . . . . . . . . . . . 25
L'homme à l'élan parfait *Bruce Selcraig* . . . . . . . . . . . . . 26
Points communs *Ahmed Tharwat Abdelaal* . . . . . . . . . . 35
Préliminaires *Dave Barry* . . . . . . . . . . . . . . . . . . . . . 38
Mesdames, le golf est-il pour vous? *Deisy Flood* . . . . . . 41
Tel père, tel fils *Michael Konik* . . . . . . . . . . . . . . . . . . . . 45
La tombée du jour *Bob Welch* . . . . . . . . . . . . . . . . . . . . . 49
Le médecin et l'avocat *More of... The Best of Bits & Pieces* . . . . . . . . . . . . . . . . . . . . . . . . . . . . 54
La vue du tertre de départ *Bob Shryock* . . . . . . . . . . . . . 55
Golfeurs du dimanche *Ernie Withman* . . . . . . . . . . . . . 59
Confession d'un accro du golf *Bob Hope avec Dwayne Netland* . . . . . . . . . . . . . . . . . . . . . . . . 63

**2. Tenter le vert**

La victoire de Payne au US Open à *Pinehurst* racontée par sa compagne *Tracey Stewart avec Ken Abraham* . . . . . . . . . . . . . . . . . . . . . . . . . . . . 68
En route vers « le *putt* » *Dave Kindred* . . . . . . . . . . . . . . 73
L'armée d'Arnie *Bill Pelham* . . . . . . . . . . . . . . . . . . . . . . 80
La réalisation de deux rêves *Don Wade* . . . . . . . . . . . . . 83
Une lumière intense *Rhonda Glenn* . . . . . . . . . . . . . . . . 84
La vedette du golf au grand cœur *Jolee Edmondson* . . 91
Ces fous du golf *Dan Jenkins* . . . . . . . . . . . . . . . . . . . . . 97
Élan et détermination *Darlene Daniels Eisenhuth* . . . . 101
Les Garçons d'été *James Dodson* . . . . . . . . . . . . . . . . . 105
Un trou de « combien »? *Steven Schockett* . . . . . . . . . . . 111
Impossible de l'arrêter *Rick Reilly* . . . . . . . . . . . . . . . . . 112

Le rêve de golf de Uecker Jr passe au premier rang *Gary D'Amato* ... 115
À la recherche du Pro-Am idéal *Ben Wright* ... 118
Un coup d'éclat *Ann Birmingham* ... 124

**3. Moments spéciaux**

L'esprit de Harvey Penick *Leonard Finkel* ... 128
Sur les traces du temps *Matt Adams* ... 132
Le caddie du Dr Scholls *Dennis Oricchio* ... 134
La fête des Pères à Noël *E. J. Montini* ... 136
Le flambeau change de main *Don Wade* ... 139
Vous pourriez être un gagnant *David Owen* ... 140
Le meilleur coup de ma vie *Del Madzay* ... 142
« Sweetness » *John St. Augustine* ... 145
La grange de Winnie *James Dodson* ... 149

**4. L'art du golf**

Attention aux serpents! *Bob Brust* ... 158
Plus arrogant que dans la NBA *Dan Galbraith* ... 164
À tricheur, tricheur et demi *Alan Broderick* ... 169
Vérifiez votre sac *Robert Lalonde* ... 174
Le coup parfait – pour la voiture? *Marci Martin* ... 176
Ça forme le caractère *Jim King* ... 178
La plus belle ruse du vieux Jake *Dan Jenkins* ... 179
La meilleure colère de golfeur de tous les temps *Rod Patterson* ... 182
La puriste par accident: le journal d'une accro débutante du golf *Kate Myers* ... 183

**5. Le golf rapproche les familles**

La crainte du tournoi Père-Fils *Mike Pennella* ... 190
Le *wedge* de Corky *Mike Corcoran* ... 194
Une question de parcours *Carol McAdoo Rehme* ... 199
Le réveil *Bob Welsh* ... 202
La balle miraculeuse *Bob West* ... 206
Liens entre pères et fils *James Dodson* ... 209
J'étais dans l'assistance *John L. Hulteng* ... 215
La crise de l'an 2000 *George Peper* ... 218

Une parcelle de ciel *Gordon Wells* .................. 222

**6. De l'herbe longue**

Le plus chanceux des golfeurs *Bob Hurt* ............ 226
La force du golf de bienfaisance *Dave Kindred* ....... 228
Un exemple de courage *John Hawkins* ............ 234
Faire contact *Jack Cavanaugh* .................... 238
Une passion d'enfance qui résonne *Andy Brumer* ..... 243
Un cadeau approprié *Kay B. Tucker* ................ 246
Peiner pour réaliser son rêve *Dave Kindred* ......... 247
Les débuts d'une relation amour-haine *Dan Bickley* .. 253

**7. Le dix-neuvième trou**

Le plaisir de la chasse *Henry Lawrence* ............. 258
Dieu merci! J'ai toujours mon autre métier
*Kyle MacLachlan* .............................. 264
Jeudi, jour des messieurs *Dan Jenkins* ............. 270
Rêver à une normale *Reid Champagne* ............. 274
L'humour à son meilleur *John Spielbergs* ........... 278
Les dix incontournables du golfeur du dimanche
*Ernie Witham* ................................. 282
Les aventures d'une balle de golf *Bob Robinson* ..... 285
Silence, s'il vous plaît! *Melanie Hauser* ............ 291
L'utile à l'agréable *Jerry P. Lightner* .............. 298
Le plus beau cadeau *J. G. Nursall* ................. 299

À propos des auteurs ............................ 307
Autorisations .................................... 312

**Les citations**

Pour chacune des citations contenues dans cet ouvrage, nous avons fait une traduction libre de l'anglais au français. Nous pensons avoir réussi à rendre le plus précisément possible l'idée d'origine de chacun des auteurs cités.

# *Remerciements*

À la veille de terminer *Bouillon de poulet pour l'âme du golfeur, La 2e ronde*, nous nous sommes rendu compte que nous avions remonté dans nos souvenirs pour revisiter le monde excitant du golf et les merveilleux amis que nous avons rencontrés au moment de préparer le premier livre, *Bouillon de poulet pour l'âme du golfeur.* Tout comme la première fois, de nombreuses personnes nous ont grandement aidés.

Avant toute chose, nous remercions nos familles pour tout leur amour et leur soutien dans ce projet: tout commence et se termine à la maison. Nous sommes reconnaissants aux personnes suivantes qui ont lu et évalué près de deux cents histoires et qui nous ont aidés à faire le choix final: Matt Adams, Fred Angelis, Diane Aubery, Pat Barmasse, Don Cummings, Chris Garman, Kelly Garman, Donald Gurley, Brad Halfon, Tom Hazard, Angela His, Mike Johnson, Shannon Karasoulas, Tom Krause, Barbara LoMonaco, Roger McGarrigle, Chris Melcher, Linda Mitchell, Terry Mitchell, Bob Neale, Jeanne Neale, David Norcross, Brien Patermo, Steve Perrin, Chad Sayban et Vickie Rayson.

Patty Aubery, merci de toujours être là avec ton amour, ton amitié et ton soutien.

Kelly Garman, merci pour avoir tellement facilité la création de ce projet. Debbie Merkle, Paul Van Dyke et Jane St-Martin, merci pour votre aide et vos encouragements en cours de route.

Heather McNamara et D'ette Corona, merci pour votre contribution et vos annotations expertes.

L'équipe de Mark Victor Hansen: Patty Hansen, Trudy Marschall, Maria Nickless, Laurie Hartman, Michelle

Adams, Tracy Smith, Dee Dee Romanello, Dawn Henshall, Lisa Williams, Kristi Knoppe, David Coleman, Laura Rush, Paula Childers, Tayna Jones, Faith Fuata et Shanna Vieryra.

L'équipe de Jack Canfield: Kathy Brennan-Thompson, Dana Drobny, Veronica Romero, Cindy Holland, Leslie Riskin, Robin Yerian, Vince Wong et Geneva Lee et les nombreux et merveilleux stagiaires.

Et l'équipe de Jeff: Tom Hazard, Linda Mitchell, Shannon Karasoulas, Steve Perrin, Julie Martinez, Brien Patermo et Diane Aubery.

Bob Carney, tu seras toujours un exemple de ce qui est et sera toujours bon dans l'industrie du golf – les gens. Merci pour ton appui et ton amitié.

Julie Ware, merci pour ton travail acharné dans les étapes finales afin de faire de ce projet un tout.

Bret Avery, merci pour ton aide dans l'obtention des autorisations à *Golf Journal*.

À toute l'équipe de Health Communications, votre professionnalisme, votre détermination et votre esprit d'équipe sont une inspiration et ont simplifié notre travail.

Peter Vegso, merci d'avoir rassemblé une si merveilleuse équipe et d'avoir permis à ce projet de voir le jour.

Terry Burke, il est étonnant de constater le chemin parcouru depuis le premier *Bouillon de poulet pour l'âme du golfeur* – nous n'aurions pas réussi sans ta perspicacité et ton travail acharné. Nous voulons aussi remercier toute l'équipe de vente et de marketing pour son enthousiasme et sa compétence.

Christine Belleris, Lisa Drucker, Allison Janse, Susan Tobias et Kathy Grant, merci pour vos annotations expertes.

Larissa Hise Henoch, Lisa Camp, Lawna Patterson Oldfield, Dawn Von Strolley Grove et Anthony Clausi, merci pour votre excellent travail de design.

Kim Weiss, merci de nous avoir aidés à rejoindre tous ces golfeurs.

Nous voulons aussi remercier tous ceux et celles qui ont fait l'effort de nous soumettre les milliers d'histoires, de lettres, de poèmes et de citations que nous avons considérés pour une possible inclusion dans ce livre. Bien que nous n'ayons pu tous les inclure, nous avons été émus par chacun de ces textes. Vos histoires nous ont procuré un encouragement constant et nous ont confirmé que nous étions sur la bonne voie.

Merci à vous tous!

# *Introduction*

*Plus petite est la balle utilisée dans un sport, meilleur est le livre.*

George Plimpton

Au moment d'entreprendre cette suite sincère à *Bouillon de poulet pour l'âme du golfeur,* nous avons fait une pause pour nous demander: *Qu'y a-t-il de particulier au golf? Qu'est-ce qui le distingue de tous les autres sports? Qu'est-ce qui fait que ceux qui le pratiquent aussi bien que ses fans vivent une expérience totalement différente des autres domaines? Qu'est-ce qui fait que notre expérience est élevée, surtout en rétrospective, vers quelque chose d'un peu plus transcendant qu'un simple jeu pratiqué avec une balle et des bâtons?*

Un certain nombre de réponses nous viennent immédiatement à l'esprit. Par exemple, le golf est unique parce que nous jouons contre nous-même. Ou, le golf est toujours un défi, à cause de son standard presque inaccessible de la normale. Ou encore, le paysage magnifique dans lequel il est pratiqué fait que ce jeu est une évasion unique pour la plupart des golfeurs partout au monde. Ou, le golf est un sport qu'on peut pratiquer toute sa vie, contrairement à, disons, la balle molle du lundi soir ou la partie improvisée au gymnase local. Ou, c'est peut-être que le golf nous permet de créer et de renforcer une vaste gamme de relations dans un décor unique et relaxant. Ou, le golf ne serait-il pas différent à cause des innombrables mythes et légendes qui entourent ses cinq cents ans d'histoire?

Il y a certainement un peu de vérité dans tout ceci, et de nombreuses autres comparaisons entre le golf et les autres sports. Pourtant, à notre humble avis, ces réponses ne disent pas tout. Nous avons donc plongé dans les encyclopédies, les dictionnaires et autres grands livres saints du golf qui nous offrent d'innombrables explications et métaphores, et nous avons, au meilleur de nos moyens, tenté d'en extraire l'essence même de ce qui distingue le golf; voici ce à quoi nous en sommes venus.

Le golf est un miroir. C'est un miroir de 360 degrés qui entoure chaque coup, chacune de nos décisions et de nos intentions sur le parcours, et qui nous les renvoie avec une clarté parfaite. Nous n'avons pas de coéquipiers derrière lesquels nous pouvons nous cacher, ou qui viendraient obscurcir nos triomphes ou nos échecs. Nous n'avons pas de défenseurs pour contrer nos efforts et s'accaparer leur part d'éloges ou de critiques. Il n'y a pas de lignes qui nous dictent le chemin à faire pour atteindre le but. Nous n'avons personne à blâmer ou à remercier après une faute ou un bon coup. Nous n'avons que nous-même.

Au cours de chaque ronde, nous rencontrons des situations qui nous permettent de jeter un coup d'œil dans ce miroir, si nous le voulons bien. Le bon coup pour sortir du sable qui permet de faire la normale en deux coups, résultat de nombreuses heures de leçons, de pratique et d'un bon dégagé (*follow-through*). Le test d'honnêteté de la-balle-derrière-une-racine quand notre partenaire de jeu ne vous voit pas, qui nous donne l'occasion non seulement de tricher notre partenaire, mais nous-même, ce qui est plus important. Le choix de notre réaction après avoir raté le *putt* pour un 8 sur le *par* 4 le plus facile du parcours. La grande joie de voir son fils ou sa fille tomber en amour avec le jeu. Ou la pure euphorie d'un coup de départ droit et solide.

Dans toute la glorieuse histoire du golf, l'incident qui illustre peut-être le mieux ces possibilités s'est produit lors du match final de la Coupe Ryder de 1969. Dans un des matches les plus chaudement disputés dans l'histoire de cet événement, tout arriva au 18e trou de la dernière journée, lorsque Jack Nicklaus et Tony Jacklin devaient tous deux réussir leur prochain *putt* pour le *par*. Après que Nicklaus, qui en était à sa première Coupe Ryder, eut calé son *putt* de quatre pieds, il a gracieusement et courageusement concédé le *putt* de deux pieds de Jacklin pour égaler la ronde et donner le premier match nul de l'histoire de la Coupe Ryder. Ce simple geste résume bien tout ce qu'il y a de bon dans le golf, sa manière de témoigner du caractère et ses glorieuses possibilités.

Jack Nicklaus, agissant en notre nom à tous, a regardé dans ce miroir et, à ce moment précis, en ce jour illustre, il a vu le meilleur de l'âme humaine lui sourire. À notre humble avis, *c'est ça le golf.*

# 1

# LE PREMIER TERTRE DE DÉPART

*Je peux tout résumer ainsi:*
*merci, mon Dieu, pour le golf.*

Arnold Palmer

# *Qui est le plus grand golfeur?*

Pour la première fois de ma vie de golfeur, j'avais joué sous les 90. Cela m'empêchait de dormir. Dans la noirceur de minuit, j'ai donné un léger coup de coude à ma femme qui dormait: « Peux-tu y croire? », ai-je crié. « Je ne suis plus un débutant! Le secret du golf, c'est simplement de… »

« … amorcer ton *downswing* (descente) avec tes épaules au lieu de tes mains », a-t-elle grommelé.

« Comment le sais-tu? », lui ai-je demandé, étonné.

« Je le sais parce que c'est ce que tu as marmonné toute la soirée. » Elle m'a touché le front pour s'assurer que je ne délirais pas. « Essaie de dormir maintenant, chéri. Demain, tu as une grosse journée. Tu n'as pas oublié? »

Elle avait raison. J'aurais dû dormir depuis des heures. Bientôt, je jouerais mon match de première ronde du championnat du club contre mon ennemi par excellence au golf, Steve Galloway. J'ai ri dans mon oreiller, un petit rire sadique. Connaissant désormais le secret du golf, je l'humilierais enfin.

J'ai fermé les yeux et j'ai commandé à ma tête de faire le vide, sans succès. Elle insistait pour me faire rejouer chaque coup de ma ronde de la journée. Pendant la reprise des deux premiers trous, mon sourire illuminait presque la chambre. Quand je me suis revu ratant le *putt* de vingt pouces sur le 3e vert, mon sourire a disparu. Ce *putt* m'avait fait mal. De même en était-il des quatre autres *putts* courts que j'avais ratés plus tard. Si je les avais calés, j'aurais joué une ronde de 84.

Ces *putts* ratés n'étaient pas les seuls coups que j'aurais pu retrancher, qui n'auraient pas dû se produire et qui, à coup sûr, ne se répéteraient pas. Si un de mes coups de départ n'avait pas courbé hors limites, me coûtant deux coups de pénalité, j'aurais joué un étincelant 82.

Aurais-je pu faire mieux encore? Cette supposition m'a coupé le souffle au point de réveiller ma femme en sursaut. Maintenant qu'elle ne dormait plus, je ne voyais pas pourquoi je ne lui ferais pas partager ma joyeuse découverte.

« J'ai été malchanceux aujourd'hui. Ce n'était pas ma faute », ai-je expliqué. « Un coup d'approche parfait au 9e a fait un bond étonnant dans la fosse de sable et mon coup de départ au 12e est allé se cacher dans les ronces. Puis, au 17e, mon caddie a éternué pendant mon élan, ce qui m'a fait rater complètement la balle. Ne crois-tu pas que, compte tenu que ce sont des accidents non récurrents, je pourrais réduire mon score d'autant? »

« Pourquoi », dit-elle en m'interrompant, « un homme peut se rappeler de chacun de ses coups de sa dernière partie pendant une semaine, mais ne peut se rappeler pendant cinq minutes qu'il doit réparer la moustiquaire de la porte? »

J'ai fait semblant de dormir soudainement. Mais mon subconscient continuait à soustraire ces trois coups de ma ronde hypothétique de 82. Quand je suis arrivé au résultat étonnant de 79, mon corps tout entier semblait flotter vers le plafond.

« Bon Dieu », ai-je crié. « Je suis un champion! »

Toutes ces preuves me disaient que je pouvais jouer la normale même sur les trous les plus difficiles, et peut-être, avec de la chance, y ajouter quelques oiselets. Après tout, pourquoi pas? Les conséquences étaient tout simplement inimaginables.

Délicatement, pour éviter que ma femme ne téléphone à un psychiatre, je me suis glissé hors du lit et mes mains ont pris leur position sur un bois 1 imaginaire. Pendant un instant, je l'ai agité avec une délicieuse anticipation, puis, gracieusement et avec force, mon corps a fait un élan complet. Dans une situation réelle, la balle aurait certainement fini en orbite. J'ai rentré mon ventre et sorti ma poitrine et, dans la noirceur totale de la chambre, je respirais plus de confiance en moi que jamais dans ma vie.

L'élément clé était la confiance… la confiance née de ma nouvelle maîtrise de la technique. Il était incroyable de penser que pendant toutes ces années, j'avais simplement effectué une série interminable de chasses au tigre sur le terrain de golf, frappant le sol violemment avec mes bâtons, m'épuisant par ma propre incompétence. Jamais, en fait, je n'avais traversé la première ronde du championnat du club. Demain, ce serait une autre paire de manches. Pauvre Galloway, il était sans méfiance!

À deux heures, j'ai supplié mon cerveau de me laisser dormir. En vain. À trois heures, j'avais gagné le championnat du club. Une heure plus tard, le *US Open*. L'aube pointait à la fenêtre quand je me suis enfin séparé d'une brassée de trophées fantômes avant de sombrer dans un gouffre de sommeil.

Ma femme et moi étions assis avec les Galloway sur la terrasse du chalet au club de golf et nous regardions le soleil mettre fin à une autre journée du sort imprévisible de l'homme. Le tournoi était terminé et j'aurais aimé me retrouver seul, comme Napoléon sur l'Île d'Elbe. Même une troupe scoute pendant une excursion en forêt n'aurait pas vu autant d'arbres que moi ce jour-là. Sans aucun doute, j'aurais eu un meilleur pointage en me servant d'une hache. Que s'était-il passé pour en arriver à cette agonie abjecte et humiliante? Ma femme s'est penchée vers moi et m'a tapé sur le genou. « As-tu pensé à garder la tête sur la balle, chéri? »

Sa question était trop ridicule pour que j'y réponde. Sans lever les yeux, je sentais le regard moqueur de Steve Galloway sur moi. Cela en était fait, j'abandonnais le golf pour de bon. Devrais-je donner mes bâtons à un caddie méritant, me suis-je demandé, ou plutôt récupérer une petite satisfaction en les enroulant autour du cou de mon adversaire?

Ma femme parlait de nouveau – rien de neuf là-dedans – et j'essayais de ne pas l'écouter. J'ai plutôt choisi de regarder fixement le terrain où la rosée du soir avait déjà teinté d'argent les allées et où, de part et d'autre, les terribles arbres dormaient, maintenant inoffensifs et sereins, alors que la lune se pointait au-dessus d'eux dans la nuit. Il me semblait impossible d'imaginer qu'une scène aussi pastorale pouvait, le jour, se transformer en un champ de bataille si violent.

Je me suis versé un autre verre que j'ai vidé rapidement. Pour une raison ou une autre, cela me faisait sentir mieux. Je me suis calé dans mon fauteuil, mes yeux se tournant de nouveau vers les allées luxuriantes et calmes. Le parcours m'invitait comme une tentatrice dans l'ombre. « Viens faire ma conquête », semblait-elle murmurer. « Tu le peux, c'est possible. »

J'ai fermé les yeux, mais la voix refusait de se taire. Quand j'ai rempli de nouveau mon verre pour le vider d'un trait, j'ai commencé à me sentir étonnamment calme. Un peu comme je m'étais senti la veille quand j'avais joué mon 89.

Ah! c'était donc ça – relaxer! Ça n'avait rien à voir avec la prise du bâton ni avec la rotation des hanches ni la flexion des poignets, c'était simplement une question de relaxation. Pas étonnant que Galloway m'ait battu à plate couture. Mon cerveau avait été gavé d'une suite confuse de choses mécaniques à faire et à ne pas faire. En y allant mollo, ces éléments techniques ne seraient-ils pas tombés naturellement en place?

Oui, oui, je le voyais clairement maintenant. Après des années où j'avais soufflé et haleté sur le parcours, je venais maintenant de comprendre. En silence, en retenant presque mon souffle, j'ai laissé errer mes yeux sur l'immensité du parcours, perdu dans de folles conjectures. Je me demandais, *Que devrais-je porter pendant ma participation au British Open? Un peu de bruyère, peut-être?* Je ne pouvais qu'espérer que, trop relax, je n'échappe pas mon trophée sur l'orteil de la Reine.

Revenant au présent, j'ai essayé de ne pas paraître trop condescendant et me tournant vers Steve Galloway: « Partie revanche samedi prochain? », ai-je demandé.

« Mais, mon chéri », protesta ma femme, « c'est la journée où tu as promis de réparer la porte moustiquaire. »

Pendant un instant, ses paroles ont bourdonné à mes oreilles comme des maringouins, avant de s'envoler, Dieu merci, quand la voix de Galloway a confirmé qu'il y aurait un autre massacre. « Tu es d'humeur pour une autre raclée, hein? »

Je me suis contenté de sourire dans le noir. Déjà, je commençais à devenir joyeusement tendu juste à penser aux merveilles de la relaxation.

*Graham Porter*
*Soumis par Ken et Judy Chandler*

*« Le golf miniature ne sert à rien pour nos longs coups. »*

# *Le paradis d'Augusta*

J'ai commencé à trembler d'anticipation en fermant le téléphone. Était-il possible que j'irais jouer une ronde de golf sur le terrain sacré du *Augusta National*?

L'offre généreuse avait été faite par mon ami Frank Christian, photographe de terrains de golf de réputation mondiale, et photographe officiel du *Augusta National* depuis trente ans. Chaque année, Augusta permet à des employés choisis d'inviter deux personnes à jouer sur le parcours. La date qu'on nous avait assignée était deux semaines après le *Masters*.

J'ai emmené mon ami Tim Townley. Tim et moi sommes amis depuis toujours, mais depuis ce temps, je me surprends à lui rappeler constamment qu'il me sera redevable pour tout aussi longtemps. Inutile de dire que les semaines avant notre date nous ont semblé une éternité. Nous nous parlions aux cinq minutes pour partager quelques faits de l'histoire d'Augusta.

Frank Christian sait comment mettre les gens à l'aise et rendre le voyage de ses amis à Augusta une expérience unique. C'est ce qui s'est passé quand nous sommes arrivés à Augusta.

Frank est à l'origine d'une longue tradition. Il vous invite à commencer votre expérience la veille de votre ronde. Voyez-vous, quand le grand Bobby Jones est mort, Frank a été chargé de vider son casier. Il y a trouvé une bouteille de Old Rye Whiskey de 1908, pleine aux trois-quarts. Il a obtenu l'autorisation d'apporter son trésor chez lui. Le rituel de Frank avant la ronde veut que chaque membre du quatuor prenne une petite gorgée de whiskey de la bouteille de Bobby Jones. Encore aujourd'hui, j'en ai la chair de poule chaque fois que j'y pense.

Le lendemain, je me suis réveillé avant l'aube, tout excité à la pensée de la journée qui m'attendait. Finalement, l'heure de notre départ est arrivée et nous nous sommes dirigés vers le parcours.

En arrivant, j'ai eu mon premier aperçu de la célèbre grille et de l'allée bordée de magnolias. Juste à l'extérieur, il y avait un homme et son fils qui s'étiraient le cou pour tenter de voir à l'intérieur. Le jeune garçon portait des *knickers* et un béret écossais, tout comme Payne Stewart. Il était clair que le père avait transmis sa passion du golf à son fils et qu'ils la partageaient désormais. Si j'avais pu les faire entrer, je l'aurais fait, mais c'était impossible. En passant devant eux, je leur ai souhaité bonne chance dans leur projet.

Tout était parfait, comme je l'avais toujours imaginé. Chaque brin d'herbe était parfaitement coupé, les jardins étaient resplendissants et chaque arbuste impeccable. Le parcours était très différent de ce qu'on pouvait voir à la télévision. Entre autres, le parcours est parsemé de nombreuses et profondes ondulations et buttes. Même si on connaît bien les difficultés des verts, je crois qu'ils sont encore plus difficiles quand on les joue.

J'ai joué aux *St. Andrews, Royal Troon, Muirfield, Pebble Beach* et beaucoup d'autres, mais *Augusta National* est sans l'ombre d'un doute la meilleure expérience de golf de ma vie.

J'ai ma propre tradition chaque fois que je joue sur un de ces célèbres parcours. Je recueille une fiole de sable d'une des fosses que je dépose à côté de ses éminentes collègues. J'ai pris un peu de sable de la fameuse fosse qui borde le 18$^{e}$ vert d'*Augusta* en guise de souvenir.

En arrivant à l'aéroport pour rentrer à la maison, j'ai vu le père et son fils que j'avais aperçus à la barrière d'*Augusta*. J'ai demandé au jeune garçon, qui s'appelait Max, s'il avait aimé son séjour à Augusta et il m'a répondu par un « oui » peu enthousiaste. Son père m'a dit que Max était très déçu de n'avoir pu franchir les barrières d'*Augusta* pour acheter un souvenir. Moi, je sortais d'une ronde de golf à Augusta avec mon nouveau polo d'Augusta et ma nouvelle casquette d'Augusta, et ce petit garçon n'avait rien.

C'est alors que j'ai enlevé ma casquette pour la mettre sur sa petite tête. Ensuite, j'ai ouvert mon sac, j'y ai pris ma fiole de sable du 18e trou et j'ai expliqué à Max ce que c'était et comment je me l'étais procurée. J'ai dit à Max que ce serait un excellent début pour une nouvelle collection qu'il pourrait entreprendre.

Son expression était impayable.

Aussi superbe qu'ait été mon expérience au *Augusta National*, mon moment le plus mémorable a été l'expression sur le visage de Max.

*Jeff Aubery*

# *Les cent plus beaux parcours de golf*

Un golfeur a téléphoné au *Chicago Golf Club* et a expliqué qu'il avait entrepris de jouer sur les « Cent plus beaux parcours de golf » et qu'il lui fallait absolument ajouter celui-ci à sa liste.

Le club, très sélect, a tout de même accepté à contrecœur de le laisser jouer compte tenu des circonstances spéciales.

Après sa ronde, un membre a demandé à l'homme: « Incidemment, combien vous reste-t-il de parcours à jouer pour terminer les Cent plus beaux? »

« Quatre-vingt-dix-neuf », a répondu l'homme.

*Bruce Nash et Allan Zullo*

# *L'homme à l'élan parfait*

*Il faut travailler très fort pour devenir un golfeur naturel.*

Gary Player

Par une matinée chaude dans un club de golf près d'Orlando, un monsieur trapu à la chevelure grise clairsemée traverse la foule rassemblée pour la démonstration de la journée. Ceux qui ne s'y connaissent pas pourraient penser qu'il est un de ces vieux basanés qui rêvent de jouer *bogey*.

Il porte un col roulé noir malgré la chaleur. La poche gauche de son pantalon lime est gonflée, comme toujours, par deux balles de golf – jamais plus, jamais moins. Les trois montres à son poignet gauche marquent la même heure.

Prenant position sur le tertre, il frappe rapidement une série de coups de *wedge* à environ 70 verges. Au début, les spectateurs ne sont pas très impressionnés. C'est alors qu'ils remarquent que les balles atterrissent l'une sur l'autre. « Chaque coup identique au précédent », marmonne le golfeur, comme s'il se parlait. « Identique au précédent. »

Changeant pour un bâton plus long, un fer 7, il frappe élégamment deux douzaines de balles, chacune franchissant 150 verges pour s'arrêter tellement près les unes des autres qu'on aurait pu les masquer avec un couvre-lit.

Prenant ensuite son bois 1, il expédie une pluie de balles à 250 verges plus loin, où toutes auraient trouvé place sur un carré d'herbe de la grandeur d'un garage double.

Des rires étonnés montent de la foule. « Parfaitement droite », dit le golfeur de sa voix chantante. « Regardez-la partir. Parfaitement droite. »

Les gens qui ont suivi la carrière de Moe Norman ne sont plus surpris de son étonnante démonstration de précision. Plusieurs professionnels et passionnés du golf considèrent que ce Canadien de soixante-dix ans est une figure légendaire. Pourtant, peu de gens en dehors du monde du golf connaissent son nom. Encore moins nombreux sont ceux qui savent l'histoire de sa lutte pour se faire accepter dans le seul monde qu'il comprend.

Par un matin froid de janvier 1935, Murray Norman, cinq ans, descendait une côte glacée en traîneau avec un ami près de chez lui à Kitchener, Ontario. À pleine vitesse, le traîneau a traversé la rue et glissé sous une voiture qui passait.

Les deux garçons ont survécu et sont rentrés à la maison en pleurant. Le pneu arrière droit de la voiture avait roulé sur la tête de Moe, ce qui a relevé l'os de la joue d'un côté de son visage. Ses parents, incapables de payer les soins médicaux, n'ont pu que prier que son cerveau n'ait pas été endommagé.

En vieillissant, Moe a manifesté des excentricités de comportement et une élocution répétitive et saccadée. Son frère aîné, Ron, a remarqué que Moe semblait exceptionnellement effrayé dans des situations qui ne lui étaient pas familières. La nuit, Ron entendait souvent son petit frère pleurer dans son lit, anéanti par quelque affront, réel ou imaginaire.

À l'école, Moe ne se sentait pas à sa place avec les autres enfants. Tentant désespérément de se faire des amis et d'être accepté, il a essayé d'être enjoué, mais ses efforts ont souvent produit les résultats contraires – il pinçait les autres trop fort ou il les étreignait jusqu'à ce qu'ils le repoussent. Il s'attirait le ridicule et a même trouvé son propre surnom: *Moe the Schmoe* (l'andouille).

On le disait lent dans ses études, quel que soit le sujet – sauf un. En mathématiques, personne n'approchait Moe Norman. Il étonnait ses collègues de classe en apprenant par cœur des problèmes très complexes et en multipliant des nombres de deux chiffres presque instantanément.

Quand il ne faisait pas le pitre, Moe s'isolait des autres. Avec le temps, il s'est isolé de plus en plus et pourtant, ironiquement, c'est dans la solitude qu'il était le plus heureux.

Pendant les années qui ont suivi son accident, Moe a passé des heures, en haut de la côte où il glissait en traîneau, à frapper une vieille balle de golf avec un vieux fer 5 rouillé à tige de bois qu'il avait trouvé à la maison. Se retrouver dans le monde solitaire et magique du golf lui donnait une raison de se lever chaque matin.

En 1940, Kitchener était une ville industrielle sale où les ados de la classe ouvrière n'avaient ni l'argent ni le désir de pratiquer le golf, ce « jeu de fille » réservé à la classe aisée. Mais Moe était envoûté. Souvent, il oubliait de manger, manquait l'école ou ne faisait pas ses corvées pour aller seul frapper des balles dans un champ – cinq cents ou plus par jour. Il pratiquait jusqu'à la tombée de la nuit, parfois jusqu'à ce que le sang qui dégoulinait de ses mains rende le bâton trop glissant.

Au début de son adolescence, Moe s'était trouvé un travail de caddie dans un club de golf – travail qu'il a perdu après avoir lancé dans un arbre les bâtons d'un membre local qui avait lésiné sur le pourboire. Il abandonna rapidement le rôle de caddie pour se concentrer sur son jeu, polissant son talent à un club public des environs. Il a laissé l'école à l'âge de seize ans, et à dix-neuf ans, il savait qu'il avait un talent rare. Il pouvait frapper une balle de golf et l'envoyer là où il le désirait.

Au début de la vingtaine, Moe est parti de la maison, faisant de l'auto-stop d'un tournoi amateur à l'autre partout au Canada, en payant ses dépenses par de petits métiers peu payants. Au cours des premiers tournois auxquels il a participé à la fin des années 1940, les amateurs ne savaient que penser de cet étrange petit homme aux vêtements mal assortis et tape-à-l'œil, aux cheveux roux drus et aux dents croches.

Sa démarche était enjouée, presque celle d'un enfant, sa technique, qu'il avait apprise seul, était très peu orthodoxe. Les jambes très écartées, il se tenait devant sa balle comme un frappeur au baseball, tenant son bâton non pas avec ses doigts comme on enseigne aux golfeurs, mais très serré dans ses paumes, les poignets pliés, comme s'il tenait une massue.

Plusieurs spectateurs le considéraient comme une attraction amusante, négligeable. Certains riaient en le voyant se présenter sur le tertre de départ. Cependant, peu de temps après, Moe Norman faisait tourner les têtes pour d'autres raisons que son style personnel.

Reconnu comme un joueur doué qui pouvait frapper la balle avec une précision à couper le souffle, il est rapidement devenu une vedette du circuit de golf amateur. Au cours d'une seule saison, il a joué 61 quatre fois, a établi neuf records de parcours et gagné 17 des 26 tournois auxquels il a participé.

Malgré sa réputation qui grandissait, Moe est demeuré horriblement gêné et ne pouvait s'imaginer qu'il méritait toute cette attention. Plutôt que de profiter de sa notoriété, il la fuyait. En 1955, après avoir gagné l'Omnium amateur du Canada à Calgary, Moe ne s'est pas présenté à la remise des trophées. Ses amis l'ont retrouvé plus tard, se rafraîchissant les pieds dans l'eau de la Rivière Elbow.

Cette victoire donnait le droit à Moe de participer à l'un des événements les plus prestigieux du golf: le tournoi des

Maîtres. Quand il a reçu l'invitation au tournoi, il n'avait que vingt-six ans et passait ses hivers à travailler dans une salle de quilles de Kitchener. Le tournoi des Maîtres était pour lui la chance non seulement de représenter son pays, mais de prouver aux sceptiques qu'il n'était pas un feu de paille, chanceux en début de carrière.

Mais ses vieux démons le hantaient toujours. Moe se sentait un intrus parmi les gloires du golf. Il a très mal joué le premier jour, et pire encore le lendemain. Il s'est donc réfugié sur le terrain de pratique.

Alors qu'il frappait des balles, Moe a remarqué une personne derrière lui. « Auriez-vous objection à ce que je vous donne un petit conseil? » lui a demandé Sam Snead. Le Membre du Temple de la Renommée lui a simplement suggéré une légère modification dans son élan avec ses longs fers.

Pour Moe, c'était plutôt Moïse qui venait de lui donner le Onzième Commandement en descendant de la montagne.

Bien décidé à profiter pleinement du conseil de Snead, Moe est resté sur le terrain de pratique jusqu'à la tombée du jour, frappant des centaines de balles. Ses mains étaient pleines d'ampoules. Le lendemain, incapable de tenir un bâton, il s'est retiré du tournoi des Maîtres, humilié.

Malgré cela, Moe est remonté vers le sommet pour gagner le championnat Amateur canadien l'année suivante. Une série de victoires a suivi. Avec le temps, il avait gagné tellement de tournois et reçu tellement de téléviseurs, de montres et autres prix qu'il a commencé à vendre ceux qu'il ne voulait pas conserver.

Lorsque l'Association Royale Canadienne de Golf l'a accusé d'avoir accepté des dons pour défrayer ses frais de déplacement, ce qui est contre les règles pour les amateurs, Moe a décidé de devenir professionnel. Son premier geste en temps que professionnel a été de s'inscrire, et de gagner, l'Omnium de l'Ontario.

Nouveau venu sur le circuit de golf professionnel, Moe a conservé la même attitude espiègle qu'il avait chez les amateurs. Quand les gens riaient, il les encourageait en faisant le pitre. Joueur extrêmement rapide, il ne lui fallait pas plus de trois secondes pour se placer et frapper son coup, au point où, parfois, il s'allongeait dans l'allée en faisant semblant de dormir le temps que les autres le rejoignent.

Les supporters adoraient son spectacle, mais certains de ses collègues du Circuit de la PGA des États-Unis ne l'entendaient pas ainsi. Lors de l'Omnium de Los Angeles de 1959, un petit groupe de joueurs l'ont approché dans le vestiaire. « Cesse de faire le clown », lui ont-ils dit, en lui demandant non seulement de corriger sa technique mais aussi sa manière de se vêtir.

Ses amis disent qu'une ombre a traversé le visage de Moe ce jour-là. D'autres croient que cet épisode a détruit sa confiance et l'a convaincu de se retirer du circuit américain pour ne jamais y revenir. Plus que tout au monde, Moe voulait être accepté par les joueurs qu'il admirait tant. Mais il n'était pas comme les autres et aujourd'hui, on le punissait pour cela.

Les rires sont soudain devenus des piques personnelles. Il ne pouvait plus ignorer les idiots dans la galerie qui imitaient sa voix aiguë ou remontaient leur ceinture pour se moquer des pantalons trop courts de Moe.

Parce qu'il ne s'était jamais attaqué aux idoles américaines comme Jack Nicklaus ou Arnold Palmer, Moe n'était pas connu hors du Canada. Chez lui, par contre, il a connu un prodigieux succès. Sur le circuit PGA canadien et dans les plus petits tournois en Floride, Moe a remporté cinquante-quatre tournois et établi trente-trois records de parcours. Alors que la plupart des golfeurs de réputation mondiale comptent leurs trou-d'un-coup sur les doigts d'une main, Moe en a réussi au moins dix-sept.

Malgré sa réputation et les années qui passaient, Moe était toujours affecté par des changements d'humeur qui l'avaient affligé pendant son enfance. Même avec ses amis, il pouvait être sec, parfois impoli au point d'embarrasser les autres.

À d'autres moments, il était le Moe charmant et adorable qui étreignait ses amis et lançait des balles de golf aux enfants comme du bonbon – le clown heureux du temps qu'il était amateur.

Pendant les années 1960 et 1970, Moe a accumulé les victoires. Par contre, au début des années 1980, il a commencé à perdre son enthousiasme pour la compétition. Il a moins gagné et il a sombré dans une dépression. Pas riche, il semblait se soucier très peu de l'argent. Il a prêté des milliers de dollars à de jeunes golfeurs prometteurs et ne s'est jamais donné la peine de se faire rembourser.

Ruiné et oublié, il errait d'appartements et de maisons de chambre minables à des motels bas de gamme, dormant souvent dans sa voiture. Sans la générosité de ses amis – et un coup de chance – il aurait probablement disparu totalement de la circulation.

Moe n'avait jamais eu de téléphone ni de carte de crédit, encore moins une maison. Rares sont ceux qui savent où il habite à tout moment et il n'adresse que rarement la parole aux étrangers. Pas étonnant que Jack Kuykendall ait mis deux ans à le retracer.

Kuykendall, fondateur d'une société nommée Natural Golf Corp., l'a enfin rejoint à Titusville, en Floride. Il a raconté à Moe qu'il avait une formation de physicien et qu'il avait travaillé pendant des années pour développer l'élan de golf parfait – pour découvrir par la suite qu'un vieux golfeur canadien utilisait la même technique depuis quarante ans. Il lui fallait faire la connaissance de cet homme.

Moe a accepté de faire des démonstrations de son élan à des cliniques commanditées par Natural Golf Corp. Le mot s'est vite passé dans les coulisses du golf et bientôt, les magazines de sport faisaient l'éloge du mystérieux génie à l'élan d'or.

Parmi ceux qui suivaient les exploits de Moe, il y avait Wally Uihlein, président d'une société qui fabriquait des balles de golf, Titleist and FootJoy Worldwide. Espérant protéger un des trésors du golf, Uihlein a annoncé en 1995 qu'il donnerait à Norman cinq mille dollars par mois jusqu'à la fin de sa vie. Étonné, Moe a demandé ce qu'il devait faire pour mériter cet argent. « Rien », lui répondit Uihlein. « Vous l'avez déjà fait. »

Deux semaines plus tard, Moe Norman a été élu au Temple de la Renommée du Golf du Canada. Encore aujourd'hui pourtant, il n'est pas très connu en dehors de son pays d'origine, sauf chez les vrais disciples de ce sport. À leurs yeux, Moe est le plus grand héros inconnu du golf, le solitaire énigmatique dont Lee Trevino a déjà dit qu'il était « le meilleur frappeur de balle que j'ai jamais vu ». Plusieurs sont d'accord avec Jack Kuykendall – si quelqu'un avait donné un coup de main à Moe il y a quarante ans, « son nom serait aussi connu que celui de Babe Ruth ».

Dans le stationnement d'un club de golf de Floride, Moe Norman est penché dans sa Cadillac grise et fouille dans une pile de cassettes de motivation. Il semble nerveux et pressé, mais en se glissant derrière le volant, il prend un moment pour penser à sa vie, à sa famille et à son obsession.

Moe n'a jamais eu un vrai mentor ou un conseiller de confiance. « Les jeunes d'aujourd'hui, dit-il, sont conduits en voiture jusqu'au club de golf. De belles chaussures de golf, des gants à vingt dollars, de beaux pantalons. “Passe une belle journée, fiston." Ça me fait pleurer. Si j'avais seulement entendu ces paroles quand j'étais jeune… »

Il plisse des yeux dans le soleil et penche la tête. « Tout le monde voulait que je sois heureux à leur façon, dit-il. Mais j'ai fait à ma tête. Aujourd'hui, je m'assois dans le noir de ma chambre chaque soir avant de me coucher et je me dis "Ma vie m'appartient. Ma vie m'appartient." »

Sur ce, il ferme la portière et baisse la vitre une petit peu. Quand on lui demande où il va, Moe s'illumine immédiatement et un air de plaisir traverse son visage.

« Parti frapper des balles », dit-il en s'éloignant. « Frapper des balles. » C'est, et ce sera toujours, le moment important de sa journée.

*Bruce Selcraig*

*Au golf, il est déjà un vieux à vingt-quatre ans: il a déjà atteint son sommet et ne peut plus s'améliorer. La question est de savoir pendant combien de temps ce garçon pourra garder ce qu'il a.*

Sam Snead – parlant de Jack Nicklaus, 1965

# *Points communs*

Ayant grandi en Égypte, je n'ai jamais eu la chance de jouer au golf, ou même de m'approcher d'un terrain de golf, même si, comme me l'a déjà dit un golfeur, l'Égypte est « une grande fosse de sable ». Aujourd'hui, les terrains de golf poussent comme des champignons dans les centres de villégiature en Égypte.

Le golf était un jeu bien trop individualiste et discipliné pour quelqu'un qui, pendant la plus grande partie de sa vie, a joué le jeu indiscipliné du football (soccer), plein d'improvisation et de créativité.

Le golf est un sport des sociétés d'abondance, où les joueurs fournissent habituellement leurs propres balles, sacs, chaussures, parapluies, habits de pluie, chapeaux, voiturette, bâtons et caddies. Pendant des années, j'ai souscrit à l'idée que le golf était un sport d'élite, où des hommes en pantalons hideux allaient réussir de bons coups financiers sur le parcours, loin des femmes et des minorités.

Quand j'ai mis les pieds pour la première fois sur un terrain de golf, j'y ai découvert, à ma grande surprise, surtout des jeunes *baby boomers* qui portaient de beaux pantalons. Et la seule chose qu'ils cherchaient à réussir était de bons coups de golf. Les seules affaires dont ils parlaient étaient comment contrôler cette petite balle et la garder dans l'allée. Golfeur pour la première fois, j'étais sur mes gardes, car je n'avais que mon sac et quelques visites sur un terrain de pratique, me demandant surtout quelles étaient les règles et l'étiquette de ce jeu énigmatique.

Dans le chalet, on m'a d'abord jumelé à trois autres hommes que je n'avais jamais rencontrés auparavant. Peu de sports font cela. Ils m'ont demandé si je voulais compléter leur quatuor. Je me suis demandé si cela concernait mon handicap. Au premier trou, nous étions simplement quatre hommes faisant connaissance pour la première fois. Au cinquième, nous étions des associés. En quittant le neuvième, nous sommes devenus des copains de bar (pas d'alcool pour moi, merci). Le golf est un des seuls sports qui vous permettent de jouer et de boire en même temps – à l'exception du bowling.

En arrivant au dix-huitième, nous étions devenus des amis qui venaient de passer la plus grande partie d'une journée loin de leur travail, de leur famille et de leur femme. Nous étions coupés de tout signe de civilisation, nous liant ensemble, entourés par la nature primitive du parcours.

Quelle expérience rafraîchissante et quel merveilleux plaisir pour moi, un Arabo-Américain, d'être entouré de gens qui me considéraient comme l'un des leurs. On ne me regardait pas comme un Américain d'origine étrangère, à qui on posait des questions sur la situation au Moyen-Orient et à qui on demandait d'expliquer le comportement autodestructeur complexe de Saddam Hussein.

On ne m'a pas demandé mon aide pour localiser Ousama ben Laden. Tout ce qu'on me demandait était de trouver la balle. Le seul djihad que nous devions mener était contre le parcours et de rester dans l'allée. Cette camaraderie nous avait coupés de nos origines ethniques, de nos partis pris et de nos préjugés. Nous avions oublié notre race, notre couleur et notre ethnie. La seule couleur que nous voyions était le vert. Sur le parcours, il n'est pas nécessaire d'avoir suivi des cours de sensibilisation aux diversités culturelles. Je n'étais qu'un golfeur comme les autres. Un mauvais golfeur, mais jamais un mauvais Arabe.

La concentration et le plaisir exotique de frapper cette petite balle dans l'allée effaçaient nos stéréotypes, notre racisme et notre ethnocentrisme personnels. Nous étions des hommes libérés, libres de tous fardeaux sociaux d'accomplir de grandes choses dans la vie.

Pour des Arabo-américains, notre énergie a été consumée pendant des années par le débat sans fin sur le sort d'une parcelle de terre divine à des milliers de kilomètres d'ici sur laquelle nous ne pouvons rien. Sur le parcours, la seule parcelle de terre divine était le vert devant nous. Ce jeu était notre réalité et j'étais le seul à y pouvoir quelque chose. Une partie de golf?

*Ahmed Tharwat Abdelaal*

*« À quelle heure as-tu un départ ? »*

# *Préliminaires*

Il fait une journée splendide à Miami, et je suis parmi quelque cinq cents personnes formant un demi-cercle autour d'un tapis de gazon luxuriant, sentant bon, d'un vert luisant, le genre qui vous incite à vous mettre nu pour vous rouler sur le dos comme un chien.

Pourtant, les gens qui m'entourent n'en font rien. Ils sont silencieux et solennels, comme des paroissiens à l'église, sauf que plusieurs d'entre eux fument le cigare. Ils regardent attentivement des silhouettes minuscules au loin. Je regarde aussi, mais je ne peux pas vraiment voir ce que font ces silhouettes. Soudain, un murmure monte de la foule et cinq cents têtes se lèvent vers le ciel à l'unisson. Je ne vois toujours rien. La foule retient son souffle, attend, attend, lorsque soudain… *plop*… une petite balle blanche tombe du ciel au centre du demi-cercle et se met à rouler. La foule en colère se met immédiatement à crier après la balle.

« Mord! » crient-ils, en crachant de la salive et des cendres de cigare. « MORD! » C'est leur façon de dire à la balle qu'ils veulent qu'elle cesse de rouler.

La balle, craignant probablement pour sa vie, s'arrête. La foule applaudit et pousse des acclamations frénétiques. C'est comme si l'arrivée de cette balle était le point culminant de leur vie.

C'est peut-être le cas. Ce sont, après tout, des amateurs de golf. Et cette balle a été frappée personnellement par – préparez-vous à l'arrêt cardiaque – *Jack Nicklaus.*

Ce moment passionnant du sport s'est produit à l'Omnium *Doral-Ryder*, un tournoi de golf du circuit professionnel où les meilleurs golfeurs du monde se réunissent pour déterminer qui peut prendre le plus de temps pour enfin frapper la balle.

Je ne sais pas si c'est votre cas, mais quand je joue au golf – ce qui m'est arrivé trois fois dans ma vie – je ne perds pas beaucoup de temps. J'attrape simplement un bâton, je marche rapidement vers la balle et je prends un bon élan, puis je vérifie pour voir si la balle a bougé de sa position originale. Si ce n'est pas le cas, je prends un autre bon élan et je répète cet exercice jusqu'à ce que la balle soit partie, ce qui est mon signal de sortir une autre balle, car l'expérience m'a appris que je ne retrouverai au grand jamais la première. Je continue jusqu'à ce qu'il ne me reste plus de balles, ce qui est mon signal de chercher l'endroit du club de golf où on vend de la bière. En d'autres termes, je joue un genre de golf passionnant d'action ininterrompue, qui serait idéal pour les spectateurs, sauf que la plupart d'entre eux seraient tués au bout de quelques minutes.

D'autre part, votre golfeur professionnel ne *pense* même pas à frapper une balle avant d'avoir fait une étude géologique et météorologique complète de la situation – faisant minutieusement le tour de la balle, comme si elle était une menace terroriste. Il l'examine de tous les angles possibles, s'accroupit et plisse les yeux, vérifie le vent, prend des échantillons de sol, analyse les photos satellites, teste le terrain pour y trouver des traces de l'ADN d'O. J. Simpson, et autres choses encore. Votre golfeur professionnel prend plus de temps pour un *putt* de six pieds que la société Toyota n'en prend pour transformer du minerai de fer en une Corolla.

Je sais qu'il peut sembler ennuyeux de regarder des hommes d'âge mûr accroupis pendant de longues minutes, mais quand vous assistez en personne à un tournoi de professionnels, quand vous regardez des golfeurs de classe mondiale calculer leurs coups – c'est *incroyablement* ennuyant. Du moins, ce l'était pour moi. Dans mon esprit, ce sport est aussi excitant que d'observer la réparation d'une transmission de voiture.

« FRAPPE LA BALLE, ENFIN! », avais-je envie de crier à Jack Nicklaus, mais je ne l'ai pas fait car la foule se serait retournée contre moi et mon corps sans vie aurait été retrouvé plus tard enfoui dans une fosse de sable, couvert de brûlures de cigares. Ces fans adorent les golfeurs et ils semblent vraiment fascinés de les voir s'accroupir et plisser les yeux. Plus il se passait de temps sans que rien ne se produise, plus les amateurs de golf devenaient excités jusqu'à ce que, enfin, Jack fût prêt à poser le geste extrême de vraiment frapper la balle, les gens étaient fous d'anticipation, même si personne ne disait mot, car le coup roulé est une activité extrêmement difficile et très technique qui – contrairement, par exemple, à une chirurgie du cerveau – doit être accomplie dans le silence le plus absolu.

C'est ainsi que, dans une atmosphère de tension comparable à celle du lancement d'une navette spatiale, Jack s'est enfin penché sur la balle, a reculé son *putter* et doucement frappé la balle.

« DANS LE TROU! », a crié la foule à l'intention de la balle. « DANS LE TROU! »

Évidemment, la balle n'est pas tombée dans le trou. Vos golfeurs de classe mondiale ratent un nombre surprenant de courts *putts*. À mon avis, c'est parce qu'ils s'accroupissent trop.

« NON! », a crié la foule quand la balle s'est arrêtée, à un pouce du trou. Certains hommes étaient au bord des larmes, d'autres juraient à voix haute. Ces gens étaient *furieux* contre la balle. Ils ne blâmaient pas Jack. Jack avait travaillé *fort* pour aligner ce *putt*, et cette stupide balle *l'avait laissé tomber.*

Mais Jack a été magnanime. Il a gentiment envoyé la balle dans le trou et les amateurs ont applaudi frénétiquement. Ils avaient bien raison car ce n'est pas tous les jours qu'on voit une personne frapper une petite balle sur une distance de *six pieds*.

*Dave Barry*

# *Mesdames, le golf est-il pour vous?*

*Notre esprit a besoin de se détendre et il craquera si nous ne mêlons pas un peu de jeu au travail.*

Molière

Je me suis mise au golf il y a huit ans, à l'âge de… peu importe. J'en suis devenue si mordue que je n'avais plus le temps de faire la lessive à la maison. Quelque temps après, mon mari m'a fait fabriquer une plaque qui disait « Martha Stewart habitait ici ». Parfois, en rentrant à la maison après une ronde de golf, il me fallait arrêter pour lui acheter un sous-vêtement pour le lendemain. Il a deux tiroirs pleins de slips. Que Dieu nous en préserve, mais s'il lui arrivait un accident, non seulement porterait-il des sous-vêtements propres, mais il est probable qu'ils seraient flambant neufs.

Le golf est merveilleux, mais je me rappelle encore à quel point il peut s'avérer une expérience frustrante pour une débutante. Pendant les trois premiers mois, je me demandais si le golf était ma punition pour la fois où je m'étais introduite subrepticement dans la chambre de sœur Mary Margaret pour voir s'il était vrai qu'elle avait une affiche de Bob Dylan au-dessus de son lit comme le voulait la rumeur à l'école. Golfeuse débutante, j'ai tant pleuré que mon mari m'a suggéré de faire vérifier le niveau de mes hormones. Il ne pouvait pas croire que c'était simplement à cause du golf. J'ai persévéré et les choses se sont améliorées. J'aimerais maintenant partager avec vous quelques trucs et quelques idées pour rendre la première incursion d'une femme dans le monde du golf moins pénible.

Quelles que soient vos raisons pour commencer à jouer, qu'il s'agisse de ne plus entendre votre fils pratiquer le cor ou de fuir votre belle-mère, demandez-vous sérieusement si ce jeu est vraiment pour vous. Vous pouvez être athlétique, mais il y a plus que l'habileté en jeu ici.

Par exemple, il y a le tempérament. Si vous avez le genre de tempérament explosif, jumelé à l'occasion avec des crises d'anxiété, il pourrait être dangereux pour vous de prendre un bâton certains jours. J'ai déjà vu une femme détruire un marqueur au 150 verges, un joli petit arbuste en fleurs, avec son fer 7 seulement parce que sa balle rose favorite était tombée dans le lac.

Il y a la vanité. Particulièrement en été. Si vous vous inquiétez de vos cheveux qui tombent les jours humides, de voir se détériorer votre maquillage au point où votre visage semble avoir fondu, ou de voir votre mascara faire des traces noires sur vos joues, restez à la maison et fabriquez des gants de cuisine.

Il y a la pruderie. Si vous êtes le genre de personne qui se scandalise au moindre gros mot indigne venant d'une dame, oubliez le golf.

Avant de dépenser une fortune pour des bâtons pour décider six mois plus tard que vous préférez vraiment faire du parachutisme, je vous suggère d'emprunter la plupart des objets essentiels dont vous aurez besoin. Il vous faudra des bâtons (un maximum de quatorze, dont huit ont l'air identiques, mais dans quelques années vous pourrez les différencier), un sac, des chaussures (celles avec des crampons en plastique pour ne pas glisser), des balles, des *tees*, une serviette et un marqueur (une pièce de vingt-cinq sous fera l'affaire, mais n'oubliez pas de la reprendre en quittant le vert).

Si vos amis n'ont pas un jeu de bâtons à vous prêter, vous pourrez trouver des bâtons usagés à bon prix dans les ventes-débarras. Au début, ne dépensez pas trop. À ce stade, l'équipement n'a que peu d'importance puisque vous n'avez aucune idée de ce que vous faites.

Finalement, si vous persévérez dans ce sport, vous verrez que vous passerez votre temps à vous acheter un nouveau bois 1. Chaque fois que vous entendrez parler d'un nouveau modèle qui vous aidera à ajouter 10 verges à votre coup de départ, vous irez l'acheter. J'ai remarqué que, peu importe le manufacturier, ou le matériau employé, on parle toujours de « dix verges de plus ». Vous pourriez vous dire que, parmi tous ces manufacturiers, une compagnie pourrait avoir un ingénieur assez futé pour créer un bâton qui vous permettrait de gagner 50 verges et d'avoir la paix pour un bout de temps.

J'adore les bois 1. Ils sont tous si différents. On les fait en graphite, en titane, avec des bulles, sans bulles, à grosse tête, à tête géante, avec une tige rigide ou extra-rigide – tout y passe.

Maintenant que vous avez votre équipement, il vous faut un professeur. Mesdames, une mise en garde: ne permettez pas à votre mari de vous apprendre à jouer au golf. D'ailleurs, quand l'avez-vous écouté la dernière fois? Pourquoi alors penser que vous allez commencer maintenant? Tôt ou tard, même sa voix vous tombera sur les nerfs. Faites-moi confiance, cela ne marchera pas. Trouvez-vous un vrai professionnel. Je crois que la personne qui a décrété que le sexe était la cause principale des mésententes dans un couple n'a jamais enseigné à sa femme à jouer au golf.

Un autre conseil: tant que vous serez une débutante, évitez de participer à des tournois avec votre conjoint selon la formule des coups alternatifs. Dieu vous protège si votre coup se retrouve derrière un arbre, sur une racine ou dans une fosse en position « œuf sur le plat » et que ce soit son tour de jouer la balle. C'est une dispute en puissance et, croyez-moi, elle se matérialisera.

Une autre idée à retenir pour préserver la paix du ménage: si jamais vous faites un trou d'un coup, n'en parlez plus jamais après la journée même de l'exploit. J'en ai réussi deux, il n'en a pas un seul. J'aime trop mon mari pour le vexer, alors je n'en parle jamais en sa présence. Mais mes plaques commémoratives sont accrochées dans la salle de séjour, de part et d'autre du téléviseur où il peut les voir chaque soir. J'ai aussi une plaque de voiture personnalisée, 2-HOLS-N-1 – et il lave ma voiture chaque samedi.

Le golf est semblable à la pêche: il y a toujours le poisson qu'on a échappé. Au golf, il y a toujours le *putt* qui a refusé de tomber. Mais le golf est plus que des bons coups. Les meilleurs moments sur un parcours ne sont pas nécessairement reliés au jeu. Il y a la fois où mon mari, après avoir raté un coup d'approche, ce qui ne lui ressemble pas, a lancé son *wedge*. Le bâton est tombé sur le sentier, tête première, le faisant rebondir dans une rotation de 360 degrés pour se retrouver directement dans son sac. Avec le temps, vous aurez vos propres histoires à raconter et vous vous en souviendrez pendant des années.

Surtout, amusez-vous, même les jours où vous croirez que vous auriez mieux fait de rester à la maison à faire des mitaines pour le four au lieu de vous rendre sur le parcours, ne réussissant rien d'autre qu'à augmenter ces horribles démarcations de bronzage qui font que vous avez l'air de porter des socquettes blanches avec vos souliers, dans votre plus belle robe de soirée.

Vous pourrez continuer à jouer au golf longtemps après avoir reçu votre premier chèque de pension de vieillesse. Quand vous atteindrez cet âge, vous pourrez commencer à fabriquer ces mignons petits marqueurs et porteurs de *tees* que vous donnerez à vos amis à Noël. À propos, saviez-vous que le *Tour Senior* compte des joueurs septuagénaires? Il n'y a pas de *Tour Senior* pour les femmes. Elles ne veulent pas admettre qu'elles ont cinquante ans. C'est une affaire de femmes.

*Deisy Flood*

# *Tel père, tel fils*

Comme bien des pères et des fils, Bob et Dave aiment jouer une partie de golf ensemble à l'occasion, quand le temps le leur permet. Rien de bien sérieux: dix dollars du trou; des primes pour les *birdies* et les « *polies* » (des approches qui s'arrêtent à une longueur de bâton ou moins du trou); ils peuvent « presser » à volonté – le même genre de partie amicale que les pères et les fils aiment jouer partout en Amérique. La compétition est amusante, pour sûr. Mais c'est le fait d'être ensemble qui est vraiment important. Les exigences de leur métier, les déplacements et toutes les autres difficultés qu'ont deux pauvres gars qui gagnent leur vie les empêchent de se voir aussi souvent qu'ils aimeraient. Même s'ils font le même métier, tous deux sont des maîtres de leur art, Bob et Dave ne se voient que très rarement. Comme tant de pères et de fils dans notre monde de plus en plus rapide, ils communiquent surtout par l'électronique, par téléphone, ou – un des avantages de leur métier – par la télévision.

Ainsi, quand ces deux hommes se retrouvent sur les parcours, chaque instant est précieux.

Quand ils arrivent sur le parcours, aussi excités que tous les pères et les fils à la veille de montrer leur art du jeu au mâle le plus important de leur vie, leur conversation est habituellement comme suit:

LE PÈRE: « Combien me donnes-tu de coups aujourd'hui? »

LE FILS, en se moquant: « Aucun. »

LE PÈRE: « D'accord. De quels tertres de départ désires-tu que je joue? »

LE FILS, montrant les tertres les plus reculés: « Les mêmes que moi, évidemment. »

LE PÈRE, suppliant: « Tu ne sais peut-être pas cela, mon fils, mais nous, les vieux, nous ne jouons pas de ces tertres. Nous partons d'un peu plus près du trou. »

LE FILS, la main sur l'épaule du père: « Ton fichu de nom est écrit sur ton sac, non? Cesse de te plaindre et joue au golf. »

Aujourd'hui, Bob est un des plus longs frappeurs dans la cinquantaine qu'on ait jamais vus, mais il lui manque quinze verges pour rejoindre son fils au départ. Cependant, comme papa aime bien le rappeler à son fils précoce, le golf n'est pas une question de longueur de coup de départ. À l'occasion, il en fait la preuve au jeune Dave. « Certains jours, je le force à piger dans son portefeuille », dit Bob fièrement. « Et Dieu sait qu'il est assez avare. Ça le fait mourir! »

Bob rit de bon cœur. « Ce n'est pas toujours le cas. Je peux l'admettre sans honte: depuis quelque temps, il est certes meilleur que moi. Mais, vous savez », dit-il avec un sourire de satisfaction, « c'est plutôt super de pouvoir jouer contre le deuxième meilleur joueur de golf au monde. Et de savoir qu'il est votre fils. »

Bob et David Duval sont tous deux des golfeurs professionnels en tournée. Ils quadrillent tous deux les États-Unis à la recherche de *birdies* et des énormes chèques qui les accompagnent. Ils ont tous deux gagné sur leurs circuits respectifs.

Et, ils sont père et fils.

Les pères cherchent à bien enseigner à leurs fils et ils les regardent avec amour et fierté quand leurs garçons deviennent les hommes que les pères avaient souhaité.

Les pères sont des modèles pour leurs rejetons, des exemples idéalisés de l'homme adulte en pleine possession de ses moyens que les jeunes fils espèrent devenir. Les pères montrent la voie, et les fils essaient sérieusement de la suivre.

Les fils veulent que leur père soit fier d'eux. Les fils tentent de bien apprendre les leçons de leur père. Les fils espèrent se montrer à la hauteur de l'exemple de leur père.

Tout ceci pour dire que Bob Duval, golfeur professionnel, champion du Circuit Senior, et oui, le papa, est dans la position curieuse et enviable d'avoir un fils qui est devenu ce que son vieux papa avait souhaité qu'il soit. Et même beaucoup plus.

David Duval, superstar du circuit de la PGA, est un des plus célèbres golfeurs de la planète, un athlète élégant et énigmatique qui, à certains moments, a été capable de dominer son sport mieux que quiconque à l'exception de Tiger Woods.

Bob Duval a terminé dans les 31 premiers au cours des trois dernières saisons du Circuit Senior.

David Duval empoche des millions en bourses et en primes de ses commanditaires, fabricants de produits. Il traverse le pays en jet privé. Il ne peut s'approcher d'un terrain de golf sans être bousculé par les amateurs qui désirent son autographe.

Bob Duval gagne bien sa vie, dans les six chiffres. Il prend les vols commerciaux. Seuls ses amis et les membres de sa famille le reconnaissent.

David Duval est le fils de Bob. Mais ce n'est pas ainsi que le voit le monde.

« Non, David était autrefois le fils de Bob », me raconte Bob Duval en riant. « Aujourd'hui, je suis définitivement le père de David. » Il réfléchit pendant un instant.

« Tout a été inversé », dit Bob Duval. « Le père est devenu le fils. »

Nous sommes assis sur le patio de la maison de Bob à Jacksonville Beach. Buddy, son chien fidèle, cherche des lézards et les vagues de la mer viennent se briser à un coup de *wedge* de là, c'est un après-midi parfait pour réfléchir à ce que signifie être père. Et pas n'importe quel père – même si les fils chérissent toutes sortes de pères – celui-ci est un père membre du circuit Senior de la PGA, et le père d'une super-vedette du circuit de la PGA. « Je me rappelle le moment où c'est arrivé », dit Bob. « C'était la première fois que David était parmi les meneurs durant la dernière ronde en tant que professionnel sur le circuit de la PGA – et ma première cigarette depuis bien des années! J'étais si nerveux. Il se mesurait à Peter Jacobsen à *Pebble Beach*. Je me souviens d'avoir ressenti une énorme fierté – et les téléphones incessants pendant deux heures n'ont rien fait pour la diminuer, même s'il avait terminé deuxième. C'est à ce moment qu'aux yeux de bien des gens, il a cessé d'être mon enfant et que je suis devenu "le père de David". »

Il n'y a pas la moindre trace d'amertume ou de regret dans la voix de Bob Duval. Il le dit comme un fier papa.

« Écoutez, mon fils a choisi de suivre le même chemin, le même métier que son vieux papa. Je ne pourrais pas être plus fier. Je ne crois pas qu'un père puisse être plus fier », dit Bob Duval en souriant.

Comme par hasard, le téléphone sonne. C'est David qui habite un peu plus loin, à Ponte Vedra. Il veut savoir à quelle heure ils se voient cet après-midi pour une ronde de golf et s'ils ont une heure de départ.

Pour une raison que j'ignore, tout cela m'amuse énormément. David et Bob Duval qui se présentent à un parcours de golf des environs demandant si, peut-être, et sans trop déranger bien sûr, ils peuvent prendre le départ? C'est là que j'ai réalisé qu'aujourd'hui, ils ne sont rien de plus qu'un père et son fils qui cherchent à jouer un match de golf amical ensemble.

Et ça, c'est très bien.

*Michael Konik*

# *La tombée du jour*

J'aligne un coup roulé de six pieds. Tout est calme, sauf quelques personnes qui parlent calmement plus loin. Lentement, je fais mon élan arrière et je frappe le coup roulé. Pendant une fraction de seconde, la balle roule directement vers le trou, puis elle décide de tourner franchement à droite comme une voiture qui sortirait de l'autoroute bien avant d'arriver à sa destination.

« Tu voudrais peut-être essayer un autre modèle », dit le jeune vendeur qui me regarde sur le vert de pelouse artificielle.

Nos regards se croisent, l'espace d'un instant. Je suis dans une des plus grandes boutiques de golf de la Côte Ouest, et un jeune homme de vingt-cinq ans mon cadet me dit – protégé par sa politesse d'entrepreneur – que je ne sais pas *putter*.

Après trente-deux ans de frustration au golf, j'ai décidé qu'il était temps de faire face à la réalité et d'admettre que je ne peux plus blâmer mes fers ou mes bois pour mon incompétence. J'ai décidé, plutôt, de blâmer mon *putter*. Me voici donc en train d'en acheter un nouveau. Après neuf ans, je mets mon *putter* Northwestern Tour à la retraite et je le change pour un nouveau modèle, plus élégant.

Je me sens tellement minable, hélas! Je suis un homme désespéré. À quarante-cinq ans, mon golf traverse une crise de la cinquantaine. C'est ainsi qu'est née une croyance, un espoir, m'accrocher désespérément à l'idée que je pourrais racheter ma respectabilité.

Fervent défenseur de la théorie que c'est l'élan, et non l'équipement, qui fait le golfeur, j'ai ri de mes amis qui ont déboursé des centaines de dollars pour acheter des bâtons « nouveaux et améliorés » dans une tentative de retrouver les coups de départ de leur jeunesse. Je les ai taquinés quand, ayant vu un professionnel gagner un tournoi, ils couraient acheter une réplique de son *putter*; après la victoire étourdissante de Jack Nicklaus au *Masters* de 1986, a-t-on oublié la ruée incroyable pour acheter des *putters* dont la tête était à peu près de la taille d'une brique. J'ai toujours dit que c'est le golfeur qui fait le bâton, et non l'inverse.

Mais, au cours des dernières années, mon jeu s'est tellement détérioré que mon *putter* mérite une place au cimetière. C'est peut-être à cause de mon horaire, qui fait que le golf n'est plus qu'une activité rarissime. Après des mois sans jouer, ma préparation habituelle pour une ronde ressemble à mon rendez-vous annuel chez le dentiste: j'utilise la soie dentaire la veille – c'est-à-dire que je frappe un panier de balles – et j'espère tromper l'hygiéniste dentaire. Évidemment, cela ne fonctionne jamais – que ce soit dans le fauteuil du dentiste ou sur le parcours de golf.

Quelles que soient les excuses, le fait est qu'un jeune vendeur qui n'avait pas commencé à se raser quand on a inventé le bois 1 Big Bertha, essaie maintenant de m'aider à sauver mon jeu.

Je regarde le jeune avec mon air "ne-crois-tu-pas-que-je-sais-ce-qu'il-me-faut", puis je marche sur mon orgueil. « Bien sûr, essayons quelque chose d'autre. »

« Si tu veux, tu peux aller les essayer sur notre véritable vert de pratique », dit le jeune vendeur.

Le garçon est gentil – après tout, il ne cherche qu'à m'être utile – mais il y a quelque chose qui cloche dans cette situation. Je prends trois *putters*, quelques balles et je me dirige vers le vert extérieur.

« Euh... j'aurai besoin de ton permis de conduire », dit-il.

« Je ne serai qu'à cent mètres d'ici », lui dis-je.

« Politique de la maison. »

C'est sûrement une blague. Que croit-il que je ferai? Prendre trois *putters*, quelques Titleists et sauter dans le premier avion en direction du Mexique?

« Tu es sérieux? », dis-je en croyant que mon hésitation réglera probablement le problème.

« Désolé. »

Je regarde le jeune homme d'un air incrédule et je dis la seule chose qui reste à dire.

« Mais je suis ton *père*. Cela ne compte pas? »

« Désolé, politique de la maison. »

Je sors mon permis de conduire et je le remets au jeune garçon à qui j'ai appris à conduire.

Le garçon à qui j'ai appris à jouer au golf. Le garçon que je n'ai pas réussi à battre depuis sa quatrième année à l'école secondaire.

J'aime ce garçon. Je suis fier du fait qu'à vingt ans, il a trouvé un travail qu'il aime et où il réussit. Je crois qu'il est remarquable qu'il soit devenu un golfeur sans marge d'erreur qui a déjà joué 69, qui a gagné le championnat masculin du club deux années de suite, et joué un 84, la nuit, en utilisant des balles phosphorescentes.

Mais au fond de moi, j'ai pourtant ce tout petit rêve: le battre une dernière fois, à quelque chose: au golf, dans un concours de coups de circuit ou dans un match amical de basket. Tout comme Nicklaus, qui a fait un retour pour gagner le *Masters* à quarante-sept ans, j'aimerais connaître une dernière envolée pour rappeler au monde que je suis toujours là.

Ce n'est pas une question de revanche. Seulement une question d'orgueil. Rien pour se bomber le torse, juste un peu de fierté. Une fierté père-fils. Pour une dernière fois, être le héros. C'est une question de vouloir encore être considéré, comme lorsque vous donnez un conseil à votre fils à propos de la vie et qu'il le met en pratique avec succès, et que vous vous dites: on a encore besoin de moi. Je compte encore pour quelque chose.

Une dernière chose: aussi étrange que cela puisse paraître, les pères ont besoin de l'approbation de leurs fils. Dans le journal de Ryan, j'ai écrit ce qui suit après notre premier match de golf en équipe. Il avait seize ans:

> *En arrivant au dix-huitième trou, les deux équipes étaient à égalité. J'ai placé un coup de fer 7 de 152 verges à deux pieds de la coupe, j'ai réussi le coup roulé pour un* birdie *et nous avons gagné! Pourtant, j'étais si nerveux en me préparant à* putter, *plus nerveux que tu ne peux l'imaginer. (Jusqu'à aujourd'hui.) Pourquoi? Parce que je voulais tellement te prouver que je n'étais pas seulement ce père mordu du golf. Que je pouvais m'en sortir. Que je pouvais produire sous la pression. Parce que je veux que tu deviennes ce genre d'homme, qu'il s'agisse de golf, de mariage, de travail, ou de quoi que ce soit. Je veux que tu puisses t'en sortir quand il te faut le faire. Résister à la pression.*

« Veux-tu essayer un de ces *putters*? », demande-t-il, me ramenant brutalement à la réalité.

« Il ressemble à celui que tu m'as acheté le jour où je t'ai battu pour la première fois. »

Je m'en souviens. Il avait quinze ans. J'avais joué 88, il avait joué 86. Même si j'avais tout fait pour l'éviter, j'étais fier qu'il ait gagné, fier d'avoir été battu par mon propre fils. J'ai écrit un faux article de journal – « Ryan stupéfie son père pour sa première victoire! » – et j'ai tenu ma promesse de lui acheter le *putter* de son choix.

Depuis ce temps, c'est lui qui mène le bal. J'ai observé avec fierté des lignes de côté et j'ai appris ce que cela peut signifier pour un enfant de grandir avec des parents qui réussissent très bien, car chaque fois que je joue aujourd'hui, les gens s'attendent à ce que je sois bon, parce que Ryan l'est. Et je ne le suis pas.

Peu après que Ryan a remporté son deuxième championnat masculin du club sur un terrain public d'Eugene, j'ai pris position pour mon premier coup de départ au même endroit et j'ai eu tôt fait d'envoyer ma balle hors limites. C'était comme si le père d'Einstein avait coulé Algèbre 101.

« Ainsi », avait dit le préposé au départ, « vous êtes le père de Ryan Welsh, hein? » Comme s'il avait réellement voulu dire: « Et tant pis pour le dicton "Tel père, tel fils", hein? »

Règle générale, j'accepte bien ce renversement des rôles. À deux occasions déjà, Ryan m'a demandé d'être son caddie dans des tournois qui réunissaient tous les gagnants de tournois de club de l'État. J'ai considéré cela comme un des plus grands honneurs pour un père: pouvoir porter sur mon dos les bâtons d'un fils que j'avais déjà porté dans mes bras.

Mais au plus profond de moi, l'instinct me pousse à faire mes preuves, ne serait-ce que pour personne d'autre que moi-même.

*Bob Welch*

# *Le médecin et l'avocat*

*Penser au lieu d'agir est la principale maladie au golf.*

Sam Snead

Pendant des années, un avocat et un médecin allaient régulièrement jouer au golf ensemble. Ils étaient de force égale et il s'était établi entre eux une vive rivalité.

Un printemps, le jeu de l'avocat s'était tellement amélioré que le médecin perdait tout le temps. Le médecin essayait sans succès d'améliorer son jeu, quand il eut finalement une idée.

Dans une librairie, il a acheté trois livres de conseils sur le golf et les a offerts à l'avocat comme présent d'anniversaire.

Peu de temps après, les deux étaient de nouveau de force égale.

*More of... The Best of Bits & Pieces*

# *La vue du tertre de départ*

*Si le golf est à ce point populaire, c'est simplement parce que c'est le meilleur jeu au monde pour être mauvais.*

A. A. Milne

Un de mes emplois actuels est celui de préposé aux départs, cinq jours par semaine, au *Pitman Country Club* du New Jersey, un bon terrain pour le golfeur qui cherche l'occasion d'atteindre son but – 120 peut-être, mais habituellement 100 – parce que ce terrain a moins de pièges que *Pine Valley* ou *Pinehurst No. 2*.

Pitman est un terrain « indulgent ». Vous pourrez probablement enregistrer un meilleur pointage à cet endroit qu'à *Pebble Beach*. Si vous frappez un *slice* (crochet extérieur) ou un *hook* (crochet intérieur prononcé), vous ne vous retrouvez pas nécessairement dans la pinède.

Il est amusant d'être préposé aux départs. Je peux me faire bronzer, bavarder avec les clients, entendre des milliers d'excuses, accommoder trois cents joueurs les jours de grande affluence, nettoyer les voiturettes, apprendre des mots à trait d'union, manger des chili dogs et, le meilleur de tout, voir les pires coups de golf depuis que Mary, la Reine d'Écosse, a raté un court *putt*.

Évidemment, les golfeurs du *Pitman* n'ont pas l'exclusivité des mauvais coups au premier tertre, même si parfois cela semble une condition préalable pour y jouer.

Mon propre coup de départ le plus mémorable a été joué au *Country Club* de Waynesboro (Pennsylvanie). J'avais quatorze ans et j'étais étudiant en troisième année du secondaire, à mes débuts dans la première équipe de l'école. La balle a été frappée du bout du bâton et s'est retrouvée dans le front de mon entraîneur, qui se tenait, croyait-il à tort, dans un endroit sûr, 5 mètres plus loin.

Il a perdu conscience et on l'a amené en ambulance, mais il n'est pas mort. On a retiré la K-28 chirurgicalement et on dit qu'on peut encore voir la marque de la balle entre ses yeux.

Le coup de départ mémorable No. 2 s'est produit au *Eagle's Nest* de Ron Jaworski, il y a plusieurs Vendredis saints de cela, dans un quatuor où jouait Jaws. Il y avait une foule au premier tertre, désireuse de voir jusqu'où un quart-arrière de la NFL pouvait frapper une balle de golf.

Dès mon premier élan de pratique de l'année, j'ai su que j'avais des problèmes. Je me sentais désorienté, comme si j'étais en patins à roulettes. J'ai cherché différentes façons de me sortir de l'inévitable. « Jaws, je crois que je suis en train de faire une attaque cardiaque. Partez sans moi. »

C'est alors que j'ai entendu quelqu'un murmurer: « C'est Bob Shryock. Il n'est pas quart-arrière, mais j'ai entendu dire qu'il frappait assez loin. »

Ainsi inspiré, j'ai fait un mauvais élan et j'ai raté, même si le déplacement d'air de mon bâton a poussé la balle en bas du *tee*. Elle n'est pas allée loin, mais elle était droite.

La foule embarrassée en a eu le souffle coupé. Quelqu'un m'a dit que j'avais fait exprès pour l'émission *America's Funniest Home Videos*. Je me suis replacé et j'en ai raté une vers la droite, les spectateurs se dispersant pour se mettre à l'abri et sauver leur vie. La balle a frappé la porte du bar. J'aurais dû aller m'y réfugier et y rester.

Ces expériences m'ont permis de m'identifier aux golfeurs du *Pitman*, dont les excuses me font rire depuis des années:

« C'est ma deuxième partie, à vie. »

« C'est ma première partie depuis octobre dernier. »

« J'ai été opéré à cœur ouvert mardi dernier. »

« Ma femme est morte lundi et j'arrive de son enterrement. »

Sachant qu'une excuse au premier tertre n'est qu'une manœuvre défensive pour se faire concéder des coups par ses partenaires de jeu, j'ai été aussi impressionné par ces justifications que par les coups qui les ont suivies. Ou, dans bien des cas, les non-coups.

Un jeune homme de 20 ans, 100 kg, bâti comme un athlète, prend d'impressionnants élans de pratique avant de rater la balle trois fois de suite. Au quatrième, sa balle roule faiblement en bas du tertre et il déclare qu'il est maintenant prêt.

Un autre, qui ne fera jamais partie du Circuit de la PGA, étudie la balle pendant un bon moment, s'élance et rate. Il s'étire alors les épaules comme pour dire: « J'ai frappé avant d'être complètement détendu. »

Un autre fend l'air avec son bâton et prétend que c'était un élan de pratique. Ce golfeur ne regarde jamais en arrière. Il espère que personne ne l'a vu. Il se demande, *Mon Dieu, pourquoi moi?* Ses partenaires de jeu ne disent mot, craignant de recevoir son bâton sur la tête. Au coup suivant, sa balle franchit vingt-cinq verges en rase-mottes vers la droite.

Un autre fend l'air et, en colère, regarde le préposé au départ en disant: « Pas étonnant, nous avons dû attendre quarante-cinq minutes. »

Un ancien joueur de football, un dur, Lindy Ingram, s'est élancé de toutes ses forces l'autre matin au *Pitman* et a fait un 360° sur lui-même. Pendant que la balle roulait en bas du tertre, Lindy s'est retrouvé par terre comme s'il avait été frappé par un coup de feu. L'herbe était humide et Lindy avait oublié de retirer ses chaussures de ville.

Au *Pitman*, Lucky Lindy est tout à fait à sa place.

*Bob Shryock*

*« Résumons les faits.*
*Vous lui avez alors soigneusement remis le* putter*? »*

*Reproduit avec l'autorisation de David Harbaugh. Publié pour la première fois dans* Golf Digest.

# *Golfeurs du dimanche*

*Quatre-vingt-dix pour cent des coups roulés trop courts ne tombent pas dans la coupe.*

Yogi Berra

La vie nous demande de faire bien des choix. Un Big Mac ou un Whopper pour le déjeuner? Vais-je regarder la partie dans le fauteuil inclinable ou sur le divan? Devrais-je me lever à six heures dimanche matin pour me rendre au terrain de golf pour notre tournoi hebdomadaire des Golfeurs du dimanche ou devrais-je revêtir mon habit de safari et tondre enfin la pelouse assez court pour que nous puissions de nouveau voir des fenêtres?

Coup de chance, impossible de trouver la tondeuse qui est quelque part dans la cour, et ce, malgré une recherche de deux bonnes minutes. Impossible de la trouver. C'était un signe. J'étais certain que ma femme serait d'accord. Mais en bon gentleman, je n'ai pas voulu la réveiller pour lui demander.

Le soleil était déjà levé quand je suis arrivé au terrain de golf. Le temps de me garer et de fouiller dans le coffre pour trouver mes deux chaussures de golf et une paire de chaussettes pas trop raides, les West Coast Duffers (les Nuls de la Côte Ouest) étaient déjà au premier tertre en train de former les équipes. Douze gars et comme enjeu, le droit de se vanter sérieusement. La conversation ressemblait à ceci…

SKIP: « OK. John et moi contre Jim et Pete; Rich et Willie, vous êtes contre Vern et Tommy; Ernie, Joe-Joe et toi jouez contre Bobby et Big Mike. Deux coups sur le neuf d'aller, aucun sur le retour. »

BIG MIKE: « Je ne veux pas jouer avec Bobby... Il a des flatulences. »

BOBBY: « Je t'ai déjà dit que c'était un problème médical. »

RICH: « Depuis quand les haricots sont-ils une maladie? »

J'ai fouillé dans mon sac pour en extraire deux balles, toutes deux coupées et portant des marques d'arbres. « Quelqu'un a-t-il des balles *balata* en trop? », ai-je demandé.

JIM: « Comment ça? Les écureuils n'aiment plus tes balles de terrain de pratique? »

« Je crois que j'ai renvoyé toutes mes balles de pratique sur le terrain de pratique la dernière fois. » J'ai continué à fouiller dans mon sac.

JOE-JOE: « Je crois que ça devrait être Big Mike et moi. Nous n'avons pas joué ensemble depuis juillet. »

BIG MIKE: « Je suis d'accord, mais j'ai un peu mal au dos, je partirai donc des marqueurs blancs pour compenser. »

JIM: « Ouais, bien sûr! Et mon poignet? J'ai le syndrome du tunnel carpien. »

JOHN: « Après tout ce que tu as bu hier soir, je suis surpris que tu ne souffres pas du syndrome de la tête carpienne. »

TOMMY: « Et si Pete et moi jouions ensemble? »

PETE: « Pas question. Depuis que tu as ta casquette Pennzoil, tu es devenu dingue au volant de la voiturette. »

TOMMY: « Si tu frappais la balle dans la même direction deux fois de suite, nous pourrions rouler plus lentement et terminer notre partie avant que la lune ne se lève. »

Par chance, j'ai trouvé quelques balles. J'ai aussi trouvé la moitié d'une barre Snickers collée à mon outil à réparer les marques de balles. « Quelqu'un a-t-il des *tees* pour moi? », ai-je demandé en mâchouillant la Snickers. Big Mike m'a lancé une demi-douzaine de *tees* roses de sa femme. Parfaitement assortis à ma chaussette gauche.

SKIP: « Pete, que penses-tu de toi et Vern? »

PETE: « OK, mais Vern est gaucher et c'est un terrain pour droitiers, vous devrez donc nous donner quelques coups. »

VERN: « Ça me semble juste. Nous jouerons contre Skip et Ernie. »

JOHN: « Je croyais que je jouais avec Skip. »

BIG MIKE: « John, tu joues particulièrement bien depuis quelque temps, tu devrais jouer avec Rich. »

RICH: « Que veux-tu dire par là? Tu frappes tout croche. Ton handicap est aussi élevé que ton salaire annuel. »

SKIP: « Willie, Jim et toi? »

WILLIE: « Ça me va, mais Jim, pas de bouffe dans la voiturette. La dernière fois, il m'a fallu dix minutes pour enlever les frites de mes crampons. »

SKIP: « Alors, nous jouons avec John et Rich. Vous les gars, vous jouez avec moi et Ernie. Il reste Jim et Willie contre Joe-Joe et Big Mike, et Pete et Vern avec Bobby et Tommy. Problèmes? »

« Il me faut un marque balles », dis-je. J'en ai reçu dix par la tête.

PETE: « Aujourd'hui, le vent favorise les droitiers. Il faudrait donner un coup ou deux à Vern pour compenser. »

TOMMY: « Pourquoi le pauvre gars ne se fait-il pas opérer pour devenir un joueur normal? »

VERN: « Je vais te montrer qui est normal, l'ami. Nous jouons à paris égaux. »

PETE: « Formidable! À qui je fais le chèque? »

JIM: « Fais-le à Ernie pour qu'il puisse s'acheter ses propres choses la semaine prochaine. »

« Arrêtez les gars! Ce n'est pas ma faute. Ce n'est pas mon sac régulier », dis-je pour me défendre.

WILLIE: « Sans blague! Tu me l'as emprunté il y a trois mois. »

« C'est vrai. Je crois que le mien est dans la cour quelque part près de la tondeuse. »

Au haut-parleur, on annonça que c'était à notre tour.

SKIP: « OK, nous sommes prêts. Qui veut partir en premier? »

Une pause gênée s'ensuivit pendant que nous nous regardions les uns les autres.

TOMMY: « Pas moi. C'est malchanceux. »

WILLIE: « C'est moi qui ai frappé le premier la semaine dernière. »

VERN: « Les gauchers ne doivent jamais frapper les premiers. »

RICH: « Je veux être le dernier. »

JIM: « Je l'ai déjà dit. »

RICH: « Pas vrai. »

JIM: « Si. »

RICH: « Pas vrai. »

La semaine prochaine. La pelouse. C'est promis.

*Ernie Withman*

# *Confession d'un accro du golf*

*Bob Hope a un superbe petit jeu qu'il exerce malheureusement du tertre de départ.*

Jimmy Demaret

Je suis accro du golf depuis toujours, même s'il est faux de dire que pour ma première ronde, c'est un dinosaure qui transportait mon sac de golf. Il est rare que je voyage sans mes bâtons. La beauté du golf, c'est qu'on peut s'y adonner longtemps après qu'on a été obligé d'abandonner les autres sports.

Cependant, je me choque encore après un mauvais coup, comme tout le monde. Il est idiot de se fâcher à ce jeu.

Quand je rate un coup, je pense qu'il fait très beau. Ensuite, je prends une longue respiration. Je n'ai pas le choix, c'est ce qui me donne la force de briser mon bâton.

Le golf n'est-il pas un jeu superbe? J'aime bien cette histoire d'un golfeur âgé qui pouvait encore frapper la balle assez bien mais qui ne voyait pas où elle allait. Un jour, le professionnel lui a dit: « Charlie, je t'ai trouvé le partenaire idéal. Tom a à peu près ton âge et il a la vue d'un aigle. »

Sur le premier tertre, Charlie frappe son coup de départ, se tourne vers Tom et lui demande: « Tu l'as vue? »

TOM: « Oui. »

CHARLIE: « Où est-elle allée? »

TOM: « J'ai oublié. »

Un de mes grands amis, sur le terrain de golf comme en dehors, était Bing Crosby. J'ai rencontré Bing pour la première fois en 1932 à New York alors que nous travaillions tous les deux aux variétés. Entre nos spectacles, nous allions au terrain de pratique sous le pont de la 59e Rue pour frapper des balles. Son élan arrière était le plus lent que j'ai jamais vu. Pendant son élan, on aurait eu le temps de prendre ses mesures pour un costume.

Des années plus tard, alors que je jouais avec Crosby, il m'a dit: « Je te donne un coup sur ce trou à condition que tu me donnes un lancer gratuit. » Cela m'a semblé une bonne idée – jusqu'à ce que, rendus sur le vert, il ramasse ma balle pour la lancer dans le lac.

J'ai eu le plaisir de jouer avec plusieurs présidents. J'ai toujours du plaisir à jouer avec un président. Le seul problème, c'est qu'avec tous ces agents de sécurité autour, il est difficile de tricher.

Ronald Reagan a déjà joué en bas de 100, pas mal pour un gars à cheval. John Kennedy aurait pu devenir un excellent joueur, malgré son dos faible et le reste.

Mon vieil ami Chris Dunphy, président du comité des verts du club *Seminole* à North Palm Beach, en Floride, m'a raconté la fois qu'il avait invité le président Kennedy à jouer. Sur le premier trou, Kennedy a expédié une belle approche à trois pieds du fanion. Il a regardé Chris, attendant que celui-ci lui concède le *putt*. Chris regardait ailleurs.

« Tu vas me le donner, non? », demanda Kennedy.

« Essayez de le faire, répondit Dunphy. Ces petits *putts* forgent le caractère. »

« D'accord, soupira le président. Mais hâtons-nous. Immédiatement après notre match, j'ai rendez-vous avec le Directeur du Revenu. »

« *Putt* concédé », répondit Dunphy à la hâte.

Au moment où Dwight Eisenhower a été élu président, en 1952, sa passion pour le golf était déjà légendaire. En fait, on disait que le nouveau billet d'un dollar serait à l'effigie de Ben Hogan.

Ike était un golfeur qui plaisait à tous les amateurs, il jouait avec enthousiasme et détermination. Il s'enrageait après un mauvais coup et exultait après ses bons coups, se battant férocement pour chaque dollar en jeu.

J'ai joué avec Ike au club *Burning Tree*, près de Washington. Nous étions opposés au général Omar Bradley et au sénateur Stuart Symington. Au premier départ, nous avons discuté des enjeux. Avec son sourire communicatif, Ike a dit: « Je viens d'approuver un prêt de 2 millions $ à la Bolivie. Je propose qu'on joue un *Nassau* à un dollar. » (Gageure sur l'issue de chaque neuf trous.) J'ai mal joué et nous avons perdu.

Le lendemain, je jouais avec le sénateur Prescott Bush contre Eisenhower et Bradley. J'avais retrouvé ma forme et j'ai joué 75. J'ai arraché quatre dollars à Ike et je n'oublierai jamais son air contrarié quand il a sorti son argent et grogné: « Pourquoi n'as-tu pas joué aussi bien hier? »

Au moment où Ike et Bradley commandaient les troupes alliées en Europe au cours de la Seconde Guerre mondiale, Winston Churchill ne comprenait pas leur dévotion pour le golf. Ni la mienne. J'y donnais des spectacles pour les troupes américaines quand il m'a vu prendre un élan. En ricanant, il a observé: « Jamais a-t-on vu quelqu'un frapper si fort pour si peu de résultats. »

Une de mes plus grandes fiertés est le Bob Hope Chrysler Classic, tenu chaque année en janvier à Palm Springs, en Californie. Tournoi très populaire du Circuit de la PGA, nous avons recueilli plus de 35 millions $ pour le Eisenhower Medical Center et autres œuvres caritatives des environs. C'était Gerald Ford qui attirait habituellement la plus grosse galerie de spectateurs. Je dis de lui qu'il est

« l'homme qui a fait du golf un sport de contact » à cause de ses coups de départ erratiques. Vous ne savez pas ce qu'est la peur tant que vous n'avez pas entendu Ford crier derrière vous « Fore! »... et que vous êtes encore dans le vestiaire. Il est facile de reconnaître Ford sur le terrain. C'est lui qui conduit la voiturette avec la croix rouge peinte sur le toit.

Je ne vois que de bonnes choses pour l'avenir du golf. Il est de plus en plus populaire avec de nouveaux tournois et de nouveaux joueurs qui participent aux événements existants et aux vedettes plus âgées qui apportent encore plus de fièvre.

Et si on parlait des femmes professionnelles, dont les bourses, qui étaient autrefois le prix d'un repas, atteignent maintenant les 40 millions $ par année? Fantastique! Je me souviens de temps où la bourse d'un tournoi féminin portait bien son nom, une bourse. J'ai vraiment du plaisir à jouer avec elles mais comment puis-je garder ma tête sur la balle avec un tel spectacle autour de moi.

Peu importe le point de vue, le sport du golf n'a jamais été en meilleure forme.

*Bob Hope avec Dwayne Netland*

# 2

# TENTER LE VERT

*S'il est vrai que ce qui compte n'est pas*
*de gagner ou de perdre,*
*mais la manière dont on joue,*
*pourquoi compte-t-on les coups?*

Charley Boswell
Golfeur professionnel aveugle

# *La victoire de Payne au US Open à* Pinehurst *racontée par sa compagne*

*Gagner est superbe, mais c'est aussi très amusant de se retrouver au milieu d'une bataille bien engagée contre des adversaires que vous respectez, peu importe l'issue.*

Jack Nicklaus

Même si Payne et moi nous parlions rarement pendant une ronde, il voulait toujours que je sois là aussi souvent que possible et il disait toujours savoir précisément où j'étais sur le terrain.

« Ne devrais-tu pas de concentrer sur ton jeu? », lui demandai-je pour le taquiner.

« Je le fais, mais je sais toujours où tu es », a-t-il répondu.

Rendu au samedi, la foule au US Open de *Pinehurst* était si considérable que je savais que je ne pourrais pas voir les coups de Payne. Je lui ai dit: « Je crois que je vais regarder le match à la télévision aujourd'hui. Je serai là cependant quand tu termineras. »

Je suis restée rivée au téléviseur pendant la plus grande partie de l'après-midi. Je joue rarement au golf – mon sport c'est le tennis – mais je regardais Payne jouer depuis vingt ans. Je connaissais donc bien son jeu. En regardant, j'ai remarqué que Payne bougeait très légèrement la tête vers l'avant et vers le haut, comme s'il essayait de regarder la balle se diriger vers le trou. Impuissante, je voyais un *putt* après l'autre rater le trou. « Oh, Payne! », ai-je crié vers l'écran du téléviseur. « Garde la tête immobile! » Il a fini par jouer 72, sa pire ronde du championnat. Même s'il était toujours un coup devant Phil Mickelson, ce n'était pas une avance très confortable.

Après sa ronde, je me suis rendue au terrain de golf. « Je vais frapper des balles », dit-il.

« OK, je t'accompagne », dis-je. « Tu dois aussi aller au vert de pratique. » Payne a fait oui de la tête. « Tu dois garder la tête immobile », ai-je ajouté doucement.

Payne a eu l'air surpris.

« Tu crois? »

« Tu essaies de regarder la balle entrer dans le trou, au lieu de garder la tête immobile. »

Après avoir frappé des balles, il a passé quarante-cinq minutes sur le vert de pratique. Il s'est forcé à garder la tête immobile et à ne pas regarder avant que la balle ne se soit passablement éloignée du *putter*. À un moment, il *puttait* les yeux fermés et il touchait le centre de la coupe à chaque coup ou presque.

Plus tard, nous sommes rentrés à la maison que nous avions louée. Comme notre fille, Chelsea, participait à un camp de basketball, nous n'avons pu lui parler, mais Payne a téléphoné à notre fils, Aaron, qui était chez des amis.

« Aaron, je suis en tête du US Open encore une fois! », dit Payne.

Aaron, dix ans, n'était pas impressionné. « Super, papa! », répondit-il. « Devine quoi? Conner a eu une longue planche à roulettes! »

Payne a ri. Sans le savoir, nos enfants avaient la capacité merveilleuse de ramener Payne à la réalité et il les aimait encore plus à cause de cela.

Le dimanche matin, pendant que le téléviseur beuglait et que Payne était au téléphone, j'ai sauté dans la douche. En revenant dans la chambre, j'ai constaté avec choc que les yeux de Payne étaient gonflés. Il avait l'air d'avoir pleuré.

« Chéri, que se passe-t-il? », ai-je demandé. Payne s'est essuyé les yeux du revers de la main et a montré le téléviseur. « NBC vient de diffuser un reportage sur la fête des Pères, dit-il. Ça parlait de papa et moi. » Payne ignorait que NBC avait prévu diffuser un reportage consacré à Bill Stewart – le père de Payne, mort d'un cancer en 1985 – et son influence sur la vie et la carrière de Payne. Celui-ci avait ouvert le téléviseur pour regarder la couverture des premières heures du tournoi. En voyant la vidéo de son père et lui, les larmes lui sont montées aux yeux.

Plutôt que d'être décontenancé, Payne a puisé dans ce reportage l'inspiration pour vouloir jouer sa meilleure ronde de la fête des Pères à vie.

L'heure était arrivée de nous diriger vers le parcours. Comme le temps était humide et froid, Payne avait mis une veste de pluie, mais en se déliant les muscles, il a senti que les manches de la veste lui serraient les bras et entravaient son long élan fluide. Pourtant, il avait besoin de la chaleur que lui apportait la veste de pluie.

« Mike, va me chercher des ciseaux », demanda Payne à son caddie Mike Hicks. Celui-ci en a trouvé à la boutique de golf et Payne a coupé les manches de la veste pour qu'elles lui couvrent les épaules et descendent environ 8 centimètres sur ses bras. Payne, connu pour son élégance vestimentaire sur le parcours, ne s'inquiétait pas de son apparence ce jour-là. Tout ce qu'il voulait, c'était jouer le mieux possible.

Après les hauts et les bas d'une dernière ronde, Phil Mickelson s'est présenté sur le vert au dernier trou avec un *putt* de 20 pieds à réaliser pour un oiselet. Si Phil réussissait, Payne devrait réussir le sien de 15 pieds pour forcer

une prolongation. Pendant un instant, le *putt* de Ph
blé se diriger vers le trou, mais il a ralenti et s'est
quelques pouces à la droite de la coupe.

C'était maintenant au tour de Payne. Il a lentement effectué son rituel de coups roulés, s'accroupissant, notant toutes les ondulations de la surface de *putting* et alignant son coup. Finalement, il s'est redressé, a ramené le *putter* droit derrière et a frappé fermement mais doucement, visant le bord intérieur gauche de la coupe. Le bâton a touché la balle, la propulsant vers le trou. La tête de Payne n'a pas bougé.

De mon point d'observation, je ne voyais pas la coupe. J'ai vu la balle de Payne rouler, comme au ralenti, sautant sur les marques de crampon qui, véritables mines en puissance, risquaient à tout moment de détourner la balle de sa trajectoire. Comme suspendue dans le temps, la balle suivait sa trajectoire, courbant légèrement, on voyait le logo tournant, tournant, et tournant encore… et puis, soudain, la balle a disparu.

L'énorme foule de *Pinehurst* a explosé. C'était la plus forte – et la meilleure réaction – que j'avais jamais entendue. Payne a pris sa balle dans la coupe, l'a embrassée et l'a glissée dans sa poche. Cette balle, il voulait la conserver.

Près du vert, je me suis frayé un chemin à travers la foule massée derrière les cordages délimitant le passage des joueurs qui quittaient le vert. L'annonceur de NBC, Roger Maltbie, un de nos vieux amis, m'a vue et nous nous sommes étreints. Nous étions trop émus pour parler et la foule était si bruyante que je ne crois pas que nous aurions pu nous entendre. Mais cela n'avait aucune importance. Les mots étaient superflus. Emportés par un incroyable soulagement, les larmes de joie semblaient la seule réaction appropriée.

Payne se dirigeait vers moi. À cause de la foule, il ne m'a pas vue et a failli passer sans me voir.

Il m'a attirée à lui et nous nous sommes embrassés sur le vert. Ma tête sur son épaule, je l'ai entendu dire à mon oreille: « J'y suis arrivé. J'ai gardé ma tête immobile. Toute la journée... toute la journée, j'y suis arrivé. J'ai gardé ma tête immobile. »

En larmes, j'ai dit: « Je le sais et je suis tellement fière de toi! »

Bien des gens ont été étonnés que Payne ait accueilli sa défaite au US Open de 1998 et sa victoire en 1999 avec la même élégance. Les médias et certains de ses collègues de compétition étaient intrigués. Il y avait quelque chose de changé chez Payne Stewart. Bien sûr, il était toujours le même Payne – spontané, disant ce qu'il pense, très confiant et laissant toujours voir ses émotions. Il aimait toujours faire la fête et il vous donnait toujours son opinion sur un sujet si vous la lui demandiez – ou même si vous ne la lui demandiez pas. Il travaillait toujours fort, s'amusait toujours ferme et aimait toujours avec passion. Pourtant, ceux qui connaissaient Payne voyaient qu'il avait changé quelque part pour le mieux, si cela était possible. Il semblait posséder un sentiment de paix plus profond, inhabituel... une paix intérieure qui n'avait pas toujours été là.

*Tracey Stewart*
*avec Ken Abraham*

---

NOTE DE L'ÉDITEUR: 25 octobre 1999 – Un Learjet en perdition, appartenant en partie au célèbre golfeur Payne Stewart, s'est écrasé dans le comté d'Edmunds, au Dakota du Sud. Payne Stewart a péri dans l'accident.

# *En route vers « le* putt *»*

*Le golf est le jeu le plus difficile au monde. Il est impossible d'y être parfait. Juste au moment où vous croyez enfin y être arrivé, il vous mord et vous remet à votre place.*

Ben Crenshaw

Un *putt* étrange lors de la qualification symbolise le parcours de Joe Daley vers le circuit de la PGA.

Au quatrième jour de la qualification, il restait deux rondes à jouer, Joe Daley était à 16 sous le *par*, parmi les meneurs. « Tout va bien », dit-il.

Son 17e trou ce jour-là était un *par* 3 de 158 verges, vent de face. Quand le coup de fer 8 de son partenaire de jeu est tombé sur le devant du vert, Daley a pris un bâton plus long. « Je voulais jouer un coup aisé de fer 7, mais j'ai frappé trop verticalement et la balle s'est retrouvée dans l'eau », raconte-t-il.

Du cercle de mise en jeu, à 72 verges, il a frappé son *wedge* de sable à 18 pieds passé la coupe.

Son premier *putt* a dépassé la coupe de quatre pieds. Le *putt* de retour était facile. Il a pensé: *Centre-gauche.*

## La route

C'était le jour de l'anniversaire de Carol, au printemps de 1991, et l'océan Atlantique léchait ses pieds alors qu'ils marchaient sur la plage de Virginie après le dîner. Joe Daley avait la bague dans une boîte cachée dans sa chaussette.

« Viens ici », avait-il dit à Carol en lui donnant la bague. Et elle avait répondu: « Qu'est-ce que cela signifie? »

Il avait ajouté: « Que veux-tu dire par "Qu'est-ce que cela signifie?" »

Elle avait attendu.

« Oh! », avait-il dit. « Il faut que je le dise? »

Elle avait attendu.

« Carol, veux-tu m'épouser? »

« Oui. »

Il avait répondu: « Mais tu sais, n'est-ce pas, ce que je veux faire? »

« Oui, je le sais. »

Il voulait poursuivre son rêve.

Elle voulait l'accompagner dans sa quête.

Quel rêve à une telle époque. D'autres hommes de son âge l'avaient déjà abandonné. Il avait trente ans. Depuis sa graduation de la Old Dominion University de Norfolk, en Virginie, il était directeur de crédit dans les ventes en gros. Il jouait au golf, comme il l'avait fait pendant ses études, et parfois, ses amis lui rappelaient comme il jouait bien, notamment la fois où, pendant un Pro-Am, alors qu'il regardait les joueurs du circuit de la PGA.

« Ils me demandaient "Pourquoi n'es-tu pas en train de jouer avec eux?" », a dit Daley.

C'est ainsi que les nouveaux mariés ont pris la route. Ils sont partis vers la Floride où elle travaillait comme enseignante pendant qu'il améliorait son jeu, travaillant à temps partiel comme serveurs dans des banquets pour aider à payer les factures. Petit à petit, ils ont mis cinq mille cinq cents dollars de côté. Ils ne voulaient pas les dépenser trop rapidement. « Une grosse sortie pour nous », disait Carol, « était la pizza une fois par semaine. »

## Le *putt*

Si vous êtes un golfeur professionnel de quarante ans, comme Joe Daley en ce jour de décembre, vous avez réussi des dizaines de milliers de *putts* de quatre pieds. Pourtant, au quatrième jour de la qualification, ces *putts* sont pénibles parce que si vous les ratez, vous pouvez être un rêveur, un amant, un mari et un serveur de banquets, mais vous ne pouvez pas être un golfeur professionnel.

## Centre-gauche

Depuis des années, Daley utilisait un machin pour pratiquer ses *putts*, une doublure de coupe qui en réduisait l'ouverture d'un pouce. Dieu seul sait combien d'heures il a passées sur combien de verts de pratique dans combien de pays penché sur des *putts* semblables à ce *putt* de quatre pieds.

Des 169 joueurs à l'étape finale, 36 se qualifieraient pour le circuit de la PGA de 2001. Les 51 suivants iraient au circuit Buy.com, bien beau – et peut-être le troisième circuit du monde – mais ce sont les ligues mineures.

C'est le retour à l'Omnium de *Dakota Dunes*.

C'est le rêve reporté.

Daley a bien joué toute la semaine aux terrains *La Quinta PGA West* de Jack Nicklaus, débutant avec un 65. Maintenant, c'est le temps d'un *putt* de quatre pieds. Centre-gauche.

## La quête

Pendant plus de deux ans à travers l'Amérique du Nord, Joe Daley, 1,90 m, 72 kilos, s'est recroquevillé dans une petite Nissan 200SX et a conduit plus de 320 000 kilomètres. Le circuit canadien en 1992, les tournois du mini-circuit de Floride en 1993.

Le Chili, l'Afrique du Sud, les Bermudes, la Jamaïque en 1994 et 1995. « Ce n'est pas un boulot neuf à cinq, quarante-huit semaines par année », dit Daley. « J'ai connu ça pendant dix ans. Je sais de quoi il s'agit. Nous pourrions les avoir aujourd'hui. Nous pourrions avoir les deux emplois, la stabilité, la maison. Mais ceci est bien plus amusant et plus satisfaisant. C'est l'inconnu. C'est une aventure. »

Carol ajoute: « Quand je leur ai annoncé que je partais en Floride avec Joe, mes amies dans l'enseignement m'ont dit: "Tu vas gâcher ta vie!" Aujourd'hui, elles enseignent toujours et j'ai fait le tour du monde. »

Il s'est qualifié à deux reprises pour le circuit de la PGA, d'abord en 1996, puis deux ans plus tard, mais il n'a pas joué assez bien assez longtemps pour y demeurer. « C'est tout un brouhaha là-dedans », dit-il. « Il y a tellement de monde, tellement de choses qui se produisent. » Un journaliste, parlant de Daley au cours de ces années, l'a décrit comme « un enfant dans un magasin de bonbons », changeant son équipement, participant à trop de Pro-Ams, écoutant trop de conseils bien intentionnés.

Il a vu Tiger Woods réussir son premier trou d'un coup de sa carrière de professionnel. Il a partagé la tête du classement avec Greg Norman après la première ronde (une manchette titrait: « Norman, l'inconnu Joe Daley... »). Il a terminé sixième ex æquo au B.C. Open. En deux ans sur le grand circuit, il a empoché 138 379 $. Il a fait une constatation réaliste. « Je devais travailler très fort sur mon élan. J'avais développé des gestes dont je n'avais pas besoin. Mon élan ressemblait à celui de Jim Furyk. »

Pendant qu'il travaillait à refaire son élan avec son ancien coéquipier du Old Dominium, John Hulbert, Daley a même perdu sa carte du Buy.com. Il était déjà un homme âgé dans une quête de jeune homme. Quand le journaliste torontois John Gordon lui a demandé s'il n'était pas trop tard, Daley a répondu « Abandonner ne fait pas partie du vocabulaire de Joe Daley. »

Il s'est qualifié pour les dernières rondes neuf fois de suite en 2000 sur le Buy.com, a terminé cinq fois parmi les cinq premiers et, avec des gains de 151 233 $, il a terminé vingt-troisième sur la liste des boursiers, ce qui lui a valu une place dans la dernière séance de qualification du circuit PGA.

## Le *putt*

Il devait frapper fermement son *putt* de quatre pieds. Centre-gauche. C'est ce qu'il a fait, dans la bonne ligne. Il a réussi. La balle a disparu.

Certaines images sont traitées tellement rapidement par le cerveau que, lorsque nous dirigeons nos yeux ailleurs, même avant de pouvoir identifier l'image, nous comprenons que nous venons de voir quelque chose. Nous avons le réflexe de ramener nos yeux vers cette image. Joe Daley a vu quelque chose, a regardé de nouveau, a compris ce dont il s'agissait et ne pouvait s'imaginer que c'était sa balle. Pourtant, elle était là, perchée sur le bord de la coupe, comme si elle s'était arrêtée là.

C'était impossible. Il l'avait vue passer sur ce même point et disparaître. Elle n'avait pas frappé le bord de la coupe pour ressortir. Elle était tombée dans la noirceur.

Il avait réussi son *putt*. Non? Eh bien, non.

« Elle est revenue vers moi », a-t-il dit. Il a jeté un regard furieux à la chose. Il a jeté sa casquette sur le sol. « C'est la chose la plus étrange que j'ai jamais vue », avait dit Daley aux reporters ce jour-là.

Sa balle avait rebondi hors du trou après avoir frappé le dessus du rebord en métal de la tasse du trou. Selon les règlements, la bordure en métal de la tasse du trou doit être à un pouce au moins au-dessous de la surface du vert. Dans le cas de Daley, la bordure en métal était mal placée dans la coupe, probablement déplacée par le fanion.

« Je me suis informé auprès d'un arbitre du tour, mais il a dit qu'il ne pouvait rien faire », dit Daley. Il a donc fait un *triple-bogey* 6, un coup perdu par malchance. Il a joué les trente-sept trous suivants à un sous la normale. Après un si bon travail sous une telle pression, le coup perdu ne pouvait pas lui nuire tant que cela.

Le pouvait-il?

### La quête

Oui, il le pouvait. Les trente-six joueurs qui avaient terminé à 417 ou moins se qualifiaient pour le circuit de la PGA en 2001. Joe Daley a joué 418. Il aurait aimé mieux jouer un 417, mais il est adulte et il sait que ces choses arrivent.

« C'est la quête qui importe, non un *putt*. Tiens, le dernier jour, sur ce même trou, j'ai réussi un *putt* de trente pieds en descendant avec un pied et demi de courbe, dit-il. Je suis un homme chanceux. Je fais ce que je veux faire, ma femme voyage avec moi et nous nous amusons. Ce *putt* n'est qu'un petit incident de parcours. »

Encore cet été, Joe et Carol Daley suivront le circuit Buy.com, et si l'histoire le veut bien, viendra un jour où, dans un bled perdu, ils répondront à une voix qui dit…

Parachutisme?

Après que Daley eut raté les rondes finales sur le Buy.com en 1999, sa femme et lui voyageaient de la Caroline du Nord à la Virginie. « Je croyais que nous avions besoin d'une diversion, dit Carol. Nous sommes donc arrêtés chez un ami qui nous a dit: “Je sais. Tiens, je vous emmène faire du parachutisme?” »

Elle a pêché à la mouche en Idaho, a fait de la randonnée au Colorado, a dansé au Maroc, toujours avec son rêveur qui ne savait pas quoi dire sur cette plage de Virginie. Depuis, elle s'est jetée d'un avion en vol et a survécu pour pouvoir en rire.

« Qui sait », dit-elle, « ce qui nous attend? »

*Dave Kindred*

# *L'armée d'Arnie*

*Arnold Palmer est ce qui plaît le plus aux spectateurs depuis l'invention des toilettes portatives.*

Bob Hope

Arnie avait un coup quasi impossible à jouer, du moins aux yeux des simples mortels. Deux cents verges entre la balle et le 4e trou du *Memorial Park*. Sa balle reposait sur un sentier d'entretien fait de coquillages concassés dans le bouquet d'arbres qui borde le côté gauche de l'allée, et une branche d'un chêne tout près limitait son élan puissant. Les nombreuses ondulations de l'allée rendaient l'approche au vert difficile s'il choisissait de jouer un coup bas du genre *punch-and-run* et le feuillage des arbres l'empêchait de jouer un coup en hauteur.

Je n'avais jamais vu ni entendu parler d'Arnold Daniel Palmer au printemps de 1958. Je n'avais que neuf ans, je jouais au golf dans ma cour depuis l'âge de sept ans, j'étais totalement ignorant du monde du golf en dehors de mon petit univers. Pour moi, le golf était encore une balle de plastique, des trous creusés dans la cour arrière et de petites branches d'arbres avec des chiffons comme fanions.

Mon père, que Dieu ait son âme, avait décidé de m'emmener pour la première fois voir les maîtres des allées et nous avions roulé pendant près d'une heure pour voir l'Open de Houston de 1958. Lui aussi avait envie de voir l'homme qui venait de gagner le Tournoi des Maîtres et, selon toute apparence, il en était de même pour tous les golfeurs de Houston.

Il y avait une foule énorme qui suivait Palmer, quatre rangs tout le long de l'allée. Près du vert, il y avait six ou sept rangées de personnes, certaines avec des périscopes ou des tabourets, n'importe quoi pour améliorer leur vue de leur nouveau héros. Arnie ne semblait pas dérangé par la foule, très concentré sur le coup difficile qui l'attendait. Il a pris plusieurs élans de pratique pour mesurer la longueur de l'élan qu'il lui était possible de prendre sans toucher la branche. Chaque fois, son bâton frappait la branche avec un bruit sourd. La foule murmurait, craignant le pire. « Que fera-t-il? », demanda un homme. « Je l'ignore. Il se contentera sûrement de remettre la balle en jeu », répondit un autre. Apparemment, aucun d'eux n'avait vu Arnold Palmer en action.

Arnie a pris une bouffée de sa cigarette et l'a jetée par terre. Il a regardé son sac, puis le trou, essayant d'imaginer quel bâton lui permettrait de réaliser le coup dont il avait désespérément besoin. La foule qui murmurait se tut. Mon père m'a pris sur ses larges épaules, et nous avons tous deux regardé par-dessus des douzaines de têtes qui cherchaient par tous les moyens à voir la suite.

Palmer a pris son fer 3 et a pris position devant la balle. Ses pieds grattaient le schiste comme un taureau prêt à charger. Un dernier élan de pratique et il était prêt. On aurait pu entendre une mouche voler.

*Whack!* Presque instantanément, des cris d'approbation et des applaudissements se firent entendre chez ceux qui avaient la chance d'être les plus près d'Arnie. Les autres, comme nous, ne pouvaient rien voir, seulement tendre le cou en direction du vert lointain – espérant apercevoir la balle se dirigeant vers sa cible.

Ce qui s'est produit était tout aussi excitant que si j'avais moi-même frappé ce coup. Je n'ai jamais vu la balle, mais ce que j'ai entendu m'a donné des frissons dans le dos. Les milliers de personnes qui longeaient l'allée et le vert nous ont fait connaître la progression de la balle. À mesure que la balle dansait vers le vert, les cris et les applaudissements ont augmenté d'intensité jusqu'à ce que, enfin, une longue clameur s'élève qui semblait ne jamais devoir s'arrêter.

Les grands pins et les chênes du *Memorial Park* de Houston ont amplifié les applaudissements jusqu'à ce qu'ils rejoignent les autres spectateurs sur le parcours. Ils semblaient annoncer l'arrivée d'une nouvelle légende – le Roi Arnold.

Quand la foule s'est ruée en direction du vert, nous avons enfin vu où la balle d'Arnie s'était arrêtée – à six pouces de la coupe! Cupidon avait profondément touché mon cœur! Je vois encore le sourire et la joie sur le visage de mon père alors que nous partagions ce moment magique entre père et fils. À ce moment, j'ai su que je voulais devenir golfeur professionnel.

Pendant ma jeunesse, j'ai revu Arnie plusieurs fois. Chaque fois qu'il se produisait dans la région de Houston, j'étais présent avec mes copains de golf, portant parfois un carton affichant « Vas-y, Arnie! » et criant de toutes mes forces. Dix-huit ans après mon expérience au *Memorial Park*, j'ai réalisé le rêve qu'il avait fait naître en moi à l'âge de neuf ans et je me suis qualifié pour jouer sur le circuit de la PGA. Je dois honnêtement dire que sans l'homme que nous adorons aujourd'hui, je n'aurais sans doute jamais réalisé le rêve de devenir golfeur professionnel.

Ce n'est pas seulement l'inspiration instantanée d'Arnie qui m'a mené jusque-là. C'est aussi grâce à mon merveilleux père qui s'est assuré que je jouais et pratiquais assidûment mon jeu. Il a parcouru chaque étape de ce difficile périple avec moi, en m'encourageant, en me poussant et, surtout, en m'aimant. Dans mon âme et dans mon cœur, il sera toujours « Le Roi ».

*Bill Pelham*

# *La réalisation de deux rêves*

Un des moments les plus touchants de l'histoire du Tournoi des Maîtres s'est produit en 1992, quand Fred Couples a gagné le tournoi – son premier championnat majeur.

Après avoir signé sa carte de pointage, les officiels du tournoi l'ont emmené au studio de la CBS à Butler Cabin, où il serait interviewé par Jim Nantz et recevrait le Veston Vert des mains du gagnant de 1991, Ian Woosnam.

Ce qui rendait cet instant si spécial était que Nantz et Couples avaient déjà vécu cela à plusieurs reprises dans le passé pendant des entrevues simulées. Compagnons de chambre à l'Université de Houston, Nantz – qui rêvait de couvrir le Tournoi des Maîtres pour CBS – *interviewait* Couples qui rêvait de gagner le Tournoi des Maîtres un jour.

L'entrevue de CBS terminée, Couples et Nantz se sont étreints, les larmes aux yeux.

« Ce qui est le plus étonnant, c'est que pendant toutes ces années, nous avons toujours su que ce serait le Tournoi des Maîtres que Fred gagnerait », a dit Nantz.

*Don Wade*

# *Une lumière intense*

*Réussir dans ce sport dépend moins de la force physique que de la force mentale et de la détermination.*

Arnold Palmer

Il a fallu une forme de cancer dévastatrice pour abattre Heather Farr, la professionnelle décédée en 1993 à l'âge de 28 ans.

Même dans les situations les plus difficiles, elle n'était pas habituée à la défaite. Heather, la perdante, avait toujours gagné. Elle était trop petite, trop mince, disaient-ils; elle ne pouvait pas frapper la balle assez loin.

Mais Heather, qui faisait à peine 1,50 m, a fait abstraction des critères habituels. La longueur de ses coups de départ n'avait rien à voir avec la grandeur de son cœur. En ce sens, elle était une géante.

À l'âge de onze ans, elle a amené Lee Trevino manger à la maison. À seize ans, quand on lui a dit que le premier pas pour faire partie de l'équipe de la Coupe Curtis était de gagner le tournoi féminin junior, elle l'a remporté la semaine suivante. À vingt ans, elle a refusé toutes les offres de commandite sur le circuit de la LPGA. Elle avait assez d'argent pour le premier tournoi et cela, bien sûr, serait suffisant.

De son premier coup de départ en tant que junior jusqu'à son dernier coup roulé chez les professionnelles, Heather Farr a remporté dix championnats d'État, une pléthore de tournois juniors, deux championnats nationaux, et a conquis un million de cœurs.

« Je ne crois pas que quelqu'un ait aimé ce sport plus que Heather », a dit sa mère, Sharon Farr.

Heather avait cinq ans quand elle a commencé à suivre son père pendant ses rondes de week-end à Phoenix, en Arizona. Avec du café et une couverture pour se protéger du froid, ils faisaient la queue à trois heures du matin pour obtenir un départ au parcours de golf *Papago*. Pendant trois ans, elle s'est contentée de suivre, puis s'est mise à supplier « Laisse-moi la frapper! Laisse-moi la frapper! »

Heather avait neuf ans quand elle a annoncé qu'elle s'était inscrite à un tournoi. En cette journée mémorable, elle s'est dirigée vers le premier tertre pendant que sa mère attendait à la cantine en conversant avec une autre mère.

Quelques heures plus tard, Heather est revenue en compagnie d'un jeune garçon à la tignasse blonde qui, s'adressant à la compagne de Mme Farr, a dit: « Maman, tu ne croiras pas ce qui m'est arrivé. J'ai été frappé à l'estomac par une balle de golf. Le pire, c'est une fille qui l'a frappée! »

« Je lui ai dit de ne pas se mettre devant moi quand c'était mon tour de frapper, a expliqué Heather. Finalement, la seule chose que je pouvais faire était de l'ignorer et de frapper la balle. Il s'est retourné et je l'ai frappé directement dans l'estomac. »

Le garçon, futur champion Amateur des États-Unis, Billy Mayfair, a remonté sa chemise pour montrer la marque de la balle. « Et elle frappe fort, regarde. »

Malgré cette mésaventure, Heather avait déjà l'amour de la compétition qu'elle garderait toute sa vie.

« Nous n'avions aucune idée de ses capacités ou de ses limites, dit Sharon. Elle seule le savait. Nous ne savions pas quels parcours elle préférait, alors nous l'avons laissé faire son propre calendrier et nous avons fait de notre mieux pour l'y conduire. »

Heather a appris dans la victoire. Un jour mémorable, après avoir gagné un tournoi junior à Phoenix le matin, elle a remporté un tournoi à Tucson en après-midi. Elle a aussi appris les amères leçons de la défaite. En tête de la division des moins de dix ans du Championnat mondial Junior, elle s'est affolée en voyant l'énorme foule et a pris cinq *putts* sur le dernier vert pour terminer quatrième. Elle a dit que ce n'était qu'une erreur, et que cela ne se répéterait pas.

Elle avait perdu tellement de balles qu'elle a été obligée d'en emprunter une sur le dernier trou du Orange Blossom Classic. La plus petite et la plus jeune des participants, elle a subi l'humiliation de finir bonne dernière.

« Nous allions quitter le tournoi et Heather est restée longtemps devant le tableau d'affichage pendant que nous l'attendions », se souvient sa mère. « Quand elle s'est retournée, elle a dit: "Je vais vous dire une chose – jamais plus je ne finirai dernière." Et elle a tenu parole. »

Chez elle, à Phoenix, Heather s'est inscrite à un programme de musculation dans un gymnase local. Elle était peut-être plus petite que les autres compétitrices, mais elle pouvait devenir plus forte.

À cette époque, elle était déjà sous la protection de Lee Trevino, champion des Omniums des États-Unis et du Royaume-Uni. À dix ans, sans gêne comme c'est le cas à cet âge, elle avait apporté un article de journal qui parlait d'elle à l'Omnium de Phoenix et avait demandé aux professionnels d'y apposer leur autographe. Seul Trevino a porté une attention sérieuse à la petite fille en baskets et il a pris le temps de lire l'article au complet avant de lui prodiguer ses encouragements.

Cet été-là, Heather à écrit une lettre. « Cher Monsieur Trevino. Quand vous reviendrez dans notre ville, pourquoi ne viendriez-vous pas souper à la maison? »

Pendant l'Omnium de Phoenix suivant, Trevino l'a remarquée. « C'est toi qui m'as écrit une lettre, non? », dit-il. Trevino s'est tourné vers la mère de Heather et a ajouté en riant: « Cette petite rusée a mis sa photo avec sa lettre. Alors, à quand ce souper? »

Sharon se souvient: « Heather lui a dit de choisir sa soirée, et ce merveilleux homme a tenu promesse et s'est présenté le soir convenu. Il s'est dirigé droit vers le frigo, s'est pris une bière et s'est parfaitement intégré à la famille. »

Au cours des années qui ont suivi, Heather et Trevino se sont souvent rencontrés. Il lui a enseigné des coups, fasciné par sa capacité d'absorber ses leçons.

Sharon dit: « C'était une superbe amitié, très chaleureuse. Il lui a même enseigné comment réparer ses bâtons, changer les prises en lui disant de ne jamais laisser quiconque entretenir ses bâtons si elle ignorait ce qu'ils allaient faire. Quand il lui a donné un bois 4 1/2, il lui a dit: "Heather, tu vas faire un malheur avec ceci." Et c'est ce qui s'est produit. »

Par une journée extraordinaire d'hiver, Trevino a téléphoné pour lancer une invitation pressante à Heather de venir à Dallas jouer au *Royal Oaks Country Club,* un parcours étroit, bordé d'arbres, où il aimait pratiquer.

« Mais il y a une tempête de verglas à Dallas », a protesté Heather. « Nous ne pouvons pas jouer au *Royal Oaks.* »

« Amène-toi, nous verrons bien », a rétorqué Trevino.

Heather a pris le court vol jusqu'à Dallas. Dans un froid intense sur les allées désertes du *Royal Oaks,* Trevino a sorti un couteau de poche, a coupé un carré de gazon, l'a retiré pour exposer la terre et a fait un grand feu. Réchauffés par le feu, le célèbre professionnel et la petite fille ont ri et parlé tout en frappant des balles de golf à satiété.

La petite Heather était en marche vers de grandes choses. À seize ans, en 1981, elle a terminé ex æquo lors du championnat amateur féminin des États-Unis. Elle ne frappait pas loin, mais elle pouvait frapper un bois d'allée plus près de la coupe que la plupart des joueuses ne pouvaient le faire avec un *wedge*. Grâce à Trevino, son petit jeu était excellent. Plus encore, elle avait confiance en elle.

« Heather avait une démarche pleine d'assurance comme je n'en avais jamais vu chez personne auparavant », raconte Tom Meeks, officiel de la USGA et ami de longue date. « Elle marchait comme si elle savait exactement ce qu'elle devait essayer de faire et comment elle allait le faire. Elle ne doutait jamais que, chaque fois qu'elle allait jouer une ronde, elle connaîtrait le succès. »

En 1982, en route vers le championnat des États-Unis des golfeuses juniors, elle s'est arrêtée pour regarder le match de la Coupe Curtis. Captivée, elle a demandé à un officiel comment elle pouvait se mériter une place sur l'équipe. « Un bon début serait de gagner le championnat des États-Unis des golfeuses juniors, la semaine prochaine », lui a gentiment répondu l'officiel.

Heather s'est contentée de dire « OK ». Elle aurait tout aussi bien pu dire : « C'est comme si c'était fait. »

Après sa victoire, Heather a terminé au premier rang des amateurs lors de l'Omnium féminin des États-Unis, l'été suivant. Elle avait mérité sa place sur l'équipe de la Coupe Curtis de 1984.

Son carnet de voyage de son périple en Grande-Bretagne est le seul document écrit qu'a laissé Heather. De son écriture ronde et jeune, elle a enregistré ce qu'elle considérait comme la plus grande aventure de sa vie.

À Golf House, « P. J. Boatwright nous dit de ne pas nous retenir et de gagner de la façon la plus éclatante possible.

« 3 juin – Visite au *R & A Club*. J'ai effectivement tout vu! Le balcon supérieur donne la vue la plus spectaculaire... nous avons ensuite déjeuné au *Club St. Rule*. Glenna Collett Vare était à trois places de moi.

« ... Au souper, on nous a remis nos épinglettes de la Coupe Curtis. Une si petite chose, mais qui représente TELLEMENT. »

Après sa ronde de pratique à *Muirfield*, site du match, elle a écrit: « L'après-midi était si clair. Regarder le paysage de *Muirfield* était une expérience incroyable. Le parcours nous attendait. »

Peut-être épuisée après son match en quatuor qui ouvrait la compétition, elle a peu commenté. Elle a seulement noté que c'était un match excitant et que son équipe avait gagné par un trou.

« Assurément, Heather était pleine d'énergie et prête à jouer », a dit Tish Preuss, capitaine de l'équipe de la Coupe Curtis de 1984. « Un peu impudente, peut-être, mais c'est bien de l'être. Elle était ainsi faite. Elle était insouciante. Elle savait qu'elle pouvait jouer et elle l'a prouvé. »

Preuss a rappelé que son équipe n'avait qu'une avance d'un seul point avant la ronde finale.

« Sur le premier départ, Heather a dit "Ne t'en fais pas pour moi, capitaine, je gagnerai mon point." » Évidemment, elle l'a fait.

Judy Bell, ancienne capitaine de l'équipe de la Coupe Curtis, a souvent vu Heather jouer. « Tout en elle était positif », dit Bell. « Son élan était traditionnel, classique. Elle trimait dur. Elle perfectionnait tous les aspects mécaniques, mais elle avait en plus le petit extra. Elle avait cette trempe.

« Cette équipe était très enthousiaste », poursuit Bell. « Elle s'est naturellement intégrée. Elle n'avait jamais joué en Écosse de sa vie, mais rapidement, on la vit avec un béret écossais. Elle était au meilleur de sa forme. »

L'équipe américaine a remporté la Coupe Curtis et Heather a pleuré lors des cérémonies de clôture quand Preuss a cité Bob Ward :

« Je vous souhaite la joie chaque jour. Je vous souhaite la peine pour mieux apprécier la joie. »

Heather s'est ensuite envolée vers Rapid City, au Dakota du Sud, et a remporté le Championnat féminin amateur des terrains publics. Toujours heureuse et insouciante, elle s'est jointe à Meeks et d'autres pour une descente des rapides pour marquer sa victoire. Riant de bonheur, elle a descendu un ruisseau sur une énorme chambre à air. À l'endroit où le ruisseau traverse le parcours de golf et alors qu'elle passait sous un pont, les membres du comité de la USGA ont bombardé la nouvelle championne avec des ballons remplis d'eau.

Oui, elle était vraiment au meilleur de sa forme.

Elle est devenue professionnelle à l'âge de vingt ans et la plus jeune professionnelle à s'être qualifiée pour la LPGA en 1986. Avec peu de fonds, elle s'est jointe au circuit. Heather suivait une fois de plus sa destinée. La vie était si douce et belle qu'elle pensait que chaque mois était le mois de mai, ne soupçonnant pas que c'était vraiment novembre.

Heather Farr avait un superbe petit jeu et elle pouvait frapper un bois 1 dans l'allée comme pas une. Elle avait un corps minuscule, mais un cœur énorme et un million d'amis. Sa vie a été courte, bien sûr. Mais combien intense.

*Rhonda Glenn*

# *La vedette du golf au grand cœur*

Une autre ville de tournoi, une autre chambre d'hôtel aux murs de carton, une autre soirée à regarder le téléviseur aux images trop bleues, trop orange, perché sur une commode recouverte de formica. Juan « Chi Chi » Rodriguez, en lutte pour la première place à l'Omnium du Texas de 1967, à San Antonio, pratiquait ses coups roulés sur le tapis en pensant aux *birdies* qui lui avaient échappé au cours de l'après-midi.

Le ronronnement des nouvelles de fin de soirée a soudainement capté son attention: un reporter interviewait une femme éperdue dont la maison en Illinois venait d'être détruite par une tornade. Il ne lui restait que les vêtements qu'elle portait. Rodriguez a été tellement touché qu'il s'est juré que s'il remportait le trophée le lendemain, il enverrait cinq mille dollars au fonds de secours de cette tornade. Le lendemain, il a gagné, ainsi que les victimes de la tornade.

Partout au pays, des douzaines de personnes ont bénéficié de la compassion de ce professionnel de golf maigrelet de Porto Rico. Pendant que d'autres professionnels passent leurs loisirs à enregistrer des messages publicitaires de bière, Rodriguez s'intéresse à des causes comme les maladies incurables, les enfants maltraités et la faim dans le monde.

Tous les membres du circuit connaissent son grand cœur, même les caddies. Après chacune de ses huit victoires en tournoi, il a organisé un somptueux repas à leur intention. « Chi Chi nous donne l'impression que nous sommes vraiment importants », dit le caddie vétéran Richard Holzer.

La générosité de Rodriguez a peut-être nui à son jeu. Pour un homme qui a déjà distancé de 100 verges Jack Nicklaus sur ses coups de départ et que Ken Venturi considère comme un des meilleurs, il devrait avoir gagné plus que huit titres, et ses gains en carrière devraient avoir dépassé le million de dollars. Mais Rodriguez pensait à autre chose.

« Il ne sera jamais aussi bon golfeur qu'il est un bon être humain », affirme le professionnel Bill Kratzert. « Parfois, il s'inquiète plus de ce qui se passe en Asie que de ce qui se passe sur le parcours. Pendant les séances de pratique, il ne cesse de parler de la misère dans le monde. »

En 1979, à quarante-six ans, Rodriguez continuait à jouer sur le circuit de la PGA à temps plein alors que d'autres professionnels de son âge prenaient leur retraite. Même s'il n'avait pas gagné un tournoi depuis trois ans, il tentait un retour. La raison: il voulait donner son prochain chèque de champion à Mère Teresa pour sa colonie de lépreux en Inde.

Rodriguez vient d'un milieu où il a connu le désespoir avec lequel il s'identifie aujourd'hui. Il connaît la sensation d'avoir l'estomac vide. Chi Chi est un expert dans l'art de se souvenir.

Rio Piedras est un village très pauvre, en banlieue de San Juan, Porto Rico. Les poulets, les petits enfants nus et les chiens squelettiques courent ensemble autour des cabanes dans les chemins de terre où Chi Chi Rodriguez a grandi.

D'une famille de six enfants, Chi Chi a travaillé dans les plantations de canne à sucre avec son père, de qui il a appris la sensibilité, la bonté et l'espoir. « Mon papa a travaillé quatorze heures par jour chaque jour de sa vie », se rappelle Rodriguez. « Il rentrait épuisé et affamé, mais s'il voyait un enfant avec le ventre gonflé – signe de malnutrition – il lui donnait son riz et ses haricots. Il le faisait si souvent que je m'inquiétais pour sa santé, mais il m'a toujours dit que Dieu lui donnerait la force. »

Il y avait peu de temps pour les loisirs, mais parfois Chi Chi et son frère aîné jouaient avec une voiturette sur la route. Un jour, ils ont monté une côte, roulé jusqu'au bas – et ont découvert le golf: « Nous avons vu cette pelouse très verte et des hommes qui frappaient de petites balles blanches avec des bâtons étincelants. Je me suis dit que les gars qui transportaient les sacs pour les joueurs devaient faire de l'argent. C'était sans doute plus facile que d'être porteur d'eau à la plantation. »

Rodriguez n'avait que sept ans mais il a traversé l'auguste pelouse du *Berwind Country Club* et s'est informé d'un poste pour porter « ces sacs ». Le maître des caddies lui a dit qu'il était trop petit et lui a suggéré de commencer comme dépisteur, la personne qui indique la position de la balle des joueurs et qui cherche les balles perdues. Chi Chi a accepté avec empressement.

Il a alors inventé sa propre version du jeu de golf. Il s'est fabriqué un bâton en attachant un tuyau à une branche de goyavier et il a formé une balle en prenant une canette qu'il a arrondie. Il a alors creusé quelques trous pour « jouer ». Bientôt, il frappait ses coups entre cinquante et cent verges. Tous ces élans avec la branche de goyavier ont développé son jeu de main, ce qui a permis à Rodriguez, malgré ses 61 kg, de devenir un des plus longs frappeurs au golf.

Les caddies n'ont pas le droit de jouer au *Berwind*, mais parfois, juste avant la tombée de la nuit, Chi Chi se glissait sur le terrain avec des bâtons empruntés et jouait rapidement les dix-huit trous. Il lui est arrivé d'être surpris par un préposé au terrain furieux qui lui tirait dessus avec un revolver. « Je frappais et je courais », se souvient Rodriguez. (Il est toujours un des joueurs les plus rapides chez les professionnels.) Âgé d'à peine 12 ans, Chi Chi a joué un remarquable 67 et il a su que le golf était sa vie.

À l'entrée de *Berwind*, il y avait un vieux banian où Rodriguez se perchait entre ses affectations. De là, il observait les Cadillac passer et rêvait qu'un jour il serait riche et saluerait une armée de fans.

À dix-neuf ans, Rodriguez s'est enrôlé et au cours de son service de deux ans, il s'est fait un nom dans les tournois militaires. Après son service militaire, il a travaillé pendant un an dans un hôpital psychiatrique de San Juan en tant que préposé. Il nourrissait et baignait les patients, jouait aux dominos avec eux, les calmait quand ils devenaient violents. Le travail était peu considéré et ne payait que quatre-vingts dollars par mois, mais Chi Chi dit que « c'est le travail le plus valorisant que j'ai jamais eu. Je *donnais* et rien n'est plus satisfaisant que cela. »

Pourtant, il n'avait pas oublié son rêve et a trouvé le moyen de le réaliser en 1957 à l'ouverture du *Dorado Beach Resort*. Parmi ses installations, il y avait le premier parcours de golf de calibre professionnel. Chi Chi s'est présenté avec une pile de coupures de presse sur ses exploits au golf dans l'armée. Ed Dudley, le professionnel du nouveau parcours, avait engagé un homme du continent pour l'assister, mais il a accepté de mauvaise grâce de jouer un match avec Chi Chi.

Rodriguez était si nerveux qu'il a joué 89. « M. Dudley, j'ai très mal joué aujourd'hui », dit-il. « Mais, si vous m'aidez, je pourrais devenir un des meilleurs golfeurs au monde. » Dudley a jeté un regard au loin, puis il a dit: « OK, je t'embauche. » Pendant les trois années suivantes, Chi Chi a travaillé pour Dudley et Pete Cooper. Les deux hommes ont développé son potentiel, l'entraînant plusieurs heures par jour.

À vingt-cinq ans, Rodriguez est entré sur le Circuit. Dès le départ, il a bien gagné sa vie et, bientôt, il rapportait des trophées chez lui. Il a été un pionnier de l'humour dans la caravane triste du golf professionnel. « Les Américains travaillent tellement fort, explique-t-il, et la moitié d'entre eux n'aiment pas leur travail. J'essaie donc de les faire rire quand ils viennent nous voir jouer. »

Professionnel de golf brillant, Rodriguez a acheté la grosse voiture rutilante dont il rêvait alors qu'il était perché dans le banian, et une grande villa à Dorado Beach. Mais, avant de se payer ce luxe, il a payé les études de droit de son frère et a acheté des maisons pour sa mère et d'autres membres de sa famille. « C'est la première maison de notre vie », dit Iwalani, la femme de Chi Chi, née à Hawaii. « Il y a trois ans, nous vivions toujours dans nos valises. Quand il donnait de l'argent à des étrangers, je me disais: "Nous n'avons même pas encore un endroit à nous!" » Chi Chi réplique: « Quand une personne souffre, je souffre. Il est difficile d'être pauvre et il est si facile de dire "J'ai réussi, tout le monde le peut." Ce n'est pas vrai. Des millions de personnes n'en auront jamais la chance. »

Les jeunes sont de plus en plus l'objet de la générosité du golfeur. La Chi Chi Rodriguez Youth Foundation, organisme sans but lucratif installé à Clearwater, en Floride, occupe la plus grande partie de son énergie caritative. Créée pour venir en aide à des jeunes en difficulté, la fondation gère un programme qui sert de tremplin vers l'entreprise privée et qui donne aussi des cours intensifs et beaucoup de leçons de golf. Les jeunes vont sur le terrain voir comment fonctionnent les entreprises et ils visitent des musées et assistent à des événements sportifs.

« Fondamentalement, ces jeunes ont été des perdants toute leur vie », dit Chi Chi. « Nous les exposons donc à des défis et à une compétition positive qui leur montrent qu'ils peuvent réussir. »

C'est en 1979, pendant la Classique de golf J. C. Penney, à Tampa, en Floride, que Rodriguez s'est intéressé au projet. Des jeunes d'un centre de détention juvénile du voisinage ont demandé son autographe. « La première chose que j'ai sue », se rappelle Bill Hayes, le conseiller qui les accompagnait, « Chi Chi leur offrait de venir donner une clinique de golf. Quelques jours plus tard, il s'est présenté et a frappé des balles de golf par-dessus les murs de la prison. Après, il s'est rendu dans les cellules pour parler avec les jeunes et il a mangé avec eux. » C'est à ce moment que Hayes a présenté à Rodriguez les plans de la Youth Foundation. Aujourd'hui, 450 jeunes y sont inscrits.

Pendant ce temps, chez lui, la bonté de Chi Chi profite à l'hôpital pour enfants de Porto Rico, qui continue de bénéficier de son tournoi annuel, le Chi Chi Rodriguez International Festival of Golf.

Mais Chi Chi n'est pas seulement connu pour ses grandes œuvres. « Si quelqu'un souffre », souligne son ami de longue date Bill Braddock, « Chi Chi essaiera de l'aider. Je ne serais pas surpris de le voir abandonner le golf pour faire des visites à domicile. »

*Jolee Edmondson*

---

NOTE DE L'ÉDITEUR : Quatrième au tableau des gagnants de tous les temps sur le circuit senior, Chi Chi continue à consacrer ses énergies à sa fondation pour les jeunes, laquelle profite présentement à plus de cinq cents enfants.

# *Ces fous du golf*

Parlons des fous du golf.

Je commencerai par ce petit homme rabougri de soixante-huit ans qui insiste toujours pour jouer des tertres arrière. Il croit qu'on ne peut vraiment voir un parcours de golf que du point le plus reculé.

Il trouve particulièrement intrigant, et non insensé, de voir un parcours de sept mille deux cents verges, spécialement s'il est infesté d'eau, de fosses naturelles, de sable, de cloisons, d'arbres, de bosses, d'herbe très longue, de vents violents, de fanions difficiles et de verts très rapides.

Il ne voudra jamais améliorer sa position. Il est grandement offensé à la simple suggestion d'un *mulligan*.

Il adore jouer un par 5 avec un bois de départ, un bois 3, un bois 5, un bois 7, une explosion du sable, un coup d'approche roulé, un coup d'approche lobé et quatre *putts*.

Il est séduit par un long et difficile par 4 qu'il peut attaquer avec un coup de départ, un obstacle latéral, un *spoon* (bois 3 mince), un coup injouable, un fer 5, un hors-limites, un fer 9, un sentier à voiturettes, un coup d'approche roulé et trois *putts*.

Il est fasciné par un *par* 3 injouable qu'il pourra dompter avec son bois 1, de l'eau, un bois 5, un muret, un *wedge*, un coup d'approche et trois *putts*.

Il espère un jour jouer moins de 126. « Comment a été ta partie aujourd'hui, chéri? », demande sa femme.

« Superbe. J'ai failli *putter* pour la normale et j'ai eu trois coups d'approche pour des *birdies.* »

Je vous présente ensuite ce monsieur infatigable qui me téléphone chaque année ou presque pour me tenir au courant de ses progrès dans son projet de jouer sur tous les terrains célèbres d'Amérique. Il s'y emploie depuis environ 25 ans, je crois.

À chacun de ses appels depuis 25 ans, il m'a toujours posé la même question. Pourrais-je lui suggérer quelque chose qui lui permettrait de jouer au *Pine Valley, Augusta National, Merion, Seminole, Cypress Point, Oakmont, Los Angeles Country Club, Bel Air, Shinnecock Hills, Colonial, Winged Foot, Chicago Golf, Brook Hollow* ou *Olympic*?

J'avais l'habitude de lui répondre: « Passez sous la clôture et ne jouez ni le premier ni le 18e trou. » Aujourd'hui, je réponds: « Volez 100 millions de dollars à votre compagnie et mettez un trait d'union à votre nom de famille. »

Je vous présente ce retraité que j'ai rencontré. Il joue six fois par semaine et fabrique ses propres bâtons. Ils sont plutôt rudimentaires, mais il les fabrique dans son atelier.

Même si le golf occupe toute sa vie, il était heureux de m'annoncer qu'il n'avait jamais assisté à un tournoi, qu'il ne regarde pas le golf à la télévision, qu'il ne lit pas de livres sur le golf, ni les magazines sur le même sujet et qu'il ne lit même pas les pages sportives des journaux.

Un jour, il m'a demandé quel était mon métier. Je lui ai dit que j'étais écrivain.

« Que voulez-vous dire? », a-t-il demandé en me regardant comme s'il venait de découvrir le plus étrange des métiers. J'ai répondu: « Entre autres choses, j'écris des articles pour un magazine de golf. » Il m'a regardé pendant un long moment avant de dire « Pourquoi? ».

Je me suis excusé et j'ai quitté rapidement pour rentrer à la maison et dire à ma femme que je croyais avoir rencontré le mystérieux tireur fou qui vise les automobilistes d'un pont au-dessus de l'autoroute.

Il y a aussi près de chez moi ce vieux monsieur qui ne joue que les week-ends mais qui passe le reste de son temps à chercher des balles de golf.

Toute la semaine, il fouille dans les buissons ou sur les bords des étangs. On dit qu'il a plus de dix mille balles de golf dans son garage où il les range bien proprement sur des étagères.

Plus d'un m'a suggéré d'aller visiter son garage – sa collection de balles de golf est renversante.

« C'est sur ma liste de choses à faire », dis-je gentiment.

Le plus étrange personnage dont j'ai entendu parler récemment est un dentiste. On dit qu'il est un fan d'Arnold Palmer depuis toujours. On dit qu'il en est tellement fan que cela frise la folie. J'ignore si cela est vrai – je ne peux que l'espérer – mais on dit que le dentiste a toujours dans sa poche un marqueur fait avec l'or extrait d'une dent d'Arnold. Cela ne fait pourtant pas de lui le plus grand fan d'Arnold Palmer au monde.

Il y a un journaliste en Grande-Bretagne dont l'adulation pour Arnold Palmer a fait une légende. Il ne s'est jamais satisfait, dit-on, d'un vulgaire autographe, d'un album, de photos, de toiles ou d'articles sur Arnold Palmer.

Un jour, il a eu l'idée lumineuse de collectionner les mottes de gazon que Palmer arrachait des allées en Angleterre et en Écosse. Finalement, la totalité de la pelouse de sa maison près de Londres a été couverte de mottes de terre arrachées par Arnold Palmer.

Si je devais mettre en pratique l'idée que j'ai eue l'autre jour, je crois que je pourrais me qualifier pour le Circuit des Fous du golf.

Voyez-vous, j'ai l'habitude de frapper dans le bois les balles qui m'ont trahi. Je dois dire qu'il me faut peu de chose pour me sentir trahi. Un *putt* raté de quatre pieds qui courbe, un crochet de gauche avec un bois 7 qui s'arrête dans une fosse de sable, un coup d'approche roulé qui traverse le vert pour aboutir dans la mare aux grenouilles, un coup de départ qui défie mes sévères mises en garde et se dirige vers la forêt.

Je laisse ces balles dans le bois, mais j'ai eu une meilleure idée. Un petit cimetière dans ma cour. Je pourrais faire une clôture avec diverses tiges brisées. Appelez-moi Croque-mort. Dans ce cimetière, j'enterrerai toutes les balles qui me trahissent, parce que si elles m'ont trahi une fois, elles le feront sans doute encore. Si je les enterre, par contre, elles n'auront rien de mieux à faire que de pourrir éternellement en enfer.

Jamais plus elles n'apporteront malheur et angoisse injustifiés à un innocent golfeur comme moi qui, au départ, ne leur voulais aucun mal.

Je dis que c'est ce qu'elles méritent. Tout ce que je leur ai jamais demandé, c'est une simple série de *bogeys*.

*Dan Jenkins*

# *Élan et détermination*

*Plus je pratique, plus je deviens chanceux.*

Gary Player

Je dois dire que je n'ai jamais joué au golf. En réalité, le seul parcours de golf que j'ai jamais fréquenté se terminait par une bouche de clown où je tentais d'envoyer la balle. C'est pourquoi je trouve étrange que le golf ait eu une telle importance dans ma vie.

J'avais dix-neuf ans et je commençais à sortir avec un jeune homme que j'avais rencontré au travail. Nous semblions avoir une bonne chimie ensemble et nous aimions tous deux la compétition. Nous passions une grande partie de notre temps ensemble au bowling ou dans les arcades à jouer au *flipper* ou à *Pac Man*. Fille des années 1970, j'étais déterminée à faire mes preuves et à être une adversaire de taille. Il s'avéra, en fin de compte, que nous étions à peu près d'égale force. Nous aimions beaucoup nos compétitions amicales.

Un jour, il est arrivé chez moi vêtu simplement, comme c'était son habitude. Cherchant quelque chose de différent à faire, il me demanda: « Es-tu déjà allé à un terrain de pratique? » Je me suis dit: *Mon Dieu! Un terrain de pratique? Que veut-il faire maintenant, de la course automobile?* Il m'a expliqué que c'était un terrain de pratique de golf, que les voitures n'avaient rien à voir là-dedans. Je n'avais jamais essayé ça et je me disais que ce devrait être assez simple. Après tout, si je pouvais catapulter une boule de 6,5 kg sur 15 mètres et abattre dix bouts de bois à l'autre bout, je n'aurais sans doute aucune difficulté à frapper une petite balle bien posée à mes pieds? J'étais convaincue que mon image d'athlète ne serait pas ternie par ce petit jeu.

Nous sommes donc partis en direction du terrain de pratique.

Nous sommes arrivés au Bill's Golfland & Family Fun Park – un véritable mégaplex de cages de frappeurs, d'arcades, de karts, de mini-golf et, bien sûr, notre destination première, le terrain de pratique. Après avoir choisi nos bâtons, acheté les balles et passé plusieurs moments gênants à courir après les balles qui tombaient du dessus de mon panier, nous étions prêts à débuter.

Après quelques brefs conseils de mon ami, je me suis préparée à montrer mes talents. Les cinq ou dix premiers élans ont été, ou bien totalement ratés, ou ils ont frappé durement le tapis de caoutchouc. Mon professeur m'a donné d'autres conseils.

« Garde tes yeux sur la balle. »

« Va doucement dans ton élan arrière. »

D'accord, il y a eu quelques autres tentatives futiles, et puis soudain... CONTACT! La balle s'est envolée et est retombée près du fanion de cinquante verges, mais c'était un début. Au cours de l'heure qui a suivi, les choses ne se sont pas améliorées. Les balles roulaient de leur appui pour s'arrêter sur la pelouse devant mon poste. Plusieurs sont tombées du *tee*, réaction tardive causée par l'air déplacé suite à mes coups ratés. Je dois admettre que c'était pathétique, définitivement pas du gâteau, comme je l'avais imaginé.

Chaque fois que je me penchais pour prendre une autre balle de mon panier, je pouvais voir les spectateurs (une galerie commençait à se former) avec leurs casquettes Titleist et leurs visières Spalding. Les têtes hochaient et les yeux se levaient au ciel. Parfois, j'entendais un commentaire comme « Vos pieds sont trop écartés », ou « Fléchissez les genoux. » Je sentais la pression augmenter. J'avais maintenant ma propre galerie derrière moi. De chaque côté, une rangée de collègues golfeurs cherchaient l'élan parfait. Devant moi, des balles volaient pour atterrir près des fanions de 200, 250 et même 300 verges. À mes pieds, la petite balle que j'avais imaginée inoffensive avait maintenant des crocs et des cornes. La sphère me raillait, comme si elle disait: « Je t'ai eue. »

*Secoue-toi!,* me suis-je dit. *Tu as un cerveau, elle n'en a pas.* Finalement, la balle n'est qu'un morceau de caoutchouc inanimé à qui je peux ordonner d'aller où je veux. J'ai senti une nouvelle détermination en moi. J'ai pris une grande respiration et je me suis répété tous les conseils.

« Les pieds écartés à la largeur des épaules. »

« Les genoux légèrement fléchis. »

« Élan arrière lent. »

« Bien fixer la balle. »

« Élan fluide et continu. »

« Terminer l'élan en portant les mains en direction de la cible. »

L'air confiant, je me suis approchée de la balle. J'ai soigneusement mis en pratique mentalement chaque conseil. Bientôt, je me suis retrouvée à faire un élan parfait. Ma concentration fut dérangée par un *whack.* J'ai relevé la tête pour voir la balle s'envoler. Je l'ai perdue dans le soleil pendant un instant avant de la voir retomber au sol près du repère de 300 verges!

« Ouais! » C'était parfait. J'ai sauté. J'ai crié. Je me suis réjouie de mon succès.

D'un air arrogant, je me suis tournée vers mon ami, « As-tu vu ça? Je savais que je pouvais y arriver! »

Ma jubilation a été rapidement abrégée par le rire de mon compagnon. Il a pointé vers mon *tee*, où ma balle reposait toujours, en me tirant la langue pour me taquiner. Le coup de départ de 300 verges que je m'attribuais appartenait en réalité au golfeur à ma gauche (qui, soit dit en passant, riait lui aussi). La foule qui s'était rassemblée s'est mise à rire, tout comme le préposé au terrain. Après avoir fait plusieurs saluts, je suis discrètement et humblement retournée à mes futiles efforts pour frapper une balle de golf.

Inutile de dire que je ne me suis jamais qualifiée pour la LPGA. L'homme qui était mon petit ami ce jour-là est devenu mon mari et le père de mes enfants. Ma détermination, sa patience et une capacité de rire de la vie, les mêmes traits de caractère que nous nous étions montrés l'un l'autre ce jour-là au terrain de pratique, sont les qualités qui ont été la base d'un long, heureux et solide mariage réussi. À l'occasion, il nous arrive de retourner au terrain de pratique avec nos deux fils adolescents. Cependant, aujourd'hui, quand nous y allons, ce n'est pas pour prouver quelque chose ou pour rivaliser l'un contre l'autre. C'est simplement pour le plaisir de la chose.

*Darlene Daniels Eisenhuth*

# *Les Garçons d'été*

Au cours du dernier après-midi du dernier tournoi majeur du siècle, les joueurs se rencontrent au club à 15 heures. Le premier arrive dans sa Volvo, deux sont laissés par une maman en route pour l'épicerie et le quatrième arrive à bicyclette. Rapidement, il est décidé que Mike et le Vieux joueront contre Rob et Ritchie dans un match par équipes.

On lance un *tee* en l'air. Ritchie et Rob frapperont les premiers. Ritchie a seize ans, c'est un joueur junior prometteur qui porte un duvet blond au menton. Il travaille à temps partiel au Burger King, mais il pense laisser cet emploi parce que cela nuira à sa pratique avec l'équipe de golf qui débute demain. Il s'installe et, nonchalamment, il frappe son coup de départ à 230 verges, légèrement en bordure de l'allée. Le Vieux le félicite et, avec un sourire un peu gêné, il dit: « C'est rien. Attendez de voir Rob et Mike. »

Rob, quinze ans, porte des pantalons cargo larges, des Foot-Joys aux lacets détachés et un appareil dentaire. Son héros est Davis Love III. Sa position semble un peu écartée, mais elle doit lui convenir car il a participé à vingt-cinq tournois de l'association de golf junior de l'État et en a remporté six, et cette année, il n'a jamais terminé plus loin que deuxième ou troisième dans chacun des tournois auxquels il a participé. L'an dernier, un *putt* raté lui a coûté le championnat junior de l'État.

Rob catapulte un superbe coup de départ à 270 verges, au centre de l'allée.

« Hé! », pense le Vieux en se massant distraitement le coude endolori suite à une matinée passée à planter des pommiers sauvages. « Ces garçons sont bons. »

Mike est le suivant. Il est plus jeune de près de deux ans et pèse quelque 20 kg de moins, mais il est le meilleur ami de golf de Rob. Ils ont fait connaissance il y a trois ans en se qualifiant pour le championnat junior du club et ils sont inséparables depuis. On les voit constamment parler de golf, bavarder, et faire des *birdies.*

Aucun des deux n'a de petite amie mais ils ont le golf et, probablement pour le dernier été glorieux de leur vie, aucun d'eux ne travaille, même à temps partiel – même si Mike admet qu'il tond quelques pelouses et arbitre quelques matches dans les Petites Ligues afin de se faire de l'argent de poche pour le cinéma. Son film favori entre tous est *Shawshank Redemption,* et il semble légèrement déçu quand vous admettez ne pas l'avoir vu.

Mike prend position avec sa prise « forte » sur son bois 1 War Bird tout usé. Ses Foot-Joys ont l'air vieux, pourtant il ne les a que depuis quatre mois. Son t-shirt Nike, artistiquement délavé, est soigneusement boutonné jusqu'en haut, à la manière de David Duval, et ses pantalons kaki semblent pendre sur son corps menu comme un vêtement sur un cintre. Pendant une averse, complètement trempé, il doit peser 44 kilos. « Hé! », proteste-t-il quand vous mentionnez ce fait innocemment, « je fais 45 kilos exactement. » Mike est en deuxième année du secondaire et il débutera sa carrière de golfeur scolaire demain, sur les traces de son frère aîné, Pat, un finissant en pleine ascension. Selon Rob, Mike est, kilo pour kilo, le plus puissant frappeur de tout le club. Il a aussi engrangé un trou d'un coup et plusieurs aigles. Il s'installe, *cool*, et met tout son poids dans un élan qui propulse sa Maxfli SX Tour en direction de la balle de son meilleur ami, ce qui amène Rob à se tourner vers lui en grognant: « Tu es mieux de ne pas frapper plus loin que moi », prévient-il Mike, lui affichant un appareil dentaire impressionnant pour montrer qu'il est fier de lui.

Le Vieux frappe un coup respectable et pousse un soupir de soulagement en regardant les Garçons d'été porter leur sac à l'épaule et se précipiter dans l'allée. Mike et Rob marchent ensemble, les sacs sont portés bas, et parlent de *wedge* de sable et des Smashing Pumpkins, comme de jeunes fiers-à-bras se hâtant vers une bataille. Le Vieux doit marcher à grandes enjambées pour les suivre et tente, pendant un instant, de se souvenir de ce qu'on ressent quand on est aussi jeune et aussi souple, et si absorbé par un match avec son meilleur ami.

Chez les jeunes garçons américains, le golf est en effervescence. Selon la USGA, un nombre record de 4 508 concurrents se sont présentés aux 61 sites de qualification pour le championnat junior amateur des États-Unis à York, en Pennsylvanie, remporté en août par Hunter Mahan, dix-sept ans, de McKinney, Texas. C'est une septième augmentation importante de suite du nombre de participants, cette année une augmentation de 12 pour cent, une poussée que plusieurs attribuent à l'influence de Tiger Woods. Le golf n'est pas une question de grandes choses, c'est une question de bonnes choses – de bons coups, de bons amis, de bon temps.

Pourtant, Tiger est très populaire auprès de ces Garçons d'été du nord. « Pas de doute, il sait protéger une avance et il gagnera probablement le PGA », dit Mike avec sagesse trois heures avant le verdict formel du Championnat de la PGA. « Mais il faut admirer ce gars Weir, le Canadien. Il frappe bien la balle. Solide… » On peut dire la même chose de Love et de Justin Leonard et d'une demi-douzaine d'autres golfeurs qui, en ce moment, semblent aussi distants que des stars du rock.

Selon Mike, qui siffle doucement en marchant et qui nettoie les rainures de ses bâtons avec le soin méticuleux d'un dentiste en attendant son tour de frapper, « la célébrité est vraiment *cool* ». Mais ce sont les pères et l'amitié qui sont probablement les raisons pour lesquelles Rob, Mike et Ritchie sont si épris de ce sport qu'ils semblent ne quitter le club que pour rentrer chez eux pour manger et dormir un peu.

À l'âge de quatre ans, Rob a fait ses premiers pas sur le vert fait maison de son père, Jim, et à dix ans, on le déposait à un terrain local de neuf trous où, pour quelques dollars, il pouvait jouer tout son saoul jusqu'à la tombée du jour. C'est alors qu'un de ses cousins lui a donné onze heures de vidéos qui incluaient les élans des meilleurs golfeurs, et il a eu quelques leçons gratuites du professionnel d'un terrain de pratique. C'était suffisant pour détruire ses rêves de basketball.

Un an plus tard, il s'est inscrit à son premier tournoi junior de l'État, a joué 103, et a compris qu'il devrait pratiquer encore beaucoup s'il voulait devenir un joueur compétitif. Cet été, il est passé à deux coups de se qualifier pour les championnats juniors nationaux au *Essex County Club*, près de Boston. Il sera éligible pour trois autres années encore et il ne manque pas de rêves de golf – il espère une carrière de golf universitaire « quelque part dans le Sud » et peut-être aboutir au circuit de la PGA.

L'histoire de Mike est semblable, à quelques détails près, en matière d'ambition. Son père et son grand-père ont tous deux été caddies et ont joué au golf. Il lui a naturellement semblé normal d'au moins « essayer le golf ». Il était un joueur prometteur au soccer et au basketball jusqu'à ce que son père, un forestier épris du golf, commence à l'amener au parcours *par* 3 local.

Rapidement, en lisant des livres et en regardant les joueurs à la télévision, Mike est devenu un autodidacte du golf et est passé au terrain municipal avant d'arriver au club de golf. Aujourd'hui, ses coups roulés ont une précision qui impressionnerait Dave Pelz et il parle d'études éventuelles en médecine et « de trouver du travail – n'importe lequel – dans le monde du golf. »

Il démontre sa précision de chirurgien en calant deux approches lobées de suite à des moments critiques du match, ramenant à un coup avec deux trous à jouer l'avance que Rob et Ritchie détenaient sur lui et le Vieux. « Il fait toujours ça », dit Ritchie en roulant des yeux et en expliquant qu'il a suivi Mike au golf surtout parce qu'ils étaient des copains d'école et qu'il s'est rapidement fait séduire par le jeu.

Au 17e trou, amusé par les plaisanteries des ados sur la « sottise du Français » (Frenchman's Folly) et la sélection de l'équipe de la Coupe Ryder qui approchait, le Vieux a finalement contribué un oiselet à sa cause et, soudain, le match était égal avec un trou à jouer. Les joueurs sont devenus silencieux, s'appliquant à leur prise et perdus dans leurs pensées. À ce moment précis, le lointain Medinah n'était pas plus magique que cette scène hautement dramatique se déroulant sur un terrain de golf presque désert du nord où l'automne semblait imminent. Le coup de départ de Mike se retrouve dans un obstacle et le Vieux réussit la normale de peine et de misère, mais ce n'est pas suffisant. Et Rob et Ritchie terminent avec des *birdies* pour gagner le match.

Ils se serrent la main et le Vieux les remercie de lui avoir permis de se joindre à eux, tout en remarquant que le chardon nordique est en fleur et que les verges d'or sont presque fanées – un signe infaillible, si on en croit les locaux, qu'il reste à peine six semaines avant le premier gel.

Entre nous, les Garçons d'été ont de vrais noms de famille – *Rob McDonough, Mike Doran* et *Ritchie Thibeault*. Vous entendrez peut-être parler d'eux un jour. Ou, jamais plus. Peu importe. Ces garçons sont éternels, avec leurs élans maison et leurs rêves de petite ville. C'est ainsi que le sport se perpétue.

Après une pause de cinq minutes pour permettre à Rob de téléphoner à la maison, les garçons décident de jouer une autre ronde avant la tombée du jour. Ils reprennent leurs sacs sur leurs épaules, saluent poliment et repartent sur leurs crampons usés à la corde. Six semaines avant le premier gel, pense le Vieux, en frottant son coude sensible et en hochant de la tête en route vers sa Volvo.

L'été se termine bien trop vite. Sans parler de la jeunesse.

*James Dodson*

*« Tu as réussi à casser le cent ? Moi aussi ! »*

*Reproduit avec l'autorisation de George Crenshaw, Master's Agency.*

# *Un trou de « combien »?*

*J'essaie d'appliquer une méthode que j'ai baptisée l'approche positive-négative. J'identifie de façon positive les aspects négatifs et je pars de là.*

Bob Murphy

Deux golfeurs étaient sur le vert du troisième trou au parcours de golf *Bethpage* quand soudain une balle arrive de nulle part, roule et s'arrête près de la coupe. Un des golfeurs dit :

« Mettons la balle dans le trou et donnons à ce gars un trou d'un coup. »

Un golfeur surgit alors du bois et dit: « Quelqu'un a-t-il vu une balle de golf par ici? »

Un des golfeurs sur le vert lui répond: « Oui, elle est tombée directement dans la coupe. »

« Excellent », dit l'homme au "trou d'un coup", « cela me donne un 13 sur ce trou. »

*Steven Schockett*

# *Impossible de l'arrêter*

Du Maine à Maui, des parents ont laissé tomber leur cuillère dans leurs céréales la semaine dernière quand ils ont lu la manchette UN ÉLÈVE DU COLLÉGIAL SE QUALIFIE POUR LE CIRCUIT DE LA PGA. Pour ma femme, Linda, et moi, c'était comme si nous avions lu POIL DE CAROTTE EN SONDE SPATIALE VERS MARS.

Voyez-vous, nous *connaissons* un élève de collège, notre fils Kel. La rumeur veut qu'il vive dans notre maison. En réalité, c'était peut-être Kel qui venait tout juste de partir pour l'école avec un Pop-Tart sous chaque bras, un Pepsi moussant dans une main, une brosse à dents dans l'autre, une casquette de travers sur la tête, des jeans assez grands pour que Charles Barkley s'y perde et des chaussures dont les lacets n'ont jamais été présentés l'un à l'autre. Disons qu'il est difficile de l'imaginer en route vers, disons, une victoire au Masters.

Pourtant, Ty Tryon, dix-sept ans, d'Orlando, est devenu joueur régulier sur le circuit de la PGA en janvier 2002. Dans notre esprit, c'est aussi impensable que de nommer Britney Spears présidente de la Réserve Fédérale. Évidemment, il *fallait* que nous parlions aux parents de Ty.

Bill et Georgia Tryon disent pourtant que leur élève de collège ressemble passablement au nôtre – les cheveux en bataille, les boutons au visage, il mange plus que les Marines, aussi svelte qu'un fer 2, il porte des chaloupes format 13 et il adore Taco Bell, ses écouteurs et les filles, dans cet ordre. Tout comme Kel, Ty a eu des contraventions, une pour avoir conduit trop vite et une pour avoir fait jouer sa musique si fort qu'elle a fêlé la vitrine du magasin Gap, à deux centres commerciaux d'ici. Les organisateurs de la Classique Bob Hope vont adorer.

Tout comme notre fils, Ty a une petite amie (sauf que la sienne est mannequin à l'agence Elite), il a des devoirs (sauf que sa tante lui sert de professeur où qu'il soit) et des voisins à déranger (sauf que les siens incluent Justin Timberlake de 'N Sync, à deux maisons de chez lui). La grande différence est que le fils de Bill frappe ses coups de départ à une *moyenne* de 309 verges, en ligne droite, qu'il a joué 66 lors de la dernière ronde de qualification pour obtenir sa carte du Circuit et qu'il fera probablement plus d'argent à 18 ans que le produit national brut de l'Ouzbékistan.

Ty dit: « Je considère cela simplement comme un travail. Plusieurs de mes amis travaillent au marché Publix. Je travaillerai sur le Circuit. » Sauf qu'au lieu de 6,50 $ l'heure, Ty fera un million de dollars l'an prochain en commandites seulement. Attendez que ses copains apprennent cela. *Nous avons un dégât dans l'allée 11.*

Pensez-vous que si Ty gagne un tournoi, il demandera, disons, à Fred Couples de lui acheter un six-pack de bière? Croyez-vous qu'il tentera de faire crisser les pneus de sa voiture de courtoisie sur Magnolia Lane? Comment pourra-t-il affronter Tiger dans un de ces matches de nuit qui se poursuivrait après le couvre-feu de Ty?

Le monde du golf ferait bien de ne pas s'attendre à ce que le jeune ait le comportement de Davis Love III. Si Ty ressemble un tant soit peu à notre fils, il essaiera de faire un tour complet sur le carrousel des bagages, il tournera ses sous-vêtements sales à l'envers et dira qu'ils sont propres, il mettra le feu à un sac contenant des excréments de chien devant la chambre de Nick Faldo avant de frapper à la porte et de s'esquiver. *Service aux chambres, pourriez-vous m'envoyer un de vos hamburgers au fromage dégoulinant?*

Comment pourra-t-il faire ses devoirs? *Veuillez excuser Ty pour son absence la semaine dernière. Il était à Los Angeles en train de gagner l'Omnium Nissan.*

En réalité, soit Bill, prêteur hypothécaire, ou Georgia, maman de quatre enfants, ou le grand-papa de Ty, Bill Sr, agent d'assurances, voyageront avec lui en tout temps. Ils passeront leur temps à lui crier de fermer le PlayStation 2 et de se coucher, tout comme ils le font à la maison. Georgia dit: « Ty aura des crédits parce qu'il travaille. » *Professeur: Ty, je dois te mettre un B pour ton golf. La prochaine fois, tu devras améliorer ton jeu.*

Et pourtant, les Tryon se sont fait chauffer les oreilles pour avoir laissé Ty devenir professionnel, même par des amis comme les joueurs professionnels John Cook et Scott Hoch. Celui-ci dit: « Je crois que c'est ridicule. Je connais Ty. C'est une mauvaise décision. »

Toutefois, les Tryon n'avaient pas d'autre choix. « À mon avis, dit Bill, si nous avions refusé, cela aurait presque été de l'abus. Il le voulait tant et il est assez bon pour réussir. C'est notre fils, après tout. Nous allons faire tout en notre possible pour l'aider dans le choix de sa carrière. Même si cela signifie ne pas le laisser jouer la comédie en jouant au golf dans un collège pendant deux ans pour que tout le monde se sente mieux, alors qu'il en soit ainsi. »

J'ai demandé à notre Kel s'il accepterait de laisser l'école un an et demi avant sa graduation pour faire la vie prestigieuse et lucrative d'un professionnel de golf. Par hasard, à ce moment-là, il était en train de manger un sandwich à la dinde, fromage, bacon, sirop Hershey et croustilles Ruffles à saveur de BBQ.

« Pas queshtion! », marmonne-t-il.

« Parce que tu crois que tes années d'école et de collège sont précieuses et que tu ne veux pas les perdre? », ai-je demandé.

« Noon… J'pourrais j'mais porter ces horrib… fêtements de golff! »

*Rick Reilly*

# *Le rêve de golf de Uecker Jr passe au premier rang*

Il y a deux ans, Bob Uecker Jr était un jeune avocat en route vers le succès, qui possédait une belle maison, avait une femme qui l'adorait, une petite fille et tous les avantages d'une vie dans la classe moyenne supérieure.

Il vivait le rêve américain. Pourtant, ce n'était pas le sien. Il a donc tout abandonné pour se battre contre les moulins à vent avec un *wedge* d'allée. Il faut imaginer la réaction de sa femme quand, à l'automne de 1996, il lui a dit: « Cathy, que dirais-tu si j'abandonnais mon travail et que j'essayais de devenir golfeur professionnel? »

Considérant que Uecker était un golfeur du dimanche bien ordinaire de trente-trois ans qui n'avait joué qu'une seule fois sous les 80, elle s'est probablement dit qu'il avait été frappé à la tête par une Titleist perdue.

« Clairement, il a fallu régler bien des choses », dit-il. « Mais, une fois les détails réglés, elle m'a soutenu de toutes ses forces. »

Le déclencheur est survenu au moment où Uecker assistait à l'Omnium Greater Milwaukee de 1996.

Il s'est demandé quel succès il connaîtrait s'il se consacrait entièrement au golf.

Son beau-père connaissait Dennis Tiziani, le respecté entraîneur de Madison qui suit Steve Stricker, le professionnel de la PGA, et il a organisé une rencontre.

« Si tout va bien physiquement, Dennis m'a dit que n'importe qui pouvait apprendre l'élan avec un bâton de golf, dit Uecker. À savoir si vous pouvez réellement jouer et réussir au golf de compétition, c'est une tout autre paire de manches. Il a dit que la seule façon de le savoir était de quitter mon emploi et de jouer au golf à temps plein. »

« Tant que je ne me suiciderais pas financièrement et tant que ma femme me soutiendrait totalement, il a dit qu'il était prêt à m'aider. »

Uecker a également dû convaincre son père, le commentateur vedette des Brewers de Milwaukee du même nom.

« Papa m'a dit de faire vérifier mes médicaments », dit Uecker en riant. « Quand il a compris que j'étais sérieux, il m'a soutenu à 100 pour cent. »

Uecker Jr a travaillé pendant plusieurs mois avec Tiziani, puis il a déménagé à Tampa pendant l'hiver 1996-1997, où il a continué d'améliorer son élan sous la tutelle de Brian Mogg, instructeur de la Leadbetter School of Golf.

Au début, ses progrès ont été impressionnants. En un an, le handicap de Uecker est passé de 14 à 7. Il est retourné au Wisconsin et il a participé à quelques tournois amateurs, sans succès. Il a passé l'hiver à Scottsdale, Arizona, où il a été l'élève de Mike LaBauve.

Uecker eut tôt fait d'abaisser son handicap à 3. Il a terminé au soixantième rang au championnat amateur de l'État, jouant 76, 81, 88,76.

La différence entre terminer soixantième au championnat amateur de l'État et réussir en tant que professionnel est énorme. Pourtant, tant qu'il s'améliorera, Uecker ne voit aucune raison d'abandonner son rêve.

« La moitié du plaisir que j'éprouve à faire ce que je fais, c'est la route vers mon but », dit-il. « Je serais devenu fou dans dix ou quinze ans à me dire "J'aurais donc dû... j'aurais donc dû." »

Comment s'en tire-t-il financièrement? Uecker dit seulement qu'il reçoit de l'aide des membres de sa famille. Il ne s'est pas mis de limite de temps.

« Je n'ai pas encore atteint le niveau nécessaire, mais Dennis me rappelle toujours que je cours un marathon », dit-il.

Cet automne, Uecker a l'intention de vendre sa maison de Menomonee Falls, de déménager pour de bon dans la région de Phoenix et de devenir professionnel.

« Croyez-moi », dit-il en souriant, « je trouve ça tout aussi fou que vous. »

Fou ou pas, il faut lui donner un « A » pour l'effort.

*Gary D'Amato*

# *À la recherche du Pro-Am idéal*

*J'aimerais mieux jouer Hamlet sans répétition que jouer au golf à la télévision.*

Jack Lemmon

Le participant traditionnel de pro-am est une sorte d'animal étrange, et il n'est certes pas une espèce menacée.

Je suis toujours étonné de constater combien de capitaines d'industrie guindés sont prêts, et même excités, à perdre la face en public sur un terrain de golf, une situation qu'aucun d'eux ne permettrait n'importe où ailleurs. Des hommes dignes, avec un sens des affaires lorsqu'ils évoluent dans les hautes sphères du pouvoir avec à leurs trousses une armée de subalternes deviennent presque paralysés quand ils sont pris du trac du premier départ. Pourtant, ils se battraient entre eux en coulisse pour s'assurer de jouer en compagnie de Jack Nicklaus et non d'une recrue inconnue, même s'ils connaissent bien les conséquences presque certaines de ce geste. Cinq mille personnes se retrouveront autour du premier tertre pour voir Nicklaus catapulter la balle, pendant que la recrue partira probablement du dixième tertre, dans l'anonymat le plus total, en compagnie de sa petite amie du moment qui portera ou traînera son sac, et de quelques amis intimes. Évidemment, notre héros n'a aucune chance de frapper un coup potable sous l'œil perçant de Nicklaus, devant ces cinq mille spectateurs, dont la plupart sont des golfeurs incompétents, qui riront et se frotteront les mains avec un plaisir sadique au moment où la balle de notre homme s'arrêtera à court du tertre des femmes. Naturellement, il aurait pu s'éviter toute cette pression et jouer un match sans histoire avec notre recrue.

Pourtant, en ma qualité de participant perpétuellement masochiste à des pro-ams depuis quelque trente ans, je sais trop bien qu'au fond de moi, pour des raisons qui défient la logique, jouer dans l'anonymat n'est pas ce dont j'ai envie. Si je dois passer six heures à jouer une ronde, je veux le faire en compagnie des meilleurs pour pouvoir ensuite montrer la photo obligatoire de notre célèbre groupe, bien encadrée, à mes enfants et mes petits-enfants. Pour faire bonne mesure, je leur raconterai probablement que j'ai bien joué.

Un pro-am ne sera pas nécessairement une expérience heureuse, même si vous jouez le meilleur golf de votre vie. Une petite minorité de golfeurs professionnels sont, Dieu merci, notoirement célèbres pour leur mépris de leurs partenaires amateurs, même si leurs revenus dépendent d'eux. Ce groupe peu perspicace, sans cervelle, est noyé dans l'armée de ceux qui sont très conscients de la valeur des pro-ams comme un puissant exercice de relations publiques.

Je suis depuis devenu l'ami, l'admirateur et un collègue-commentateur de Tom Weiskopf. Pourtant, ce superbement élégant joueur de calibre mondial a bien mérité son surnom de « Terrible Tom ». Au début de 1968, j'avais été invité au pro-am de la défunte société National Airlines pendant leur tournoi au *Country Club* de Miami pour marquer l'inauguration de leur service entre cette ville, leur siège social, et Londres. Je suis arrivé plusieurs jours avant l'événement et j'ai poli mon jeu avec soin, même si j'avais alors un respectable 5 de handicap. Le pauvre Tom est descendu de son Ohio enneigé et sortait d'un stage obligatoire de formation dans l'armée de réserve. Son jeu était un pâle reflet du sommet de sa forme. Pendant huit merveilleux trous, je me suis mieux placé sur le vert et mes coups de départ étaient meilleurs que les siens. Imaginez mon chagrin, quand, au huitième vert – ma balle reposait à cinq pieds du trou mais dans la trajectoire de la sienne, pourtant vingt pieds plus loin – il a sifflé : « *Putt* ta *** balle et enlève-toi de mon *** chemin. » Je me suis rapidement exécuté, trois *putts*, j'étais démoli et je n'ai plus jamais parlé à Weiskopf pendant cinq années, après avoir raconté l'incident dans le *Financial Times* et le magazine *Golf World*. Je dois souligner l'effort de Tom qui s'est excusé en m'invitant à son dîner intime à l'hôtel Marine de Troon, pour célébrer sa victoire à l'Omnium britannique de 1973 – une soirée mémorable entre toutes – et nous avons ri de l'incident plusieurs fois depuis ce temps.

Il y a deux autres genres de joueurs incontournables dans les pro-ams qui m'étonnent toujours. Il y a d'abord celui qui protège soigneusement un faible handicap même si son premier élan apprend à son partenaire professionnel qu'il n'y a aucune chance au monde qu'il joue à ce niveau, ni même qu'il s'en approche quelque peu. Un golfeur de calibre international m'a dit récemment: « Avant la fin de la ronde, alors que son jeu s'étiole de plus en plus, ce genre de joueur vous regardera droit dans les yeux et vous dira “Je peux sincèrement vous dire que c'est ma pire ronde depuis dix ans”, ou quelque chose s'en approchant. Peux-tu imaginer combien de fois il a dû donner cette excuse et combien de fois je l'ai entendue? » La vanité de ce genre de golfeur amateur est visiblement monumentale.

Par contre, je préfère nettement ce pauvre gars vaniteux qui se berce d'illusions à celui qui triche, ou ce que les Américains appellent un « sandbagger » (un arnaqueur) qui s'inscrit avec un handicap de 16 et dont le premier élan dit à son partenaire professionnel qu'il est peu probable qu'il perde plus de 6 coups à la normale. Cela ne lui arrive jamais, sinon rarement. Bien sûr, certains golfeurs à hauts handicaps connaissent des journées bénies. Ce sont souvent des professionnels dans un autre sport qui n'ont pas une peur morbide et ne perdent pas leurs moyens devant de grandes foules et qui sont, évidemment, habiles aux jeux de balle – des athlètes naturels. Rien ne me fait plus plaisir que de jouer en compagnie d'un « pelleteux » qui joue la partie de sa vie et qui profite au maximum de l'euphorie du moment qui en résulte. Dieu sait que cette euphorie est de très courte durée.

Je me souviens d'avoir joué avec Charles Heidseck pendant le défunt pro-am American Express à l'Omnium de France. Cet élégant fournisseur de grand champagne a pris très au sérieux ses débuts en pro-am. Il s'est inscrit dans un centre de santé pendant deux semaines, n'a pas touché une goutte des produits de sa société et il a pris une leçon de golf à tous les deux jours. Pas étonnant que Heidseck ait joué bien en bas de son handicap en compagnie d'un professionnel irlandais que nous ne nommerons pas parce qu'il a joué 86 au cours de ce pro-am et qu'il a eu le courage d'enregistrer ses résultats au lieu de déchirer sa carte de pointage. L'élégant Français a de toute évidence été inspiré par le dur labeur de son partenaire!

Passant du sublime au ridicule, plusieurs années plus tard, je participais au pro-am de la Classique Heritage au superbe *Harbour Town Links* à Hilton Head Island. Quand nous avons pris le départ en après-midi, un groupe avait déjà inscrit un pointage de moins 22 (la normale étant de 71). J'ai alors mentionné à mon partenaire qu'il ne valait pas la peine de jouer face à une avance aussi insurmontable.

À mon grand étonnement, un de mes partenaires amateurs a répliqué: « Balivernes! Nous allons faire mieux. Vous verrez. » Cinq heures et demi plus tard, nous avons inscrit un pointage de 23 sous la normale, 48, et j'ai bien compris pourquoi mon partenaire avait été tellement confiant. Il avait joué 75 par rapport à son handicap de 18. Notre professionnel, Lou Graham, champion de l'Omnium des États-Unis de 1973, et un véritable gentleman du sud, natif du Tennessee, était tellement en colère qu'il a admonesté sérieusement notre arnaqueur. Nous, les amateurs, n'avons reçu en guise de récompense qu'une boîte de douze balles de golf!

Dans mes propres expériences des pro-ams, j'ai vécu des farces, des tragédies, des comédies et, en quelques rares occasions, l'extase de la victoire.

J'ai connu ma première participation à un pro-am « majeur » au tournoi, depuis longtemps oublié, de Bowmaker à Sunningdale, en Angleterre, en compagnie du regretté et célèbre Bobby Locke. Je suis arrivé plusieurs heures avant mon heure de départ, névrosé comme toujours, et j'ai demandé l'aide du maître des caddies qui m'a annoncé que mon caddie était connu sous le nom de « Jock, Une-dent ». Un Écossais énorme, malodorant, portant un manteau militaire trop long, est sorti de l'abri des caddies, son unique canine dans sa mâchoire supérieure s'appuyant sur sa lèvre inférieure. Nous nous sommes rendus au terrain de pratique où j'ai frappé pendant ce qui a semblé une éternité, sous l'œil silencieux et impénétrable de mon compagnon. C'est alors que j'ai fait mon erreur fatale.

« Voulez-vous manger avant notre départ à 12h52? », ai-je demandé à Jock. « Oui, m'sieu », répondit-il montrant pour la première fois des signes d'enthousiasme. Je lui ai donné un billet de cinq livres, j'ai pris mon *putter* et quatre balles et je lui ai dit de me retrouver au premier tertre à 12h45 à l'horloge du chalet.

Inutile de dire que, malgré les appels répétés sur la sonorisation, Jock ne s'est jamais présenté. J'étais totalement confus. Le légendaire Arthur Lees, qui était le professionnel à *Sunningdale* à l'époque, m'a finalement fait apporter un jeu de bâtons neuf et tous les accessoires et, totalement gêné, nous avons pris le départ. Nous remontions la côte du septième trou quand j'ai entendu les premiers échos de « Glascow Belongs to Me », une célèbre chansonnette écossaise, et Jock est apparu à l'horizon se dirigeant vers nous, titubant dangereusement, mon sac de bâtons en travers de sa poitrine.

« Où diable étais-tu passé? », ai-je demandé à Une-dent.

« Et ben, m'sieu », dit-il avec un sourire à faire peur à travers la brume des vapeurs de scotch, « je suis parti avec ce groupe, voyez-vous. Mais après sept trous, quand j'ai vu qu'on ne m'avait pas encore demandé un seul bâton, j'ai compris que j'étais avec le mauvais quatuor et j'ai commencé à vous chercher... »

Le meilleur partenaire entre tous que j'ai jamais eu pour un pro-am fut Gary Player. Au pro-am de 1974 du centre de villégiature *La Manga Campo de Golf*, qui durait soixante-douze trous, le propriétaire de ce centre magnifique du sud de l'Espagne, l'entrepreneur américain Greg Peters, a eu l'idée que les professionnels ne devraient pas inscrire leur pointage individuel, mais inscrire le compte de la meilleure balle de leur équipe. C'était un effort louable afin d'encourager la camaraderie entre professionnels et amateurs et, dans le cas du Sud-Africain exubérant, cela a très bien réussi. Chaque jour, les équipes jouaient avec un professionnel différent, et nous avons pigé le nom de Gary Player pour la troisième ronde de 1974, celle que Gary appelle « le jour du déménagement ». Player était tellement décidé à nous faire jouer au meilleur de nos capacités qu'il a passé la journée à courir de l'un à l'autre pour nous conseiller à chacun de nos coups. Je ne me souviens pas exactement du merveilleux pointage que nous avons inscrit ce jour-là, je crois que c'était un 53, 19 sous la normale, mais nous avons pris une avance très confortable sur les autres et nous avons remporté le tournoi par une marge de sept coups, un total record. Et Player a été le meilleur professionnel, ce qui n'a été guère surprenant.

L'euphorie que j'ai ressentie ce jour-là aux côtés du grand Gary Player ne se reproduira probablement jamais plus. Pourtant, j'espère et j'essaie encore. Et je suppose que c'est la raison d'être des pro-ams. Ils font vivre leurs fantasmes aux pelleteux que nous sommes.

*Ben Wright*

# *Un coup d'éclat*

Par une chaude journée d'été, mon ami m'avait invitée chez lui. Il habitait en bordure d'un terrain de golf et j'aimais bien aller chez lui, car nous passions la plus grande partie de notre temps à jouer dans les bois près du terrain de golf ou sur celui-ci. Nous avions notre propre cachette, d'où nous pouvions voir un vert au loin.

Ce jour-là, mon ami et moi nous prélassions sur le vert, profitant de la douceur de la journée, le soleil réchauffant notre visage, sans soucis, quand une balle de golf, arrivée de nulle part, a atterri près de nous. Nous nous sommes regardés et nous avons ri. Notre premier réflexe, typique de nos sept ans, a été de nous lancer la balle en courant, sans penser au propriétaire de celle-ci.

Nous avons joué à nous lancer la balle en courant. Quand nous sommes arrivés près du trou, nous avons vu qu'il était tard, alors nous avons fait ce que tout enfant normal de sept ans aurait fait: nous avons mis la balle dans le trou et nous sommes préparés à partir. C'est alors que nous avons entendu des voix. Craignant que ce ne soit le propriétaire de la balle, nous avons pris panique et nous nous sommes enfuis dans les bois avant qu'on nous voie. Nous avons regardé et attendu, espérant qu'ils ne soient pas trop en colère parce que nous avions déplacé leur balle.

Nous avons vu que les hommes scrutaient l'horizon et regardaient dans l'herbe, se demandant à haute voix où la balle pouvait bien être. Prêts à abandonner leurs recherches, ils ont regardé dans le trou. Nous avons alors assisté à une scène incroyable: deux adultes qui se sont jetés dans les bras l'un de l'autre en criant et en sautant sans arrêt de joie. Nous avons bientôt compris la raison de leur comportement. Les deux hommes criaient de joie parce que l'un d'eux avait réussi un trou d'un coup sur le trou le plus difficile du parcours.

Leur excitation nous a empêchés de confesser notre intervention. Nous avons donc laissé faire et nous sommes partis à la maison. Tout en sachant que nous avions fait quelque chose de répréhensible, nous nous sommes dit que cela n'avait aucune importance et que nous avions fait plaisir à quelqu'un. Nous avons donc décidé de ne rien faire et d'oublier le tout. Il ne s'agissait finalement que de deux hommes des environs qui jouaient au golf. Jusqu'à ce que...

Je n'oublierai jamais l'impression que j'ai ressentie le lendemain matin en voyant le journal. Il y avait un long article à la une avec une grande photo d'un homme, la bouche fendue jusqu'aux oreilles, qui tenait un bâton de golf.

Je connaissais bien ce visage, car je l'avais aidé à réussir son exploit!

La manchette se lisait: « Un golfeur local honoré pour son coup d'éclat. »

Je n'avais pas encore compris l'importance d'avoir déplacé cette balle jusqu'à ce que je voie la première page du journal. En voyant le visage de ce golfeur à la une du journal, j'ai revécu l'excitation dont nous avions été témoins la veille. J'ai vécu un moment doux-amer en lisant à quel point le fait de mettre la balle dans le trou avait changé la vie de cet homme.

Cet homme, un citoyen bien ordinaire, est devenu une légende au club de golf à la suite de ce coup, et ses talents de golfeur ont été reconnus. Il a été honoré pour avoir, mine de rien, réussi un coup si difficile, et pour avoir été le premier à réussir un « trou d'un coup » sur ce trou. De toute évidence, l'homme était très heureux, et je sais aujourd'hui qu'il n'oubliera jamais ce moment magique et la gloire qu'il en a retirée.

Je crois qu'il y a une raison à toute chose et, pour une quelconque raison, nous étions destinés à mettre la balle dans ce trou ce jour-là. Nous étions des enfants innocents qui jouaient avec une balle, sans réaliser le pouvoir de nos actions et comment elles pouvaient affecter tant de vies. Le simple fait de mettre une petite balle de golf dans un petit trou a changé la vie d'un homme. Aujourd'hui encore, les gens se souviennent de son nom et de son « coup d'éclat ». Quand nous nous rappelons notre secret bien gardé de ce jour d'été lointain, mon ami et moi nous regardons et éclatons encore de rire.

*Ann Birmingham*

# 3

# MOMENTS SPÉCIAUX

*Ne vous pressez pas. Ne vous inquiétez pas.*
*Vous n'êtes ici que pour une courte visite.*
*N'hésitez donc pas à vous arrêter*
*pour sentir les roses.*

Walter Hagen

# *L'esprit de Harvey Penick*

*Mon père m'a dit : « Respecte tout le monde et ta vie sera parfaite. » Alors, même si tu es pauvre à l'extérieur, tu es riche à l'intérieur.*

Costantino Rocca

Étrangement, les circonstances se liguent parfois pour nous mener dans des directions inattendues. Cette histoire raconte les circonstances qui m'ont mené vers le légendaire Harvey Penick et les effets subséquents que cette rencontre a eus sur ma vie.

Je rendais visite à un oncle que je n'avais pas vu depuis des années, une sorte de parenté du golf. Oncle Norman m'avait fait connaître le golf en me faisant débuter comme son caddie. Une expérience misérable, compte tenu de la température et autres circonstances ; je haïssais ce jeu et je ne m'y suis pas adonné sérieusement avant l'âge de trente-cinq ans. J'ai alors été mordu par la passion du golf. Pendant cette visite, j'ai pris un livre qui était sur le comptoir de la cuisine, Le Petit Livre Vert de Harvey Penick, *If You're a Golfer, You're My Friend* [Si vous êtes un golfeur, vous êtes mon ami]. Le livre m'a tellement impressionné que je l'ai lu d'un bout à l'autre ce soir-là et que j'ai décidé de rencontrer monsieur Penick. C'était le moment ou jamais.

La semaine suivante, j'ai roulé du sud de la Floride jusqu'à Austin, Texas. Après m'être installé dans un motel le dimanche soir, j'ai consulté l'annuaire téléphonique et j'ai nerveusement fait mon appel. Je savais que Penick était âgé et frêle, mais j'ai été renversé d'apprendre dans quel état il était. Helen Penick m'a dit que son cher mari « venait de quitter l'hôpital le jour même et qu'on ne s'attendait pas à ce qu'il s'en tire ». J'ai été encore plus étonné quand elle m'a dit d'appeler le matin suivant et que, s'il s'en sentait capable, « M. Penick serait heureux de vous recevoir. » On m'a indiqué le chemin vers la maison et on m'a dit d'appeler vers 10 heures.

J'étais très ému. Au début, je me suis apitoyé sur mon sort. J'avais roulé 2500 kilomètres et je m'attendais à ce que mes efforts m'obtiennent l'audience qui avait motivé mon voyage. J'ai ensuite ressenti de la culpabilité en me rendant compte à quel point j'étais égoïste. J'ai fait une prière pour M. Penick et pour moi, et je me suis couché tôt.

Le lendemain, levé à la pointe du jour, j'ai attendu nerveusement 10 heures. À 10 heures précises, j'ai fait le numéro et pendant ce qui m'a semblé une éternité, j'ai eu le signal de ligne occupée. J'ai craint le pire. *Son état avait-il empiré? Était-il mort?* Paranoïaque comme je le suis, j'ai même pensé qu'on avait laissé le récepteur décroché intentionnellement pour me décourager. À 11 heures, je me suis rendu à la maison.

En suivant les instructions précises, je suis arrivé chez les Penick, dans un des beaux quartiers de la ville. Inquiet de ne pas avoir appelé avant, j'ai timidement frappé à la porte. Une infirmière a ouvert et j'ai demandé Mme Penick. Elle était partie faire des courses mais l'infirmière m'a demandé si je voulais voir M. Penick. Après un si long voyage, j'avais envie de dire oui, mais j'ai refusé. « Je crois que je ferais mieux d'attendre Mme Penick pour voir d'abord si c'est possible. » Les heures qui ont suivi ont été impressionnantes et elles devaient changer le cours de ma vie personnelle et professionnelle.

Dehors, dans le décor parfait, j'ai constaté des changements, d'abord subtils, dans mes perceptions sensorielles. Les couleurs des fleurs étaient nettes et éclatantes. Il y avait une douce brise, l'air était frais et clair et embaumait de nombreux arômes riches et plaisants. J'ai entendu plusieurs oiseaux et je pouvais distinguer toutes les différentes nuances dans chacun de leurs chants. Mon corps vibrait, mes sens étaient en éveil comme jamais auparavant, je sentais en fait que je faisais partie de la nature. Pour un type comme moi, froid, calculateur, qui va à l'essentiel, cette expérience était une première.

Je me souviens d'avoir vu un écureuil de l'autre côté de la rue. J'ai fermé les yeux, croyant que l'écureuil s'approcherait de moi. Ce qu'il a fait à mon grand plaisir. Refermant les yeux, je savais qu'il viendrait tout à côté de moi. Bon, personne n'est parfait. Cette sorte d'état de transe m'a semblé durer une éternité; en fait, elle n'a duré réellement que 30 minutes. Madame Penick est arrivée et m'a invité à entrer.

La chambre ressemblait à une salle d'hôpital, avec des tubes et des machines partout. M. Penick était heureux de ma visite, impatient de parler de golf et de partager sa sagesse. Il était évident qu'il adorait ce sport et il m'a semblé que parler de golf lui a remonté le moral. Une lueur semblait l'envelopper pendant qu'il me racontait sa vie consacrée à l'enseignement du golf, qu'il me parlait de différentes personnes et me racontait des anecdotes. Il m'a demandé de lui parler de moi, de mon jeu et comment il pourrait m'aider. Ce dont nous avons discuté me semblait presque inconvenant, car je savais que j'étais en présence d'un génie du golf.

Son fils Tinsley est arrivé et nous avons poursuivi notre séance. De son lit de mort, il devait mourir la semaine suivante, M. Penick me donnait une leçon de golf. D'une perspicacité incroyable, il identifiait mes erreurs à partir de notre seule conversation. Après quelques heures, j'ai vu qu'il était très fatigué. Je me suis donc excusé et j'ai pris congé. Même si M. Penick voulait continuer, Tinsley croyait qu'il était temps de se reposer. Je les ai remerciés et je suis parti.

Quelle famille remarquable! À un moment où la plupart des gens ne penseraient qu'à eux-mêmes et à leurs malheurs, ils m'ont accueilli chez eux comme un vieil ami. J'ai pris la décision consciente de vivre ma vie et de jouer au golf selon un principe supérieur, à la manière de Harvey Penick. Ma rencontre avec lui a changé ma vie.

Pour faire une histoire courte, cette rencontre m'a amené à écrire *The Secrets to the Game of Golf & Life* [Les secrets du golf et de la vie] dont Tinsley a accepté d'écrire la préface. J'ai toujours la chair de poule en la lisant. Dans sa préface, Tinsley, entre autres choses, dit que son père et moi sommes devenus des « âmes sœurs » et que « Leonard avait traduit ce sentiment particulier dans les pages de son nouveau livre ». Je suis maintenant bien établi dans le monde du golf, comme rédacteur et conseiller. Ma rencontre avec Harvey Penick m'a aidé à devenir un meilleur golfeur, mais, plus important encore, une meilleure personne. Je vois le golf, tout comme la vie, d'une perspective différente, je suis plus conscient et j'apprécie mieux les choses.

*Leonard Finkel*

# *Sur les traces du temps*

Les hommes s'abritaient derrière les murets de pierre. Les tirs de mousquets sifflaient au-dessus de leur tête, frappant au hasard la chair des malchanceux qui étaient sur leur chemin. Pire encore étaient les tristes âmes qui étaient fauchées par le tir d'un canon, ces boulets maléfiques qui causaient la perte de nombreux patriotes à chaque volée.

Il est difficile d'imaginer l'angoisse, la peur et la noblesse des braves soldats qui s'affrontaient sur cette pente rocheuse.

J'étais envahi par les émotions en marchant dans les allées majestueuses du *Carnegie Abbey Course* à Portsmouth, au Rhode Island. Par une parfaite journée de printemps en Nouvelle-Angleterre, je jouais au golf avec de nouveaux amis, Don, Patrick et Bill. Nous venions de frapper notre coup de départ sur le 6e trou, une normale 4 étroite qui coudait légèrement vers la gauche. J'ai été frappé par la vue du cimetière de l'époque coloniale entouré de pierres massives qui, depuis des siècles, avaient silencieusement monté la garde, telles des sentinelles, autour du territoire de ses occupants. Si les inscriptions étaient touchantes, j'ai trouvé encore plus fascinant le fait que cette vision noble était restée dans la quasi-obscurité pendant deux siècles avant d'être libérée des broussailles par le talent artistique de l'architecte du terrain de golf.

Je faisais part de mes émotions à Bill qui m'a souligné que, directement sous nos pieds, à moins de vingt verges du tertre de départ, reposaient depuis toujours une quarantaine d'anciens esclaves qui avaient vécu ici et cultivé ces terres pendant une longue période de son histoire.

En approchant de nos coups de départ, je me suis tourné vers mon caddie, Manny, pour lui faire part de mon profond respect pour cet endroit spécial, quand celui-ci m'a dit qu'il y avait encore beaucoup plus à découvrir. Saisissant l'occasion, Bill m'a expliqué que ces magnifiques terres vallonnées sur la baie de Narragansett avaient été le site de plusieurs batailles pendant la Révolution américaine. En particulier, le trou où nous étions avait été le lieu de la « Battle of Bloody Run » où on croit que de cinq cents à deux mille hommes ont péri et ont été enterrés sous le sol que nous foulions.

Interloqué pendant un instant, j'étais envahi par la pensée qu'un si bel endroit aujourd'hui avait été témoin de tant de violence.

Je ne me souviens pas de m'être jamais senti ainsi, cette journée-là, sur un parcours de golf. Une partie de moi se sentait intruse, comme si je violais cette terre qui appartenait toujours aux cœurs, aux sons et aux émotions de son passé. Une autre partie de moi ressentait un profond respect, un sens de communion avec ce lieu et une reconnaissance pour les gens qui l'avaient foulé avant moi.

C'est alors que j'ai compris.

Quel jeu magnifique, fantastique que le golf, qui peut utiliser comme canevas ce terrain pour en faire un superbe et difficile parcours de golf, libérant ces terres remarquables de leur passé et des pages obscures de l'histoire. Je dois admettre qu'à ce moment, j'ignorais tout de la « Battle of Bloody Run », encore moins l'endroit où elle avait eu lieu.

Aujourd'hui, grâce à *Carnegie Abbey*, les efforts et les sacrifices de ces braves hommes ne seraient pas oubliés, mais plutôt célébrés pour toujours par les nombreux repères historiques et le respect de l'environnement.

J'aime le golf non seulement pour sa dignité et sa camaraderie, mais aussi parce qu'il arrive parfois que ce jeu devienne un véhicule pour explorer et apprécier quelque chose de plus profond, comme aujourd'hui, un jardin à la mémoire des gens qui ont tant donné pour que nous puissions profiter de cet instant.

*Matt Adams*

# *Le caddie du Dr Scholls*

J'ai passé de nombreux samedis et dimanches dans la Chevrolet 1946 de mon père, garée dans le stationnement du *Ridgewood Country Club* au New Jersey. Mon père arrondissait ses fins de mois en agissant comme caddie, et il me disait toujours de ne pas m'éloigner de la voiture. Le professionnel à l'époque était George Jacobus qui a aussi été président de la PGA à un certain moment. Au cours des années trente, il a embauché un jeune professionnel du nom de Byron Nelson pour l'assister. Mon père me l'a identifié un jour en me disant: « Assure-toi de toujours être près de la voiture quand monsieur Jacobus est dans les environs. »

Après quelques semaines, j'avais calculé mon affaire. Je pouvais courir vers les bois pour regarder les membres jouer et ramasser des balles sur le terrain de pratique pour cinquante cents. En somme, on ne se rendrait pas compte de mon absence. J'avais un vieux fer 5 et quand je voyais M. Jacobus partir en voiture, je courais vers l'allée de pratique pour tenter ma chance. J'essayais de ne pas enlever de mottes de terre, car j'aurais perdu trop de temps à les replacer.

J'ai commencé à faire contact avec la balle et la frappais si loin que j'hésitais à aller la chercher. Les membres pour qui je ramassais habituellement les balles se débarrassaient de leurs vieilles balles, ce qui m'alimentait. Je cachais mon vieux fer 5 et les balles dans l'herbe longue bordant l'allée de pratique afin d'avoir les mains vides si jamais on me voyait marcher. J'ai bientôt remarqué que chaque golfeur portait les plus belles chaussures que j'avais jamais vues, comme les professionnels dans les magazines et à la télévision. Cet été-là, j'ai travaillé fort à ramasser des balles et même à laver les voitures des membres dans le stationnement. Le chef des caddies m'aimait bien et il me fournissait le savon, la chaudière et les serviettes.

Un jour, en me dirigeant vers ma cachette de bâton et de balles, j'ai vu M. Jacobus quitter le chalet. Je me suis caché derrière une grosse Buick qui aurait pu arrêter un obus d'artillerie et j'étais certain qu'il ne m'avait pas vu. Après avoir vu sa voiture disparaître dans la courbe, j'ai pris mon fer 5, j'ai lancé les balles sur l'allée et je me suis hâté d'aller pratiquer. J'étais certain qu'il était parti à la maison – il était près de 17 heures. Mon père devrait bientôt terminer sa seconde ronde. En approchant des balles, mes espadrilles ont glissé en prenant le plus gros élan que je pouvais du haut de mes dix ans et je me suis retrouvé sur le derrière. Avant que je réussisse à me relever, j'ai entendu une voix derrière moi: « Mon gars, je dirais que cet élan était un peu exagéré. » C'était M. Jacobus et je ne savais quoi dire. « Pour bien frapper la balle, mon gars, il te faut deux choses. Un meilleur élan et une paire de chaussures de golf. »

J'imagine qu'il savait combien je travaillais fort pour m'acheter une paire de chaussures et il m'a amené avec lui dans le vestiaire et a dit au préposé de me trouver une paire dans la pile de vieilles chaussures que les membres avaient jetées. Après avoir essayé chaussure après chaussure pendant quelques minutes, le préposé a sorti de la pile la plus belle paire. Des chaussures noires et blanches. J'avais vu Sam Snead et Arnold Palmer porter les mêmes. Le préposé m'a dit: « Essaie celles-ci. » Je me rappelle qu'il répétait: « Ce sont des Dr Scholls, de superbes chaussures. »

Elles m'allaient comme un gant. Le préposé les a polies et a même remplacé quelques crampons. Après tout, M. Jacobus lui avait confié cette tâche et il n'allait pas lésiner. Mon père est revenu de son service de caddie et n'en croyait pas ses yeux. Il m'a demandé où j'avais pris ces chaussures, et je lui ai dit la vérité. « Un médecin riche allait les jeter et M. Jacobus me les a données. » En rentrant à la maison, il a dû se ranger le long de la route quand je lui ai demandé: « Papa, as-tu déjà été le caddie du Dr Scholls? »

*Dennis Oricchio*

# *La fête des Pères à Noël*

Quelques jours avant Noël, j'ai reçu une carte de la fête des Pères de mon papa qui est décédé il y a près de trois ans. Elle est arrivée alors que mon fils et moi étions au parcours *Palo Verde* à Phoenix. *Palo Verde* est un petit parcours assez serré, sur la Quinzième Avenue au nord de Bethany Home Road. Nous avons commencé à le fréquenter peu de temps après la mort de ma mère en 1997. Mon père était à Phoenix pour quelque temps et son médecin lui avait dit qu'il devrait faire de l'exercice. Il n'était pas bien. Les spécialistes décrivaient sa condition comme une maladie de l'artère coronarienne. Nous la connaissions simplement sous le nom de cœur brisé.

Mon fils et moi possédons en tout et pour tout neuf vieux bâtons de golf à nous deux. Mon père avait laissé ses bâtons à Pittsburgh. Nous nous sommes donc limités au terrain de pratique de *Palo Verde*. Nous apportions quelques chaises de jardin et mon père et moi nous asseyons pendant que Sam tentait de frapper chaque balle comme un frappeur de baseball qui chasse une balle basse.

« Pourquoi ne lui enseignes-tu pas à frapper de la bonne façon? », ai-je demandé à mon père.

« Tant qu'il s'amuse et qu'il frappe la balle, c'est la bonne méthode », a-t-il répondu.

Il avait pris sa retraite de l'aciérie quinze ans plus tôt. Pendant mon enfance, il était instructeur au baseball et faisait partie de l'équipe de bowling du département du fer-blanc de l'usine. Ce n'est qu'après sa retraite que lui et ses amis ont découvert le golf. Ils en sont venus à jouer plusieurs fois par semaine pendant l'été.

De temps à autre, lors de nos visites à *Palo Verde*, mon père se levait de sa chaise pour frapper quelques balles. Des années de pratique lui avaient donné un élan très fluide. Ses coups de départ montaient haut dans la noirceur au-delà des lumières du champ de pratique.

Un soir, mon fils a dit: « Cette balle est partie dans l'espace. Peut-être ira-t-elle rejoindre grand-maman. »

Quand mon père est retourné en Pennsylvanie, il a gardé une photo de Sam et lui dans un cadre fait maison qu'il gardait dans son atelier du sous-sol. Après sa mort, Sam et moi avons rapporté la photo à la maison. Nous la gardions dans notre sac de golf et la sortions chaque fois que nous allions au terrain de pratique de *Palo Verde*, pour que mon père puisse nous regarder frapper et évaluer nos élans peu orthodoxes.

La dernière fois que nous avons été à cet endroit pendant la période des vacances, le cadre que mon père avait fabriqué s'est brisé et la photo en a glissé. En le réparant, j'ai vu que le carton qui servait à monter la photo était une vieille carte de vœux. Je l'avais envoyée à mon père plusieurs années auparavant pour la fête des Pères. Ce Noël, il me l'avait renvoyée.

Pendant les derniers jours de mon père, mon frère et moi parlions de choses légères. Nous savions qu'il allait mourir. Il savait qu'il allait mourir. Il avait eu une attaque et ne pouvait pas parler, alors nous disions des choses drôles pour le faire sourire. Pour nous faire sourire. Ce n'était qu'un voile, et après, une partie de vous se demande si vous avez exprimé vos véritables sentiments. C'est alors que vous recevez ce cadeau, cette carte de vœux écrite de votre main et adressée à votre père, que vous ne vous souvenez même plus d'avoir envoyée.

Une personne peut être plus sentimentale dans une carte qu'en paroles. Du moins, c'est le cas dans notre famille. J'avais écrit dans la carte que jamais je ne douterais que mon père ferait tout pour moi et je concluais en disant que, comme père, « tu es difficile à battre ». Cette carte est maintenant retournée dans son cadre. De retour dans le sac de golf.

Quand j'étais petit, la première chose que nos amis nous demandaient après les vacances de Noël était: « Qu'est-ce que tu as eu? » C'était une façon joyeuse et optimiste de commencer la nouvelle année. Cette année, entre autres choses, j'ai reçu une carte de la fête des Pères de mon vieux.

*E. J. Montini*

*« Je me suis demandé depuis notre départ pourquoi il traînait ce bâton! »*

# *Le flambeau change de main*

Si vous croyez que Tiger Woods sentait la pression quand il a gagné le Tournoi des Maîtres de 1997, ou quand il a gagné trois Championnats amateurs des États-Unis, ou encore quand il a distancé Sergio Garcia pour gagner le Championnat de la PGA de 1999, imaginez la pression qu'il a ressentie lors du dîner de la remise des prix de la saison 1997 de la PGA.

Il a reçu le prix Arnold Palmer des mains du maître lui-même et, quand il s'est dirigé vers le podium, Palmer a arrêté Woods au passage – et donné le frisson à l'auditoire.

« Attends là », dit Palmer, faisant signe à Woods de s'arrêter.

« J'ai quelque chose à dire. Tu as une énorme responsabilité. Quand je pense à l'époque si lointaine où j'ai commencé à jouer sur ce circuit et à tous les changements qui se sont produits, c'est stupéfiant. Je crois que nous devrions être reconnaissants, mais nous devrions aussi être prudents. Souviens-toi de la façon dont nous sommes arrivés ici et de ceux qui nous ont aidés à nous y rendre. Vous, les gars, jouez pour tellement d'argent. N'oubliez jamais que vous avez l'obligation de protéger l'intégrité et les traditions de notre jeu. C'est important. Quand je vois des gens qui se conduisent mal, cela me trouble beaucoup. »

Il a ensuite fait signe à Woods de s'avancer et de se tenir à ses côtés. « C'est là exactement », dit-il en plaçant ses mains sur les épaules de Woods. « La responsabilité est entièrement sur tes épaules. Protège notre sport. Il est magnifique. »

*Don Wade*

# *Vous pourriez être un gagnant*

Une année, pour Noël, mon ami Tony a offert un voyage de golf à son fils. Et le fils de Tony a fait la même chose pour son oncle. Et l'oncle en a offert un à Tony. En ouvrant ces cadeaux, un après l'autre le matin de Noël, la belle-mère de Tony était de plus en plus intriguée. « Je ne peux croire que vous vous êtes offert à chacun un voyage de golf au même endroit! Et pendant le même week-end! »

Tous les non-golfeurs ne sont pas aussi faciles à berner que la belle-mère de Tony. Ce truc ne marcherait pas avec ma femme, par exemple, car elle sait (et est étonnée) que mon frère et moi, dans une tentative de nous simplifier la vie, avons décidé de ne jamais nous offrir de cadeaux, quelle que soit la raison. La femme de Tony n'a pas été leurrée, elle non plus, mais elle n'a rien dit, car les hommes de la famille avaient astucieusement exprimé leur égoïsme d'une manière qui semblait épouser une croyance profondément chérie par les femmes de la famille: que les grandes fêtes sont des occasions importantes pour aimer, s'engager et renouer ses vœux, et ainsi de suite. Les hommes avaient obtenu ce qu'ils désiraient en prétendant jouer selon les règles des femmes.

Peu importe, le succès de Tony à Noël m'a fait réfléchir et je suis pas mal certain d'avoir trouvé quelque chose d'encore mieux. Mon idée est tellement bonne que je vais la partager avec vous.

Voici ce que j'ai fait. J'ai créé une société que j'ai appelée International Golf Sweepstakes Foundation, Inc., dont je suis le seul employé. Disons que vous et trois de vos amis voulez faire un voyage de golf de 10 jours en Irlande, mais vous savez que vos femmes n'approuveront jamais. Vous communiquez avec moi par *e-mail* et je vous envoie un bulletin de participation dans un concours dont le grand prix s'adonne à être un voyage de golf en Irlande de 10 jours pour quatre personnes, toutes dépenses payées. Vous complétez le formulaire et demandez à votre femme de signer sur la ligne identifiée « Témoin ».

« Qu'est-ce que c'est? », demande-t-elle.

« Oh, c'est juste un truc stupide sur les droits des animaux qu'ils nous ont forcé à acheter au bureau. »

Votre femme signe avec plaisir, vous me retournez le formulaire avec un chèque de 500 dollars (mes honoraires) et vous ne parlez plus jamais de ce concours à votre femme. Trois ou quatre mois plus tard, un colis d'apparence officielle arrive chez vous par FedEx. Vous l'ouvrez en présence de votre femme, vous prenez un air intrigué, puis vous criez « Tu te souviens de ce stupide concours? J'ai gagné, c'est vrai! »

Les femmes qui ne jouent pas au golf considèrent que tout voyage de golf est un gaspillage d'argent, mais elles ne peuvent s'empêcher de penser qu'un concours est de l'argent en banque. Ne pas réclamer le prix serait l'équivalent de jeter des bijoux aux ordures, alors vous ferez donc ce voyage, particulièrement si vous offrez promptement à votre femme un petit cadeau en compensation, par exemple, la rénovation de la cuisine.

Vous devrez faire tous vos arrangements de voyage vous-même – tout en cachant les charges à votre carte de crédit – car ma fondation ne s'occupe pas de ça, du moins pour le moment. Tout ce que je fais, c'est de vous faire sortir de la maison. Le reste dépend de vous.

*David Owen*

# *Le meilleur coup de ma vie*

*La pression, c'est jouer pour dix dollars sans avoir un sou en poche.*

Lee Trevino

Comme la plupart des gars que je connais, c'est mon père qui m'a initié au golf. Mon père était un assez bon golfeur quand il était plus jeune (handicap de 5). Quand mes sœurs et moi sommes nés, il n'a pas joué aussi souvent qu'il l'aurait souhaité, mais il n'a pas abandonné ce sport.

Au début des années soixante, papa a acheté un bar à Portage Lakes, une jolie suite de lacs de villégiature en Ohio. Papa était alors dans la cinquantaine et il aimait encore jouer au golf. Son problème était qu'après avoir presque abandonné de jouer, il acceptait des gageures de dupe de la part des jeunes hommes qui fréquentaient son bar. Un gars a gagé avec papa qu'il pouvait lui donner cinq coups et n'utiliser que trois bâtons. Papa a perdu cent dollars. Un autre a gagé cinquante dollars avec papa qu'il pourrait ne pas compter ses deux pires trous et, une fois de plus, papa a perdu.

Je me sentais mal pour papa parce qu'il était un bon gars et même si ces gens dépensaient beaucoup d'argent à son bar, à douze ans, je sentais qu'il n'était pas pris au sérieux sur le parcours de golf et que tout le monde s'amusait à ses dépens.

Plusieurs jours plus tard, Jimmy Ray Textur, un jeune golfeur « avec du talent », a dit à papa qu'il lui donnait dix coups et qu'en plus, il *putterait* avec son bois 1. La gageure était de cent dollars et, évidemment, papa l'a acceptée.

Le lendemain, nous nous sommes rencontrés au *Turtlefoot Golf Course* à Portage Lakes, un beau parcours entouré d'eau. Sur le premier trou, Jimmy Ray a frappé un coup de départ superbe, haut et loin au centre de l'allée. Le coup de départ de papa a dévié vers la droite, hors limites. J'ai eu envie de rentrer sous terre et j'ai pensé, *Bon, c'est reparti!*

Après les malheurs de papa au premier trou, il s'est repris et il a assez bien joué. Jimmy Ray *puttait* moins bien avec son bois 1 qu'il ne l'avait cru.

Rendu au 15e trou, papa avait utilisé tous les coups que Jimmy Ray lui avait donnés. Ils ont annulé les 16e et 17e. Le dernier trou était un *par* 4 bien droit menant à un vert surélevé avec des arbres de part et d'autre de l'allée. Le match était égal. Jimmy Ray a frappé sa balle au centre-gauche de l'allée et il lui restait un coup de *wedge* pour atteindre le fanion. Papa a frappé un horrible crochet de droite profondément dans les arbres où la balle s'est arrêtée sur un amas de terre laissé là à cause d'un arbre qu'on avait enlevé. Quelques amis de Jimmy Ray étaient maintenant là pour assister à la fin du match.

J'étais à l'orée du bois d'où j'ai vu papa grimper sur cet amas de terre et de détritus et prendre position. J'étais certain que papa allait perdre un autre cent dollars. Je me sentais mal, mais encore plus mal pour mon papa. C'est alors que j'ai entendu un *crack* dans la forêt qui ressemblait à un pétard qui aurait explosé sous une cannette. Les feuilles ont volé et, à ma grande surprise, la balle est sortie du bois comme un projectile, a frappé la pente devant le vert, a bondi vingt pieds dans les airs pour s'arrêter à deux pieds du fanion. Cela a certainement ébranlé Jimmy Ray car il a raté son coup suivant. Il a alors fait une approche lobée qui s'est arrêtée à cinq pieds du trou et il a réussi son *putt* pour la normale.

Papa devait réussir un roulé de deux pieds pour remporter le match. En arrivant sur le vert, tout fier, j'ai tendu à papa son *putter* Bull's Eye pour qu'il en finisse avec Jimmy Ray. Papa est passé à côté de moi en me faisant un clin d'œil. Il s'est rendu à son sac, a pris son bois 1 et a réussi le coup roulé de deux pieds!

Je n'oublierai jamais le retour à la maison. Nous sommes allés directement chez Montgomery Ward où il m'a acheté mon premier jeu de bâtons et un superbe sac vert, jaune et noir.

Je joue toujours au golf et j'exploite un petit champ de pratique à Mount Vernon, en Ohio. Papa est décédé en 1993, mais parfois, lors d'une visite à ma famille à Akron, je vais jouer une ronde à *Turtlefoot*. Chaque fois que j'arrive au dernier trou, peu importe mon pointage, je me sens toujours bien. Car c'est là que j'ai vu le meilleur coup de golf de ma vie.

*Del Madzay*

# « Sweetness »

À chaque génération, on retrouve de ces humains qui semblent exceller dans tous les sports auxquels ils s'adonnent. Le focus, l'intensité, l'humour et une volonté de fer font partie de leur trousse à outils. Je me considère chanceux d'avoir connu de première main une telle personne.

Nos chemins se sont croisés alors que je travaillais à un projet avec d'anciens athlètes professionnels ; c'est ainsi que j'ai fait la connaissance du meilleur porteur de ballon de tous les temps de la NFL et, sans doute, le meilleur joueur de football de l'histoire, Walter Payton. Son sens légendaire des affaires m'est apparu clairement dès notre première rencontre. Son énergie m'a impressionné.

J'ai grandi à Chicago et j'ai vu Walter détruire les défenses adverses pendant des années alors qu'il jouait pour les Bears. Il était merveilleux de voir la force de la partie supérieure de son corps, son agilité et son amour du contact. Me voilà donc en train de travailler avec Walter Payton et son équipe sur un projet au profit de sa fondation pour les enfants. Autant il était passionné de football, il l'est encore plus quand il s'agit des enfants, de tous les enfants.

Chaque fois que j'emmenais mon jeune fils, Andy, à ses bureaux, les affaires devenaient secondaires. Rapidement, je retrouvais Andy dans le bureau de Walter, tous deux à genoux en train de jouer à un jeu de bowling de leur invention avec des *tees* et des balles de golf. Je me rappelle m'être demandé lequel des deux s'amusait le plus. Walter affichait son sourire galactique et tout était parfait dans le monde d'un enfant.

En 1993, je participais au tournoi de golf des célébrités de Walter (même si, à l'époque, j'étais loin d'être une célébrité, Walter a vu à ce qu'on me traite comme un roi). Mon quatuor comprenait Tony Galbreath des Giants de New

York, le regretté Winford Brown, un auteur-compositeur et chanteur remarquable, et un dirigeant de la World Wrestling Federation. La liste des invités de Walter incluait des vedettes d'Hollywood qui côtoyaient des dirigeants d'entreprises et une bonne dose d'athlètes, bien sûr. Walter se déplaçait sur le parcours dans une voiturette qui était une réplique d'un vieux camion Ford à ridelles. Au moment où notre quatuor approchait d'un *par* 3, nous avons vu Walter qui arrivait dans notre direction derrière une ligne d'arbres, suivi d'une armée de reporters et de techniciens de la télévision et d'amateurs.

Je n'ai jamais prétendu avoir maîtrisé le golf. J'ai assez de force pour propulser la balle à 300 verges; cependant, il arrive qu'en plein vol la balle prenne une direction qui lui est propre. Je ne sais pas si une telle chose vous est déjà arrivée, mais je peux vous dire que c'est dérangeant. Cependant, nous étions sur un petit *par* 3 de pas plus de 160 verges. J'ai placé ma balle, j'ai pris un ou deux élans de pratique et je me suis concentré sur ce qui allait être, j'en étais certain, un trou d'un coup.

J'ai frappé une fusée alors que je n'avais besoin que d'un pétard. La balle s'est dirigée entre les arbres à ma droite, directement vers la tête d'un certain Walter Payton qui descendait de sa voiturette. Ce n'est que grâce à ses réflexes de chat qu'il a évité une collision violente. Après avoir raté sa tête par quelques centimètres à peine (et éparpillé la foule des médias et des spectateurs), la balle a filé dans l'autre allée. J'avais évidemment crié « Fore! » et je m'étais dirigé vers les arbres pour m'excuser auprès du membre du Temple de la Renommée.

Walter a arboré un large sourire et dit: « John, John, pas de problème. Laisse-moi te montrer comment on fait. » Nous sommes revenus à mon départ, suivis, évidemment par deux douzaines de reporters, de gens des médias et des invités, en plus d'autres célébrités.

Pendant ce temps, Tony et Winford étaient assis dans la voiturette et attendaient que je frappe mon coup de départ, et je ne peux qu'imaginer ce qu'ils pensaient en voyant mon nouvel entourage. Ils ont pouffé de rire, ce qui n'a pas arrangé les choses. J'avais vraiment travaillé très fort pour améliorer mon jeu, ma concentration sur les bons coups, j'avais lu chaque numéro de *Golf Digest* qui m'était tombé sous la main pour en arriver où? La quasi-extermination du plus grand joueur de football de tous les temps!

Alors, Walter s'est installé, je lui ai lancé une balle et, d'un seul geste, il a pris un *tee* de sa poche et planté le tout dans le sol à la bonne hauteur. Il doit bien y avoir maintenant une bonne centaine de spectateurs qui s'étirent le cou pour voir. La foule fait silence.

Walter étudie le coup pendant un instant, prend son élan arrière et frappe! La balle a roulé un bon pied! La foule est en délire! En me retournant, je vois Eddie Payton, le frère de Walter, plié en deux de rire. M. Univers, Tom Platz, avait la tête baissée et je voyais ses énormes épaules tressauter de rire. L'homme d'un million, Ted DiBiase, arborait son large sourire. Walter, quant à lui, ne remarquait rien.

« Ce doit être la balle », dit-il en en sortant une nouvelle de sa poche et la déposant sur le *tee* qui n'avait pas bougé. « Il te faut de bonnes balles pour jouer à ce jeu, John. »

La foule avait évidemment encore grossi. Les caméras des nouvelles étaient cadrées sur Walter et moi; Dan Marino a arrêté sa voiturette près de nous pour voir ce qui se passait. Richard Roundtree, Pat Morita et même Linda Blair encourageaient Walter. Comment un simple après-midi au golf avait-il pu tourner à la catastrophe?

Il a pris position pour la deuxième fois et, de nouveau, le silence se fit. Walter a regardé la situation, a pris son élan et *bam*! La balle a fait un bon cinq pieds!

C'était le chaos. Des athlètes professionnels s'appuyaient sur des vedettes d'Hollywood pour ne pas tomber, croulant sous les rires. Je n'osais pas lever la tête pour regarder la foule. Il y avait autour de moi l'équivalent d'un troupeau d'hyènes, riant de tout leur soûl. *Eh bien!*, ai-je pensé. Je n'échapperai jamais à cette terrible volée sur les parcours.

Puis vint le cadeau. J'ai levé les yeux juste assez pour voir Walter me faire un clin d'œil. Pendant que la galerie était pliée en deux, Sweetness a mis la balle sur le *tee* et a frappé un coup parfait qui s'est arrêté à moins de six pouces de la coupe! Un « Wow! » collectif s'est élevé de la foule de spectateurs, car nous savions que nous venions de voir un coup de génie. Il aurait pu le faire à tout moment de son choix. Il s'est approché, m'a serré dans ses bras et m'a murmuré à l'oreille, « Tout ce qui compte est en dedans – les circonstances extérieures n'ont rien à voir au golf ou dans la vie. N'oublie jamais cela. » Walter s'est éloigné d'un pas nonchalant, suivi par la légion de ses admirateurs, et je suis resté là, bouche bée. J'avais été totalement mis en boîte – et c'est un de meilleurs moments de ma vie. J'ai repensé à un bout de papier collé au mur du bureau de Walter. « Tout changement, même petit, demande du courage. »

*John St. Augustine*

---

NOTE DE L'ÉDITEUR: Walter Payton est décédé du cancer le 1er novembre 1999. Il était âgé de quarante-cinq ans.

# *La grange de Winnie*

*Personne ne devient champion sans aide.*

Johnny Miller

Je ramassais les feuilles dans mon jardin par un chaud après-midi d'automne quand j'ai reçu un appel d'Arnold Palmer m'annonçant que Winnie était décédée ce matin-là (20 novembre 1999.) Il m'a dit qu'il tenait à me l'annoncer avant que je ne l'apprenne par la télévision. Je l'ai remercié et je lui ai demandé comment il allait. Il a soupiré et sa voix a craqué. « Je ne sais pas », dit-il. « Je me sens comme si je venais de jouer 12 sur le premier trou. »

Le golf, pour ne dire rien d'autre de la vie, ne serait jamais plus pareil pour toute personne qui avait connu Winnie Palmer, encore moins pour son mari, Arnold.

J'avais réalisé un rêve en étant invité à aider Arnold Palmer à rédiger ses mémoires, car, comme des millions d'entre vous, des décennies avant de faire connaissance avec l'homme, Palmer avait été mon héros, mon dieu personnel en chaussures de golf. Comme l'ont appris à leurs dépens les mortels de la mythologie grecque, cependant, se mêler aux dieux et aux héros entraîne certains périls. Le grand homme privé est rarement aussi charmant que le personnage public et, du moins d'après mon expérience professionnelle, rarement aussi gentil. Dans le cas d'Arnold, la bonne nouvelle est qu'il s'est avéré être tout ce qu'il apparaît être, et plus encore – aussi chaleureux, prévenant, ouvert et honnête que je l'avais espéré. La meilleure chose que je peux dire à propos de mon héros du golf, c'est que je l'ai aimé encore plus une fois que j'ai appris à le connaître.

La prime inespérée de ce projet de trois ans était cependant Winnie Palmer. Dès que nous avons fait connaissance, nous sommes devenus de bons amis et des alliés très loyaux dans la tâche de coucher sur papier la vie plus grande que nature d'Arnold. C'était vraiment le livre de Winnie, c'est ce que j'en étais venu à croire, quelque chose dont elle avait compris que le monde du golf avait besoin, mais Arnold ne s'y mettrait jamais sérieusement par lui-même. J'ai rapidement appris que la meilleure façon de convaincre Arnold Palmer de faire quelque chose était de vendre l'idée à Winnie Palmer.

Quelqu'un a dit qu'un mariage est comme un conte moral du Moyen-Âge. On y voit certaines choses à un niveau alors qu'on ressent d'autres courants à un autre. Après avoir passé près de huit cents jours à entrer et sortir dans la vie d'Arnold et de Winnie, l'intimité poignante des hauts et des bas de la vie quotidienne extraordinaire de la famille Palmer m'ayant été accordée, j'ai commencé à entrevoir quelle équipe unique et puissante formaient Arnold et Winnie. Leur mariage avait été éprouvé de façons presque insondables, et peut-être parce qu'ils avaient tellement vu de choses ensemble – les épreuves de la célébrité et les dangers de la fortune – ils ressemblaient souvent à des naufragés s'accrochant l'un à l'autre sur une plage.

C'était visible à la façon dont ils se prenaient instinctivement la main pendant qu'ils traversaient de grandes foules ou qu'ils se détendaient en compagnie de groupes d'amis intimes. On pouvait le sentir clairement quand Arnold l'appelait affectueusement « *Lover* » et la taquinait en disant qu'elle dirigeait sa vie et le menait à la baguette. Peu importe ce qui était vrai, quand Winnie parlait d'un sujet sérieux, Arnold écoutait attentivement. En réalité, il se fiait à ses opinions sur à peu près tout pour la simple raison qu'il aurait été idiot de ne pas le faire. Elle pouvait saisir exactement le caractère d'une personne, elle était une conseillère pleine de bon sens avec un cerveau d'universitaire, et elle écoutait invariablement son cœur.

En plus des mémoires d'Arnold, l'autre projet de Winnie depuis plus d'un an et demi, avant d'être diagnostiquée d'un cancer de la paroi de l'intestin, était la restauration d'une vieille grange avoisinant le parcours de golf à *Latrobe*. En riant, elle disait que c'était son « manteau de vison » pendant qu'Arnold l'appelait « la grange de Winnie ».

Par un superbe après-midi ensoleillé, elle m'a conduit à la haute colline en amont de la grange, qui surplombait le terrain de golf, et m'a expliqué qu'un jour elle espérait convaincre Arnie – c'est ainsi qu'elle l'appelait – de construire une confortable maison de « retraite » pour eux seuls, si jamais et lorsqu'il accepterait de prendre sa retraite. La veille pendant le souper, à propos de rien, Arnold avait parlé de sa dernière idée: il pensait planter des vignes et lancer une entreprise vinicole sur la colline adjacente à la grange. Winnie n'en avait jamais entendu parler. Elle m'a regardé et a roulé les yeux avec un profond amusement, ayant l'air de dire, « Arnold le rêveur est reparti. »

Cet après-midi-là, Arnold, qui s'adonnait à jouer une ronde avec un groupe de personnes importantes venues lui rendre visite, nous a aperçus et il a escaladé la colline en voiturette avec un sourire soupçonneux. Il nous a demandé que diable faisions-nous là, et elle lui a répondu joyeusement: « Mais, nous ne faisions que regarder la vue de la fenêtre du salon de notre maison de retraite. »

« Winnifred, je te la construirai ta maison », a-t-il beuglé en riant. « Attends, tu verras! »

« Bien sûr, *Lover* », a-t-elle taquiné gentiment. « Ce sera avant ou après l'entreprise vinicole? »

En disant cela, elle s'est esclaffée de ce grand rire qui convenait parfaitement à cette beauté sans âge, basanée, raffinée, aux cheveux foncés, qui avait tenu les livres de comptes de son père, Shube Walzer. Elle faisait des études pour devenir décoratrice d'intérieur et rêvait de parcourir le monde quand un beau jeune homme à la langue bien pendue, vendeur de peinture plutôt médiocre de Cleveland, qui venait de remporter le championnat national amateur de golf des États-Unis, a tendu son bras sous la table au dîner à Shawnee-on-Delaware. Impulsivement, il a pris sa main et lui a audacieusement suggéré de l'épouser, trois jours après avoir fait connaissance.

Obstinée comme une jeune pouliche, elle a accepté en quelques heures, donnant naissance à la plus longue histoire d'amour du golf, et elle a passé les quatre décennies suivantes à influencer les opinions et la vie intérieure de la personnalité la plus dominante du golf moderne.

Par choix, Winnie Palmer était une des personnes les plus effacées du golf. Même au sommet de la gloire d'Arnold, elle marchait quelques pas derrière les cordons, ne demandant et ne tolérant jamais quelque privilège que ce soit, aussi à l'aise avec les caddies qu'avec les VIP, souvent invisible mais observant toujours. « Arnold est le personnage public », disait-elle. « Je suis une personne privée. »

C'était vrai. En tête-à-tête, Winnie avait le don de donner l'impression à toute personne qu'elle était unique et qu'elle était très appréciée dans son domaine. Sa maison était simple, sans prétention, mais aussi soignée et riche en couleurs qu'une courtepointe Amish. Elle était toujours impeccablement vêtue selon la saison.

J'ai passé des moments privilégiés avec Winnie. Après qu'Arnold et moi avions terminé une de nos séances productives de recherche tôt le matin, il s'envolait vers ses obligations, un message publicitaire à tourner ou une apparition à un événement ou à un tournoi de charité. C'est alors que Winnie me prenait sous son aile pour le reste de la journée.

Plusieurs fois après le déjeuner, nous sortions faire de longues balades en voiture à la campagne avec Prince, leur retriever. Un après-midi, elle m'a conduit à la chapelle Unity, une vieille chapelle presbytérienne de plus de deux cents ans, située à flanc de colline en dehors de Latrobe.

Elle m'a raconté son histoire et m'a expliqué qu'à une certaine époque, la chapelle tombait en ruines, mais grâce à un certain nombre de personnes qui aimaient cet endroit, elle avait été restaurée à sa splendeur originale.

J'ai compris plus tard que Winnie avait été une de ces personnes spéciales, mais elle ne me l'aurait jamais dit pour tout l'or du monde. En réalité, elle adorait aller à l'église, presque n'importe quelle église, et parfois elle m'emmenait avec elle. Elle aimait les vieux cantiques et les sermons qui vous faisaient réfléchir. Elle s'inquiétait du monde dont allaient hériter ses petits-enfants, les miens, les vôtres. Elle prenait sa foi tranquille très au sérieux, mais elle ne se prenait jamais trop au sérieux elle-même.

J'ai acquis une meilleure vision professionnelle et une sagesse de ces moments de simple amitié pendant que nous nous promenions, que nous allions à l'église ou que nous parlions de tout – de Dieu, de livres, des enfants, d'art, des chiens, de musique, d'histoire, de l'actualité ou du paysage. Parfois, nous parlions même de golf et d'Arnold. J'ai appris qu'elle aimait les toiles d'Andrew Wyeth et de David Armstrong, le piano de Doug Montgomery, les commentaires d'Andy Rooney et un bon Old-fashioned à la manière de Fitzgerald. Les autres choses sur sa courte liste incluaient ses filles et ses sept petits-enfants, les bonnes manières, les pivoines, son frère Marty, le West-End de Londres, les galeries d'Augusta, les hôtels douillets, les musées de toutes sortes, les dîners tôt, les écrivains britanniques qui parlaient de golf et les conversations téléphoniques avec sa complice de crimes, Barbara Nicklaus.

Parlant de crime, cette femme semblait avoir lu à peu près tous les livres écrits en anglais, particulièrement les romans policiers. Elle aimait bien les soirs de brume, les portes entrouvertes, les crimes non résolus. Elle trouvait aussi le moyen de lire environ une demi-douzaine de magazines et d'entretenir une correspondance régulière avec ses amis à qui elle envoyait des notes manuscrites accompagnées de coupures de presse qu'elle croyait qu'ils devaient lire. Je blaguais avec elle en disant que si Arnie n'avait pas réussi au golf, elle aurait pu faire vivre le ménage en lançant un service de coupures de presse.

J'aimais son sens moral de l'économie et des valeurs. Après que les enfants et moi avons perdu nos retrievers trop âgés, Winnie s'est mise à la tâche de m'aider à trouver le remplaçant idéal. Elle m'a présenté une femme dont elle avait entendu parler qui élevait des champions goldens. Un mois plus tard environ, cette femme m'a appelé pour me dire qu'elle avait trouvé le chien « parfait » pour nous: une femelle opérée de trois ans, bon caractère, avec tous les papiers, tout le bazar et pas cher, à seulement mille huit cents dollars. Quand j'en ai parlé à Winnie, elle a tonné: « Si tu t'avises d'acheter ce chien, je passerai par le téléphone pour te casser le bras! »

Ses funérailles à la chapelle Unity, par une superbe journée de l'été indien, étaient simples et magnifiques. La musique était de Bach et Beethoven. Quelques prières de reconnaissance ont été lues, on a chanté l'hymne de la marine. Sa petite-fille Emily a lu quelques passages du Livre des Proverbes. Selon sa volonté stricte, il n'y a pas eu d'éloge funèbre. Ce n'était pas nécessaire, car chacun d'entre nous écrivait son propre éloge dans sa tête pour la nouvelle sainte patronne des épouses de golf.

Après un court moment – Winnie n'aimait pas les offices qui s'éternisaient – nous nous sommes rendus, les voitures en file, pour déjeuner au *Latrobe Country Club*. J'étais heureux de voir Arnold rire, en taquinant gentiment Jack qui tentait de rejoindre son fils Gary sur son téléphone cellulaire pour voir comment il s'était classé à l'école de qualification du Circuit PGA. Quelques minutes plus tard, je l'ai vu entraîner George et Barbara Bush à l'extérieur de la salle et je savais exactement où il les emmenait – voir la grange de Winnie, aujourd'hui totalement restaurée, se dressant dans le soleil couchant comme une toile originale de David Armstrong.

En réalité, nous étions quelques-uns à nous demander, soucieux, comment Arnold Palmer s'organiserait sans son authentique Pennsylvanienne, Winnie. J'étais perdu dans ces pensées, je le confesse, songeant égoïstement à quel point Arnold et *Latrobe* me manqueraient et, surtout, mes conversations téléphoniques avec Winnie, quand j'ai senti une paire de mains fortes et solides sur mes épaules. Je me suis retourné et j'ai vu Arnold qui me regardait avec ce que Winnie avait déjà qualifié de son « regard de ministre ».

Nous n'avions pas encore parlé ce jour-là. Je l'avais peut-être un peu évité – et lui aussi, peut-être. Il connaissait mon opinion de sa femme, comment nous étions tous un peu en admiration avec la belle Winnie Walzer. Il m'a remercié d'être venu, et je lui ai demandé pour la deuxième fois en deux jours comment il allait. Le regard d'Arnold s'est adouci. Ces yeux ont commencé à briller.

« Je suis bien pour l'instant », a répondu d'une voix douce l'homme le plus public du golf à propos de sa perte la plus personnelle. Nous savions tous deux que ce serait tôt le matin et en soirée qu'il trouverait cela plus difficile, alors que Winnie emplissait leur maison de tant de chaleur.

Il s'est éclairci la gorge et s'est forcé à sourire. « La bonne nouvelle est qu'elle m'a laissé de bonnes instructions sur la façon de vivre le reste de ma vie », dit-il en me serrant le bras de ses grosses mains de forgeron, en imaginant peut-être Winnie sur la colline surplombant la grange en cette belle journée d'été. Il aura la même image d'elle que j'aurai toujours.

« Des instructions très strictes », a-t-il ajouté.

*James Dodson*

# 4

# L'ART DU GOLF

*Ne faites jamais rien*
*qui compromettrait votre intégrité.*
*Tout ce qui vaut la peine d'être fait*
*mérite un effort honorable et honnête.*
*Il n'y a pas de raccourci pour devenir champion.*
*Vous n'emporterez ni trophée ni médaille*
*en quittant cette vie,*
*mais votre personnalité vous suivra toujours.*
*Soyez honnête envers vous-même*
*et n'oubliez jamais que, si vous ne pouvez être*
*le meilleur athlète du monde chaque jour*
*dans votre discipline…, vous pouvez être*
*à votre meilleur chaque jour.*

Mike Reid

# *Attention aux serpents!*

*Le golf est une folie temporaire*
*que l'on pratique dans un pré.*

Dave Kindred

Dave Harris, mon compagnon de chambre et partenaire de golf à l'université, jouait presque sans marge d'erreur. Il aurait été invité à faire partie de l'équipe de l'université si ce n'avait été d'un grand défaut: il était un incorrigible farceur. Parfois, il imitait le cri du canard pendant l'élan arrière d'un joueur, mais c'était surtout sa collection de serpents en caoutchouc qu'il traînait dans son sac de golf.

Un après-midi, un étudiant costaud de première année de Spokane s'apprêtait à frapper son *putt* sur le sixième trou, mais il a reculé quand il a vu du coin de l'œil un python articulé à l'air menaçant sur le vert. « Harris, dit-il, tu refais cela et je fendrai ta jolie tête blonde en deux avec un fer 5 et j'écrabouillerai ta grosse personne! » Dave a donc cessé pour un temps, mais un après-midi que nous jouions à deux au *Green Hill Country Club*, il a soudainement fait apparaître un gros serpent jaune et noir à mes pieds au moment où je m'apprêtais à frapper mon coup de départ.

Puis, au printemps de 1947, Dave et moi nous sommes quittés. J'ai commencé à travailler au Département des autoroutes de l'État du Montana, et il est resté pour terminer sa maîtrise à l'Université de Washington. Je me suis retrouvé sur un gros chantier de construction à l'extérieur de Shelby, dans le nord du Montana. Shelby tenait sa célébrité du fait qu'on y avait organisé le combat Dempsey/Gibbons en 1923; à l'entrée de la ville, un énorme panneau le proclamait fièrement à l'intention des passants. Son autre haut fait était d'être l'hôte d'une des seules villes des prairies à posséder un authentique golf municipal.

La configuration du parcours était assez rudimentaire. Les gens du coin avaient simplement rasé quelques acres de pâturages à bisons pour les allées, réglé la tondeuse à son plus bas niveau pour délimiter des verts, et ils avaient déménagé un vieux grenier à blé pour en faire la cabane du préposé aux départs et, voilà! – un terrain de golf était né. Par contre, il leur avait fallu creuser les coupes à deux pieds de profond pour éviter que les fanions soient emportés par le vent, et la plupart des coups roulés courts étaient concédés car personne ne voulait risquer de plonger la main jusqu'au coude dans ce grand trou noir pour y récupérer sa balle. De plus, une grande partie de la tonte et de la fertilisation était confiée à un éleveur local qui avait le droit de faire paître ses vieilles vaches maigres sur le parcours.

J'avais essayé de jouer à deux reprises mais, dégoûté, j'avais abandonné les deux fois, la première après avoir brisé un fer 8 tout neuf sur une pierre, et l'autre, parce que les herbes roulées par un fort vent d'ouest me distrayaient la vue chaque fois que je me plaçais pour m'élancer. Par contre, on n'attendait jamais car le parcours était toujours désert, sauf les week-ends, alors qu'un des fils de l'éleveur chassait les vaches à coups de pied vers un autre pâturage avant d'ouvrir la guérite du préposé aux départs et d'accepter deux dollars de frais de quelques mordus.

Dave et moi étions restés en contact. Un soir, il m'a téléphoné pour me dire qu'il travaillait à Glacier Park pour l'été et qu'il m'invitait pour une ronde de golf dès que j'en aurais le temps. « Davey, lui dis-je, j'aimerais bien, mais nous travaillons sept jours par semaine présentement. Cependant, nous avons un bon petit terrain ici à Shelby; je pourrais quitter le travail un peu plus tôt et nous pourrions jouer jusqu'à la tombée de la nuit. Après tout, il ne fait noir qu'à vingt-deux heures ici en juillet et tu n'es qu'à deux heures de route. »

« D'accord! Que dirais-tu de mercredi? Jeudi, j'ai congé. »

« D'accord. À mercredi, vieille branche. »

J'ai d'abord réservé une chambre pour Dave à l'hôtel, puis j'ai fait de menus achats dans la section des babioles de la pharmacie et je me suis arrêté pour une brève conversation avec Tom, le propriétaire du Tommy's Bar and Grill. Ensuite, j'ai trouvé Jimmy, le jeune qui insistait pour m'accompagner chaque fois que je sortais de la ville car il adorait regarder les grosses machines déplacer la terre.

« Jimmy », lui ai-je dit, « crois-tu que tu pourrais trouver un ou deux serpents d'ici mercredi après-midi? N'importe lequel tant qu'ils sont de bonne taille, mais pas des serpents à sonnette. »

« Bien sûr. Que pensez-vous de couleuvres? Il y en a toute une famille sous notre poulailler. »

« Parfait », lui ai-je répondu en lui tendant un bout de papier avec des instructions et un billet d'un dollar. « Il y en aura un autre si tu fais du bon travail. »

Dave s'est présenté à l'hôtel à l'heure dite et en route vers le terrain de golf, il m'a dit: « Bob, je sais que j'avais l'habitude de te concéder des coups à Seattle, mais ici, tu connais le terrain. Alors, si on jouait cette ronde à égalité et seulement pour quelques bières? »

J'ai accepté et pendant que Dave regardait le parcours du premier départ avec un air d'appréhension, j'ai dit: « Davey, tu es un gars de la ville et ici c'est un parcours de campagne. Je crois devoir t'avertir d'un certain nombre de choses. D'abord, remarque que le bétail broute ici aujourd'hui, je suggère donc que tu enlèves ou que tu couvres ton gilet rouge. De plus, si la balle s'arrête sur ou à moins de six pouces d'une vache, tu peux la déplacer sans pénalité. De plus, je dois dire qu'il y a des serpents à sonnette ici et que c'est l'heure où ils sortent. Fais attention où tu poses les pieds. La seule clinique qui possède un antidote est à 150 kilomètres d'ici. »

C'est ainsi que, malgré la température approchant les 30 degrés à l'ombre, Dave a sorti un pull-over bleu de son sac. Ensuite, tout en jetant un coup d'œil aux vaches à toutes les cinq secondes et en fouillant l'herbe du regard pour chercher les serpents, il a réussi à se rendre à deux pieds du vert en trois coups, sur le premier trou, une normale 4. Il a calé son approche roulée de vingt pieds. « Bobby », dit-il en retirant le fanion, « je crois que je commence déjà à comprendre ton petit terrain. » Cependant, en ramassant sa balle, quand ses doigts ont touché la peau fraîche d'un gros serpent qui cherchait la lumière du jour, il a lancé son fer 6 au loin, a tenté de courir, est tombé à la renverse et est resté étendu, cherchant son souffle. « Bob », a-t-il murmuré, « je crois qu'il y a une sorte de serpent dans le trou! »

J'ai regardé dans le trou, j'y ai saisi l'animal par le cou, je l'ai déposé par terre et pendant qu'il rampait vers la prairie, j'ai dit: « Ben quoi, Davey, ce n'est qu'une couleuvre. Inoffensive. En fait, par ici, les gens les gardent pour chasser les souris et les rats. »

Au trou suivant, une autre normale 4, Dave a repris son calme, a frappé un coup chanceux d'une touffe de cactus et a réussi un oiselet. Puis, sur le troisième, un *par* 3 de 175 verges, son coup de départ s'est retrouvé dans la seule « fosse de sable » du parcours, un suintement naturel d'alcali qui était probablement là depuis des milliers d'années. Il a ouvert un *wedge* de sable et sa balle s'est arrêtée à trois pieds de la coupe. Il s'apprêtait à faire son coup roulé quand la belle tête d'une autre couleuvre est apparue au bord du trou, a sorti la langue vers Dave, puis est rentrée. « Hé, Bob, a-t-il crié. Il y a un autre de tes serpents domestiqués pris dans ce trou! »

J'ai trottiné vers le trou, j'y ai jeté un regard et j'ai dit: « Davey, celui-ci est en fait un serpent à sonnette qui a six bandes à sa queue. Je ne comprends pas qu'il ne t'ait pas attaqué. Si tu t'étais approché un peu plus, nous serions en route pour la clinique de Great Falls. Alors, pour le reste de cette ronde, pourquoi ne pas simplement concéder tout coup roulé de moins de quatre pieds? J'espère que ce n'était pas une balle neuve. » Pendant que Dave marquait le pointage d'une main tremblante, je me suis fait une note mentale de donner un autre dollar à Jimmy. Il avait bien travaillé.

Après cet incident, Dave n'était plus capable de jouer selon son talent. Après neuf trous, il a arraché son pull-over, a regardé ses nouvelles chaussures blanches couvertes de bouse de vache et a dit: « Bobby, j'en ai assez de ton fichu club de golf de campagne. Je paie la bière. »

Plus tard, dans le bar du Tommy's Bar and Grill, Dave a levé sa première chope de bière froide, a hésité, a regardé de nouveau dans le verre et a eu un recul de dégoût. Au fond, il y avait un petit serpent de caoutchouc, lové et prêt à l'attaque.

Après une ou deux grandes respirations, il a vu dans la salle les visages calmes, dans l'expectative, il a plongé deux doigts dans la chope et en a sorti le serpent. Il a vidé sa bière d'un trait et, d'une voix forte, il a dit: « Tommy, voudrais-tu rafraîchir ma bière? Mais cette fois, laisse tomber la fantaisie, je prendrai la prochaine sans serpent. » Les clients réguliers, déjà au courant de l'incident, lui ont fait une ovation. Un client anonyme a dû être vraiment impressionné, car quelqu'un avait payé la note du souper.

J'ai quitté Dave tôt alors qu'il était en sérieuse conversation avec Lucy, la serveuse, car je devais me lever à 5 heures le lendemain. Le lendemain après-midi, de retour à l'hôtel, Bill, le commis/gérant/propriétaire, m'a appelé pour me remettre une note de Dave:

*Cher copain – J'ai assez bien fait connaissance avec la petite Lucy hier soir et elle t'a dénoncé. Beau coup, bien préparé, mais fallait-il vraiment que la moitié de la ville soit au courant? De toute façon, tu t'es bien fait comprendre. À bientôt pour une autre ronde de golf, sur un autre parcours aussi loin que possible du tien. – Dave.*

J'ai mis la note dans la poche de ma chemise et je me suis dirigé vers ma chambre pour prendre une douche, quand Bill m'a retenu et m'a dit: « En fait, ton ami doit faire dans les babioles ou les jouets, ou quelque chose du genre? »

« Non », ai-je répondu. « C'est un stupide ingénieur comme moi. »

« Eh bien, c'est étrange. Il est parti juste avant-midi, et quand Hilda a finalement fait sa chambre, elle est descendue tout excitée parce qu'il avait laissé une douzaine de serpents en caoutchouc dans la corbeille. »

*Bob Brust*

# *Plus arrogant que dans la NBA*

*Quand tu es en tête, ne te relâche pas, écrase-les. Après le match, c'est le temps d'être un bon sportif.*

Earl Woods – à son fils, Tiger Woods

Étant le type même du sportif, je suis assez fier de mon jeu. Mais, presque aussi important, je suis un homme typique et je suis assez fier d'être un connaisseur.

J'ai appris d'un maître.

Je ne veux pas me vanter à propos de mon père mais s'il y avait un Temple de la Renommée pour ceux qui sont arrogants, il en serait membre comme Charles Barkley, Xavier McDaniel, John Starks, Reggie Miller et tous les boxeurs professionnels qui ont jamais vécu. Il aurait peut-être même eu droit à un prix pour l'ensemble de sa carrière. Je parle d'une statue en bronze et de tout le bazar.

En d'autres termes, papa est un « grand parleur » qui sait « livrer la marchandise » comme un champion. Il pourrait se trouver sur le court de basket avec Michael Jordan et trouver quelque chose à redire sur son jeu.

Ce n'est pas tant une question de vantardise – ce sont les subtiles petites choses qu'il fait et dit. La dernière tentative de « déstabilisation » a eu lieu lors d'une sortie de golf en famille, du genre semi-amical, pendant un long week-end.

D'abord, il a forcé l'ennemi (moi) à regarder les premières rondes interminables d'un tournoi de golf professionnel à la télévision, alors qu'il critiquait chacun des gestes des golfeurs. Papa a même trouvé une explication au problème de *putting* qu'a connu Jack Nicklaus à un certain moment. Il disait que cela avait à voir avec le *follow-through* (fin de l'élan), qu'il avait lu à ce sujet dans le *Golf Digest*. Je ne sais pas. Jack lui-même avait probablement écrit l'article, mais papa vous aurait fait croire qu'il en était le coauteur.

Puis vint la sortie familiale elle-même. Le site de ce pseudo-tournoi de la PGA: un terrain *par* 3 délabré où la plupart des gens jouent la « position de balle préférée » (*winter rules*) à l'année longue. L'« équipe du championnat »: papa, roi de la jungle; maman, qui laisse son jeu parler pour elle; moi, l'incarnation du « golfeur du dimanche »; et ma sœur, handicap de 60.

Papa ne s'inquiétait pas trop au début – il a à peine parlé de ses victoires récentes au tournoi de sa ligue pendant que nous nous dirigions vers le premier départ.

Après tout, je n'étais jamais arrivé à « chauffer » mon père sur les parcours, sauf quand j'avais 12 ans et que je bénéficiais d'au moins deux fois ce nombre en *mulligans*.

Pourtant, cette fois, ce serait différent, me suis-je dit. La tension montait quand j'ai atteint deux des trois premiers verts en deux et que je jouais la normale. De son côté, papa en arrachait, n'arrivant même pas à jouer la normale sur aucun des trois premiers trous.

J'ai pensé crier « Quelqu'un a-t-il mieux que 2!?! » après mon *birdie* au 3e trou, mais j'ai pensé que ce serait trop. Je ne voulais pas réveiller la Bête qui sommeillait chez le Maître. Alors, tel un Luke Skywalker impressionné en présence du Jedi Suprême Yoda, j'ai mordu ma lèvre et continué mon chemin.

Pourtant, avec le temps, je sentais la pression monter chez mon cher papa. Il a même essayé de donner un conseil à maman sur la lecture du 5e vert – une erreur presque fatale.

J'ai eu envie de rentrer sous terre et j'ai regardé ailleurs quand il a dit: « Je crois bien qu'il va casser un peu vers la gauche, chérie. »

Le simple fait d'appeler maman « chérie » était assez pour la déconcentrer pendant au moins une semaine, mais lui dire comment lire un vert!?! Autant dire à Léonard de Vinci d'allonger son coup de pinceau! Autant dire à Cindy Crawford de se débarrasser de son grain de beauté! Autant dire à Jordan de se la fermer! Quelle idée!

Mon expérience m'avait appris à ne même pas parler à maman pendant toute compétition sportive. Je veux dire, si vous aviez le malheur de respirer pendant son élan arrière, elle vous faisait manger le bâton de son choix. C'était vraiment une erreur et un signe que le Maître avait perdu la touche – non seulement avec son jeu au golf, mais aussi avec la réalité et la raison.

Le front de papa perlait de sueur au 7e départ alors qu'il tirait toujours de l'arrière par un coup sur ce jeune à qui il avait déjà dit qu'il n'avait « pas une once d'habileté athlétique ». Je venais encore une fois d'atteindre le vert. Papa devait y mettre toute la sauce.

Au moment où je me penchais pour ramasser une balle perdue dans l'allée, papa a crié « Non! »

J'ai continué, sans la balle, sachant très bien que personne ne viendrait la réclamer.

Pendant que mon esprit était occupé à se demander pourquoi c'était un péché de ramasser cette balle perdue, je ne pouvais pas me concentrer sur mon *putt* à venir. Papa avait encore réussi! J'ai fait trois coups roulés et j'ai quitté le vert, dégoûté.

« Au moins, tu t'en tires avec un 4! », a dit papa de sa voix la plus mielleuse.

Je me reprochais encore mon manque d'attention au numéro 7 quand papa a mentionné à maman – juste assez fort pour que je le comprenne – de faire attention au vent de face sur le trou numéro 8.

J'ai alors rapidement décidé de laisser de côté mon fer 6 et j'ai pris mon fer 5 pour expédier la balle au-delà du vert dans le champ de pratique, ce qui m'a valu une pénalité d'un coup. Je suis revenu sur terre. Papa allait m'avoir encore une fois.

Papa a dépassé la mesure sur le huitième vert, quand il m'a fait un compliment équivoque en me parlant de l'excellence de mon long jeu, mais me laissant entendre en même temps que mon petit jeu était très mauvais. Il se disait même prêt à me donner des leçons de *putting*.

Papa était en contrôle avec une avance d'un coup avant le dernier trou. Ne prenant aucune chance, il a joué à court, évitant les difficultés du fond du vert. Pour ma part, cependant, j'ai défoncé le vert (à cause de ce « fort vent de face »).

Papa avait un petit roulé pour *bogey* pendant que j'étais à trente pieds du trou, un *putt* pour la normale dans une pente raide.

« Tout se joue ici – si je réussis ce *putt*, je t'égalerai, papa », dis-je en calculant bien mon coup. « C'est une bonne motivation, non? »

Alors que papa se tenait dans mon champ de vision (une autre technique de déstabilisation apprise de mon oncle John, sans doute), j'ai frappé la balle que j'ai regardée avec anticipation. Oh! comme elle roulait bien sur les petits brins de gazon! Oh! Quelle satisfaction me donnerait une égalité!

« OUIIIIIIIIIIIIII! », ai-je crié, beaucoup plus fort que je ne le voulais, en laissant tomber mon *putter* et en pointant, de mes deux index, vers papa. « OUI! MATCH NUL! »

J'ai rapidement mis ma main sur ma bouche en me rendant compte qu'au moins trois autres quatuors me regardaient. J'ai compris que, pendant un malheureux instant, une énergie diabolique provenant de l'esprit compétitif de papa avait envahi mon comportement habituellement calme. Pendant un bref moment, j'étais devenu le Maître de la Méchanceté.

Puis, tout est revenu à la normale. J'étais redevenu moi-même, m'excusant pour mon comportement absurde tout en pensant lancer un défi à papa pour un trou supplémentaire que je m'efforcerais de perdre pour qu'ainsi, d'une certaine façon, l'ordre de l'univers soit restauré.

Mais, en regardant papa, j'ai compris que ce ne serait pas nécessaire. Il a souri et semblait calme. En réalité, il était heureux, à sa façon, de mon égalité et de ma victoire morale. C'est là que j'ai compris… que possiblement les seules manœuvres psychologiques ce jour-là étaient à l'intérieur de mon propre cerveau. Et peut-être, peut-être seulement, que papa n'était pas si mauvais joueur que ça.

*Dan Galbraith*

*Plus vous devenez vieux,*
*plus il est facile de jouer votre âge.*

Jerry Barber

# *À tricheur, tricheur et demi*

*Si vous avez de la difficulté à rencontrer de nouvelles personnes, essayez de ramasser une balle de golf qui ne vous appartient pas.*

Jack Lemmon

On ne pourra jamais accuser mon oncle Steve de laisser une règle lui barrer le chemin de la victoire. La première fois que je l'ai constaté, je lui avais lancé un défi au jeu des Serpents et Échelles. Je n'étais qu'un enfant de cinq ans, mais cela ne l'a pas empêché de se servir de sa logique tordue pour gagner. Il m'a dit que, comme il n'avait pas peur des serpents, il avait le droit de monter les serpents autant que les échelles. Suite à ce commentaire, on serait bien sûr en mesure de se demander: si mon oncle était prêt à tant d'efforts pour gagner à un jeu d'enfant, jusqu'où irait-il pour quelque chose d'important?

Au début de la trentaine, Steve était devenu un assez bon golfeur, dont le principal handicap était qu'il haïssait toujours perdre. Son attitude et son caractère faisaient qu'il était souvent obligé de jouer seul, ce qui ne l'empêchait pas de jouer comme si sa vie dépendait d'une victoire. Les règlements sont devenus des suggestions pour les gens en manque d'imagination. Il se concédait un *putt* d'un pied et se retournait brusquement pour voir si je m'y objectais. J'avais depuis longtemps appris que le fait de rappeler les règlements à mon oncle signifiait un maigre pourboire.

J'avais quinze ans l'été où a eu lieu le cinquantième championnat du *Pine Greens Golf Club*. Le *Pine Greens* était la plus ancienne entreprise ou club de la région et donc, on le considérait avec respect. Le Trophée du Golf, un nom vraiment sans originalité pour un prix, était le plus convoité du comté, et mon oncle se préparait à la victoire.

« Al, mon garçon, dit-il, cette année le Trophée du Golf sera à moi et tu seras mon caddie. »

J'ai hésité à lui rappeler qu'il avait promis de ne plus jamais participer au tournoi. Ce serment était venu après avoir qualifié de fascistes les officiels du tournoi qui refusaient de lui permettre d'utiliser sa règle des *mulligans* multiples.

« Tu es certain de vouloir jouer? », ai-je demandé prudemment. « Tu as quand même insulté quelques personnes l'an dernier. »

« Tout ça, c'est du passé », m'a-t-il assuré. « Je suis un homme nouveau. »

Cela a semblé vrai. À mesure que le tournoi progressait, mon oncle a fait preuve d'un niveau de contrôle de soi qui aurait gêné un maître zen. Sans se plaindre, il a respecté toutes les règles qu'il avait jadis qualifiées d'archaïques. Plus incroyable encore, il a réussi à contrôler sa colère.

Au huitième trou, il a raté un *putt* de trois pieds et a souri. Le groupe entier, moi y inclus, s'était jeté sur le sol en attendant le lancer du *putter* habituel. « Que se passe-t-il? » ai-je demandé en mettant le *putter* dans le sac. « Tu agis en bon sportif. Tu aurais dû te mettre en colère dès le premier trou. »

« Je t'ai dit que cette année j'étais préparé », a chuchoté Steve. « Hier soir, je me suis fait hypnotiser. Selon Freddie le Formidable, chaque fois que je me mettrais normalement en colère, je concentre cette énergie sur le coup à venir. Si j'en juge par la qualité de mon dernier coup de départ, le prochain devrait être spectaculaire. »

Ce fut le cas. C'était un *dogleg* (trou coudé) à gauche de 350 verges. Steve a rejoint le vert sur son coup de départ et il a calé un long *putt* pour un aigle. Il a souri poliment pendant que les autres membres du groupe faisaient chacun un *bogey*.

À la fin de la journée, Steve était à égalité avec Angus Popovitch, un homme dont la réputation de tricheur faisait paraître Steve un piètre amateur. Selon les règles du club, les deux devaient s'affronter le jour suivant dans un match de dix-huit trous.

Par une superbe journée d'automne, les deux golfeurs se préparaient à jouer. Les noms des finalistes s'étaient répandus et une grosse foule s'était rassemblée. Les spectateurs n'étaient pas là pour voir du bon golf, mais plutôt pour assister à ce qui avait le potentiel de devenir la première bagarre de l'histoire du *Pine Greens*.

Le premier signe d'animosité est apparu au deuxième vert. Le coup d'Angus s'était arrêté à un peu moins de trois pieds du trou et il s'est penché pour ramasser sa balle. Steve a alors demandé à son adversaire ce qu'il faisait. Angus a répondu que tout ce qui était à moins de trois pieds devait être concédé.

« Tout ce qui a moins de trois pieds est un Pygmée », a répliqué Steve avec hargne. « Maintenant, joue ton coup. »

Les hostilités étaient déclenchées et ceux qui étaient venus voir des violations flagrantes des règles du golf n'ont pas été déçus. Angus a porté le premier coup quand il a juré que c'était le déplacement d'air de son élan de pratique qui avait fait tomber la balle du *tee*. Ce n'est qu'après qu'Angus et son caddie ont été prêts à signer un affidavit sous serment à cet effet que Steve a cessé de se plaindre.

Au trou numéro 3, le deuxième coup d'Angus s'est arrêté dans l'herbe longue parmi des marguerites. Ce n'était pas un coup difficile car les mauvaises herbes ne nuisaient pas vraiment, mais Angus n'a pris aucune chance. Il a arraché une poignée de marguerites qu'il a laissé tomber devant le visage de Steve.

« Le vent semble être de l'ouest », a-t-il dit en riant.

Un murmure de protestation a monté de la foule devant ce qui était considéré comme un manque flagrant de décorum. À la surprise de tous, Steve n'a rien dit.

Au sixième trou, le deuxième coup de mon oncle, un fer 5, a abouti dans l'herbe longue. Ce n'était pas vraiment un mauvais coup, sauf que la balle s'est arrêtée derrière un petit rocher. Steve a regardé sa balle de tous les angles, tout comme Angus. Le coup était difficile, sinon impossible, car la balle était à moins d'un pouce du rocher. Angus a fait preuve de sa compassion habituelle en disant: « Prends ta pénalité et déplace la balle. Il se fait tard. »

Steve s'apprêtait à obéir quand il a eu une révélation. Il s'est penché et a pris le rocher à deux mains et l'a lentement soulevé du sol. Il devait peser autour de 90 kilos et Steve n'a pas réussi à le soulever plus haut que sa taille. Avant qu'Angus ait pu protester, Steve a jeté le rocher plus loin, libérant sa balle.

« Tu as raison, Angus. Le vent vient de l'ouest », a dit Steve avant de frapper sa balle sur le vert.

Cette fois, la galerie a poliment applaudi ce qu'elle considérait un juste retour des choses. Steve a soulevé sa casquette, laissant Angus se plaindre à son caddie.

Enfin, les combattants sont arrivés au 18e. Angus menait par un coup et ce *par* 3 ne permettrait pas à mon oncle de monter une charge. Pourtant, il a fait de son mieux et son coup de départ s'est arrêté à vingt verges du vert. Nous avons attendu pendant que Angus se préparait à frapper et nous avons été récompensés quand son coup de départ a bifurqué vers le bois.

« Al, surveille-le », a dit oncle Steve. « Angus va certainement essayer de laisser tomber une autre balle s'il ne trouve pas la sienne. »

Nous nous sommes dirigés en direction du vert et nous avons regardé Angus et son caddie chercher la balle. Je me suis joint à eux, mais Steve ne bougeait pas de l'endroit où il se tenait. Il ne m'était pas facile de chercher la balle et de surveiller Angus et son caddie. J'allais suggérer à Steve de venir nous aider quand j'ai entendu un cri de joie. Angus avait trouvé sa balle. Ce n'était rien de moins qu'un miracle, me dis-je, car j'avais fouillé ce même coin de terrain quelques instants auparavant. Je suis revenu vers Steve.

« Nous l'avons pris », ai-je murmuré. « Ce n'est pas sa balle. »

Le prestige de remporter la victoire et le trophée a disparu avec la réplique cinglante de Steve. « Je sais », dit-il. « J'ai le pied dessus. »

*Alan Broderick*

*Quant au jeu de la vie,*
*je crois que j'ai joué tout le parcours.*

Lee Trevino

# *Vérifiez votre sac*

Mon frère Maurice et trois de ses amis – Sam, Renwick et Earl – jouent au golf tous les vendredis pendant l'été. Pour rendre la partie équitable et intéressante, ils calculent leur handicap. C'est ainsi que Maurice et Brian jouent ensemble contre Sam et Renwick.

Maurice ne marche jamais sur le parcours de golf et il cherche toujours à intéresser un des autres à monter avec lui dans la voiturette. Ce vendredi de juillet était particulièrement chaud. Il a donc demandé à Renwick de monter avec lui.

À ce moment-là, Renwick avait décidé de se remettre en forme depuis quelques mois. Il a donc dit à Maurice qu'il préférait marcher. Renwick avait perdu environ 10 kg et il venait d'acheter un sac de marche à la boutique du pro, car il avait décidé que porter son sac, au lieu d'utiliser une voiturette à tirer, l'aiderait à se tenir en forme.

Maurice a amicalement rappelé à Renwick: « N'oublie pas. Tu as cinquante-huit ans. Marcher sur le parcours est une chose, porter ton sac pendant dix-huit trous en est une autre. »

Malgré cela, Renwick a insisté pour marcher et ils sont partis.

Après neuf trous, Renwick a dit à un des autres joueurs qui marchaient, « Je crois que Maurice avait raison. Je suis fatigué de porter mon sac. »

Naturellement, l'autre lui a suggéré de demander à Maurice de monter avec lui, à quoi Renwick a répondu: « Oh! Non! Si tu crois que je vais admettre ça à Maurice, tu es cinglé. »

Ils ont continué à jouer. Renwick souffrait mais il refusait de donner à Maurice le plaisir d'abandonner.

Vers le 12e trou, Sam a dit à Maurice: « Renwick a compris que c'était une mauvaise idée que de transporter son sac, mais il refuse de l'admettre devant toi car il est certain de se faire taquiner. »

Peu après, Maurice a appelé Renwick et lui a dit: « Es-tu fatigué de porter ton sac? Pourquoi ne te libères-tu pas d'un poids et ne mets-tu pas ton sac dans la voiturette? »

En grimaçant, Renwick a répliqué: « Non merci, ce n'est pas si mal. »

Avec un sourire en coin, Maurice a poursuivi: « Dans ce cas, pourquoi n'ouvres-tu pas la pochette pour alléger ton sac? »

Comprenant qu'on s'était moqué de lui, Renwick a ouvert la fermeture éclair de la grande poche de côté de son sac pour y découvrir deux pierres, à peine plus petites qu'un ballon de football qu'il traînait depuis 12 trous!

Inutile de dire que Renwick a vertement engueulé Maurice pendant que Sam et Brian se roulaient par terre, riant jusqu'aux larmes.

Soyez aussi assurés que, depuis ce temps, Renwick vérifie toujours s'il n'y a pas d'objets étrangers dans son sac avant chaque partie... particulièrement celles du vendredi.

*Robert Lalonde*

# *Le coup parfait – pour la voiture?*

*En réalité, la seule fois que j'ai utilisé un fer 1, c'était pour tuer une tarentule. Et j'ai dû marquer un 7 pour y arriver.*

Jim Murray

Il y a environ 20 ans, quand nous vivions à Tulsa, en Oklahoma, mon mari Harold a acheté une voiture neuve et m'a donné la sienne, une Fort LTD 1973. Elle roulait bien et je n'ai jamais eu de problèmes jusqu'à un certain jour, alors que je faisais des courses.

Je suis sortie de l'épicerie, me suis assise dans la voiture, j'ai tourné la clé. Rien. J'ai essayé une nouvelle fois. Silence. La voiture était apparemment morte de sa belle mort pendant que j'étais au magasin.

Je suis retournée au magasin pour téléphoner et, heureusement, Harold était à la maison.

« J'ai besoin de toi », lui ai-je dit après lui avoir raconté ma situation critique.

« Où es-tu? »

Je lui ai dit.

« J'arrive. »

Il est arrivé, s'est installé au volant et a tourné la clé, comme s'il voulait constater par lui-même que j'avais bien raison. Je n'aurais pas été surprise si la voiture avait démarré pour lui. Cela m'était déjà arrivé, voyez-vous. Mais la voiture n'a pas démarré.

Il a ensuite relevé le capot et tripoté un peu, puis, il a ouvert le coffre. Après avoir fouillé un peu, il a sorti un bâton de mon sac de golf et tapé sur un des câbles de la batterie.

« Essaie pour voir », dit-il d'un air confiant.

Bien sûr, le moteur s'est mis à ronronner comme un chaton content.

« Bon », dis-je. « Si ça devait se reproduire, je crois que je dois savoir quoi faire. »

« Si ça arrive, utilise un fer 5. » Il a souri en me faisant un clin d'œil.

J'avais déjà pris des leçons de golf auparavant, mais jamais sur cet usage particulier d'un fer 5.

Tout s'est bien passé jusqu'à la semaine suivante où la voiture s'est arrêtée à une intersection très achalandée. J'ai gardé mon calme, car je savais quoi faire cette fois.

J'ai relevé le capot, ouvert le coffre, pris mon fer 5 et j'ai tapé sur le câble de la batterie comme une professionnelle. Je me suis assise dans la voiture, j'ai tourné la clé et la voiture a redémarré. Plusieurs hommes bien intentionnés étaient venus pour m'aider et ont regardé ma procédure avec un étonnement évident. Quand la voiture a redémarré, un homme s'est approché de la portière et avec un sourire, il m'a demandé: « Hé, madame, je veux savoir – quel bâton avez-vous utilisé? »

*Marci Martin*

# *Ça forme le caractère*

*J'adopte la position révolutionnaire que tout ce qu'on dit à propos des vertus de la pratique, pour le golfeur moyen membre d'un club, est un piège et une illusion. On dit: « C'est en pratiquant qu'on devient parfait. » Évidemment, ce n'est pas le cas. Pour la grande majorité des golfeurs, la pratique ne fait qu'enraciner les imperfections.*

Henry Longhurst

Je jouais au terrain de golf de ma ville quand un coup d'approche raté s'est envolé vers le terrain de stationnement adjacent au chalet. La balle a rebondi une fois pour frapper durement le côté d'une camionnette. Manque de pot, le propriétaire était assis sur le hayon en train de changer de chaussures. Ma première réaction fut évidemment de regarder ailleurs et espérer que personne ne saurait d'où venait la balle. Pourtant, j'ai décidé de faire face à la musique et de prendre la responsabilité de mon geste.

J'ai pris une grande respiration, je me suis approché de la camionnette et je me suis excusé d'un air penaud. À ma surprise et à mon grand plaisir, l'homme a souri et m'a dit savoir depuis longtemps qu'il arrivait parfois qu'on maîtrise ce jeu, mais qu'il arrivait aussi que ce soit le contraire.

Avec un grand soupir de soulagement, le poids du monde en moins sur mes épaules, je me suis penché pour ramasser ma balle qui était contre le pneu avant. Cependant, en me penchant, le transfert de poids a fait basculer mon sac de bâtons qui a frappé le côté de son camion. J'ai regardé vers l'homme, et avec un sourire moins grand que précédemment, il a dit: « Là, je commence à en avoir assez. »

J'avais assez formé mon caractère pour la journée. J'ai pris ma balle et j'ai déguerpi.

*Jim King*

# *La plus belle ruse du vieux Jake*

La nouvelle que le vieux Jake avait cette maladie innommable et incurable a fait très rapidement le tour du club. Les membres parlaient tout bas en disant que ses jours étaient comptés, ou du moins c'est ce qu'ils en avaient conclu.

J'ai demandé à un ami s'il savait à propos du vieux Jake et il a dit, oui, une chose terrible – il avait compris que ses jours étaient comptés. Je lui ai demandé combien de temps il lui restait à vivre, et mon ami m'a répondu six mois, peut-être neuf. J'ai répondu: « Bon, c'en est fait encore du Membre-Invité et du championnat Sénior du Club. »

Mon ami a hoché de la tête. Il savait ce que je voulais dire. Le vieux Jake avait encore le temps de remporter deux autres trophées avant de partir.

Le vieux Jake jouait un 12, mais son handicap affichait 23. Au cours des dix ou quinze dernières années, il avait collectionné tellement de trophées de tournois – je ne dirai pas « gagné » – qu'il avait dû construire une autre pièce à sa maison.

Je me suis souvent demandé comment le vieux Jake décrivait les trophées quand un visiteur se rendait chez lui.

« Voici le bol Steuben que j'ai usurpé à tout le monde lors du Membre-Invité de 1988… Voici le plateau d'argent que j'ai volé lors du Championnat Sénior de 1991.

Ce genre de chose sans doute.

J'ai fait sa connaissance alors que nous jouions l'un contre l'autre pendant le tournoi de trente-six trous des Séniors de 1989. Mon handicap était 10, le sien 23.

Quand nous avons terminé le premier neuf, à égalité, 5 au-dessus de la normale, 41, je savais que je n'avais aucune chance. Il a fini par l'emporter par 14 coups.

Une autre année, nous jouions l'un contre l'autre lors de la dernière ronde du Championnat Sénior et, pour une fois, il semblait aussi peu compétitif que je l'étais, huit ou neuf coups sur le départ du 12e.

« Diable, il est temps de m'y mettre », dit-il. Sur ce, son élan est soudain devenu fluide et il a joué un sous le *par* pour les sept derniers trous pour l'emporter par 2.

« Je n'ai jamais été aussi chanceux au golf », a-t-il dit en guise d'explication.

Le vieux Jake avait développé le style pour accompagner son handicap. Il avait toujours l'air d'avoir trop bu la veille, ou il boitait, avait l'air fatigué, épuisé, il toussait, il râlait, il se disait chanceux d'avoir frappé un coup de bois 4 de 245 verges de l'herbe longue pour atterrir sur le vert. Il ne comprenait pas qu'il jouait si bien aujourd'hui alors qu'il avait bu toute la nuit.

Un après-midi, alors que je me plaignais du ridicule handicap du vieux Jake à un membre, il m'a dit: « Hé! Ne critique pas le vieux Jake, j'ai gagné six tournois Membre-Membre grâce à lui. »

Pendant les tournois Membre-Membre ou Membre-Invité, vous pouviez compter sur Jake pour deux choses. Si son partenaire était sur le vert, Jake se retrouverait à l'eau ou hors limites. Mais, si son partenaire était dans l'eau ou hors limites, Jake serait sur le vert.

Il semblait avoir développé toute une expertise à ne jamais jouer moins de 95 quand il jouait pour s'amuser avec d'autres membres, même s'il devait constamment inventer de nouvelles façons d'inscrire un 15 ou un 16 sur un des derniers trous.

Un membre est entré au bar en riant un jour et a raconté: « Vous ne croirez jamais ce qui est arrivé au vieux Jake au 17e. Il a perdu ses moyens avec son fer 9 et il a envoyé une, deux... peut-être cinq ou six balles à l'eau. Il était furieux. Je n'avais encore jamais vu ça. »

« Combien a-t-il joué au 18? », ai-je demandé.

« Au 18e? Il a fait un *birdie.* »

Il y a deux ans, le Club a institué un nouveau tournoi: le Championnat Match-Play Omnium accessible aux 128 premiers inscrits. On jouait selon les handicaps bruts: si un joueur avait 4 et vous 10, il devait vous concéder six coups. Si l'autre joueur avait 16 et vous 10, vous lui concédiez six coups. S'il y avait eu moyen de parier, j'aurais tout misé sur le vieux Jake et son 23, et j'aurais emprunté une brouette pour apporter mes gains à la maison.

Grâce à son handicap, le vieux Jake avait un coup sur treize trous et deux sur les cinq autres. Aucun de ses matches n'a été serré, jusqu'à ce qu'il rencontre Big Stu lors de la finale. Big Stu était le champion du club, un long frappeur sans marge d'erreur. C'est à ce moment que le vieux Jake a eu de la difficulté à le battre, 6 et 5.

Il n'y a pas longtemps, alors que j'étais en train de changer d'opinion et de me dire que notre club perdrait un peu de sa couleur au décès de Jake, la rumeur a commencé à circuler que la maladie innommable de Jake était guérissable, après tout. Ensuite, on a pu confirmer qu'il n'avait jamais eu cette maladie innommable et incurable.

Mais son handicap était maintenant monté à 27.

*Dan Jenkins*

# *La meilleure colère de golfeur de tous les temps*

*Le golf est un jeu qui fait surgir des émotions qu'il n'est pas toujours possible de contenir quand on tient un bâton dans ses mains.*

Bobby Jones

Des ouvriers du *Riverside Golf and Country Club* de Portland, Oregon, étaient en train d'abattre quelques grands peupliers quand ils ont découvert ce qui pourrait être la plus grande colère de tous les temps d'un golfeur rendu furieux. À douze mètres dans l'arbre, il y avait un fer 10 qui semblait avoir traversé une branche de 25 centimètres.

En y regardant de plus près, cependant, on a découvert que le bâton, qui remontait aux premiers temps des tiges d'acier, avait été lancé là environ quarante ans auparavant. Il semble qu'il s'était coincé entre deux branches, et depuis ce terrible moment, une branche avait poussé autour du bâton pendant que le peuplier lui-même grandissait.

On a coupé cette section de l'arbre, avec le bâton, qui sera exposée dans la boutique du pro.

*Rod Patterson*

---

# *La puriste par accident: le journal d'une accro débutante du golf*

Je suis née à Pittsburgh et j'ai fréquenté les écoles publiques. J'ai joué au basket et au tennis au niveau universitaire et j'ai toujours soutenu que le golf était un sport élitiste. À peine un sport. Qu'est-ce que ce sport que les gens peuvent pratiquer en portant une ceinture!

Je fais du snobisme à l'envers. Puis, j'ai obtenu un poste de rédactrice senior pour une revue de golf. Je n'ai jamais pensé sérieusement me mettre au golf. Par contre, j'ai cessé de parler d'élitisme et je me suis contentée de dire aux gens que j'étais une mère au travail avec deux enfants, et ils semblaient comprendre sur-le-champ pourquoi je ne jouais pas.

Par contre, cela commençait à m'enquiquiner. Parce que, de un, je SUIS rédactrice pour un magazine de golf et il est assez gênant d'expliquer pourquoi je peux faire ce métier sans jouer au golf. Depuis que j'ai cet emploi, j'ai lu toutes les publications sur le golf que j'ai pu me procurer. Je connais Herbert Warren Wind et Arnold Haultain et, bien sûr, Dan Jenkins. Je n'ai pas encore terminé *Golf in the Kingdom*, mais vous comprenez ce que je veux dire. Je connais des fabricants de produits de golf et des golfeurs professionnels. Je connais des femmes qui tricotent des couvre-bâtons pour gagner leur vie. J'ai même le numéro de téléphone privé de Sign Boy. J'ai fait le tour du club de golf de Clint Eastwood à Carmel, avec lui en personne. J'ai vu John Daly jouer de la guitare avec Lisa Loeb et Dweezil Zappa. J'ai interviewé David Duval et Tom Lehman. J'ai parlé de golf avec les Ray Leonard, Terry Bradshaw, Joe Mantegna, Branford Marsalis et Mario Lemieux. J'ai vu à quel point les gars AIMENT parler de golf. J'ai aussi remarqué que la plupart des hommes ne savent pas où est le beurre dans le frigo, mais peuvent vous raconter dans le menu détail, y compris les bâtons qu'ils ont utilisés, leur ronde de golf dans un club obscur de East Podunk, en Ohio, il y a dix ans.

Je fais tout ce qu'on peut attendre d'une personne en ce qui a trait au golf. Mais je commence à être fatiguée d'expliquer, avec le sourire et pour la millième fois, que je peux faire mon métier sans pratiquer ce sport. L'idée m'obsède comme un fruit mûr jusqu'à ce que je cède enfin: par une belle journée ensoleillée au Colorado, j'appelle cette école de golf près de chez moi. J'ai un rendez-vous à midi. Je suis Ève et je suis à la veille d'être damnée. Allons-y avec les leçons de golf.

### Première leçon

Mike Schlager, mon professeur, m'accompagne à pied au terrain de pratique, me donne un fer 9 et me regarde m'élancer. Il sait que je suis une skieuse et il m'explique que, tout comme à ski, l'équilibre est important au golf. Il me dit que la position au golf, ce qui précède tout mouvement, est plus importante que l'élan lui-même. Il me montre comment placer mes mains – au centre de mon corps, en ligne avec mon sternum – et où elles devraient tenir le bâton. Il me donne deux exercices à faire les yeux fermés. Le premier pour me permettre de trouver le centre de mon corps. Je dois tenir un bâton au-dessus de ma tête et fléchir les genoux. Ensuite, il me demande de m'élancer de toutes mes forces avec mon bâton, vers l'arrière et vers l'avant, et de ne perdre l'équilibre qu'à la fin. Cela ressemble à l'élan de golf d'un samouraï. Il me fait frapper des coups d'approche et me donne un exercice à cet effet. Il me fait faire des coups roulés. Il me dit de pratiquer des coups de un ou de deux pieds. Plus j'en réussirai, plus ma confiance augmentera. Je retourne à la maison avec tous ces conseils.

Le prix (serrement de gorge), cent dollars. C'est beaucoup d'argent pour une mère de deux enfants qui entreront à l'université en 2013. C'est beaucoup d'argent pour une personne dont le magasin favori est Target. Mais, je n'hésite pas.

J'ai un bâton à la maison, une espèce de *wedge*, je crois, et je commence à faire mes exercices. Je pratique mes coups roulés avec un *wedge*, même quand je suis au téléphone. Chaque fois que je penche mon cou pour tenir le combiné – afin de faire un coup roulé, je coupe la communication. J'ai même coupé la ligne trois fois à mon patron au cours de la même conversation. J'ai coupé la communication avec l'agent de Phil Mickelson (ne le dites pas à mon patron.) J'apporte mon *wedge* mystère pendant une vacance de ski à Steamboat et je fais mes exercices religieusement. Je fais des coups roulés assise à une table à café.

### Deuxième leçon

J'arrive tôt et Mike m'envoie au vert de pratique. Je fais des roulés, des roulés et encore des roulés. Je suis la championne des *putts* de deux pieds. Je sais que c'est bien parce que Mike m'a dit qu'un jour je jouerais dans un tournoi mixte et que tout le monde aime une femme qui peut réussir ses roulés.

Mike dit : « Allons au terrain de pratique. » Je lui dis que c'est ce que je crains – aller au terrain de pratique. Mais je ne lâche pas. Je trouve mon équilibre et je m'élance. Je me sens bien. Mike me dit que c'est très bien. Je frappe plusieurs coups assez réussis et il finit par éclater de rire. « Vous ne savez à quel point vous êtes bonne. » Je décide que j'aime beaucoup Mike. Il m'aide à ajuster ma prise. Il remarque que mes mains sont petites et me suggère une prise baseball. Je pratique cette nouvelle prise et la balle se met à parcourir beaucoup plus de distance. « Au-dessus du fanion », dit-il avec la satisfaction de Maître Po quand il s'adressait à « Sauterelle » dans l'ancienne émission de télévision *Kung Fu*.

Nous allons ensuite faire des approches *lobées* autour du vert avec un *wedge* de sable. Au début, je suis détendue, j'ai le rythme, mais je finis par tout perdre. C'est confus dans ma tête. Mike me fait continuer jusqu'à ce que je frappe plus près, et me voilà soulagée d'un autre billet de cent.

### Troisième leçon

Nous nous rendons à l'aire de pratique des coups de départ où je ne suis pas encore allée. Je descends de la voiturette et me tourne du mauvais côté, je m'éclate de rire. Je suis une aveugle sur un parcours de golf. Correction : je suis une aveugle qui n'a jamais joué au golf.

Nous travaillons à ma position. Mike me demande de lui parler de mes erreurs. Il voudrait que je sois capable de les identifier. Il y a une autre personne sur l'aire de pratique, une jeune femme dont Mike me dit qu'elle est la plus vaillante de toute l'équipe de golf de l'Université du Colorado. Il me demande d'analyser son élan et d'expliquer ce qui ne va pas. À ma grande surprise, je l'identifie bien. Elle hésite tellement dans son élan arrière qu'elle perd tout son momentum. Au golf, tout comme dans la vie, il est beaucoup plus facile de voir les erreurs des autres.

Par contre, j'ai ma part de problèmes. Mike m'enseigne un autre exercice. Il tient deux bâtons, un à ma gauche, un à ma droite, à la hauteur de la taille. Les deux sont parallèles au sol. Puis, il me dit de m'élancer. Je pense que Mike est très brave car je n'hésite pas à prendre un plein élan arrière, bien que je n'aie aucune idée de la façon dont je compléterai mon élan. Je réussis à toucher la balle qui aboutit directement sur le pied de Mike.

Finalement, je commence à donner de grands coups à la balle. Mike me donne alors un bois 5. Je fais un pauvre contact et la balle roule un peu vers l'avant. Je me retire et je prends quelques élans de pratique. Quand je sens que j'ai un bon élan, je me replace et je canonne la balle. Elle sort presque du terrain. « Jésus », dis-je, car je suis tellement étonnée de voir ce petit monstre s'envoler. Puis, je m'excuse de mon juron. « Comment vous sentez-vous? », demande Mike. Mais il connaît déjà la réponse.

Je suis une fille heureuse. Je suis tellement excitée que j'ai hâte d'avoir mes bâtons. Je les ai commandés à mon amie Stephanie de Cleveland Golf. En rentrant, il y a un message d'elle qui me demande si je les ai reçus. Quand je l'appelle pour lui dire que non, elle communique avec UPS et découvre qu'un dénommé Hubert sur West Dillon Road a signé l'accusé de réception. Je demeure au 902 Sycamore Lane. Je dis à mon mari que je prendrai les enfants avec moi et que j'irai en voiture trouver cet Hubert. Il refuse cette idée et me dit que je devrais laisser les gens de UPS faire leur travail. Bien sûr, je pense que je les ai laissés faire leur travail et qu'ils ont donné mes bâtons à Hubert.

Le lendemain, le livreur de UPS descend ma rue et je l'intercepte. « Hé! lui dis-je. Qu'avez-vous fait de mes bâtons de golf? » « Des Cleveland? », demande-t-il. « Oui, c'est ça », répondis-je. Il dit qu'il les a livrés au club *La Quinta* sur Dillon Road. J'appelle donc au *La Quinta* et je leur dis que j'arrive. Plus question d'attendre UPS. Et, derrière le comptoir, ils sont là. MES BÂTONS. Mes premiers bâtons. Je prends cette magnifique boîte de Cleveland. C'est Noël!

J'ai envie d'abandonner ma famille pour aller au champ de pratique, mais mon beau-père est venu de New York pour nous rendre visite. Je ne peux donc pas sauter dans ma voiture et déguerpir. Pourtant, à seize heures, quand il regarde *Wild Thornberrys* sur Nickelodeon avec les enfants, je sors dans ma cour avec mon fer 9 et mon bois 5. Je m'élance avec mes propres bâtons sous le soleil du Colorado et je me sens, disons-le, en état de grâce. Mon mari ouvre la porte coulissante et me dit: « Je ne peux y croire. » Et le plus drôle, c'est que je n'y crois pas non plus. En trois leçons, je suis devenue une accro du golf. Mes amis se demanderont, *Qu'est-ce qui arrive à notre Kate?* Mon défunt père, Dieu ait son âme, m'encouragera et me dira de ne pas perdre patience. Quelque part, les dieux du golf sourient. Ils ont converti une autre païenne.

*Kate Myers*

# 5

# LE GOLF RAPPROCHE LES FAMILLES

*Le golf ressemble à la pêche et à la chasse.*
*Ce qui est important, c'est la compagnie*
*et la camaraderie entre amis,*
*et non pas la prise ou le trophée.*

George Archer

*L'amour comme les amitiés nous font défaut,*
*mais la relation entre le parent et l'enfant,*
*moins bruyante que toutes les autres,*
*demeure indélébile et indestructible,*
*la plus forte relation sur terre.*

Theodor Reik

# La crainte du tournoi Père-Fils

*Aimer le jeu pour ce qu'il est fait partie de nos gènes, et peu importe qu'on utilise ses talents pour régner ou conquérir les femmes, pour guerroyer ou écrire, pour la richesse ou la renommée, tout ce qui compte est le jeu.*

Gelett Burgess

Rien n'inspire une plus grande peur chez un rejeton, joueur occasionnel d'un golfeur invétéré, que les mots suivants: les tournois père-fils. Pendant des années, mon père a cru, à tort, qu'il me fallait un handicap officiel, ce qui m'a évité cette épreuve. Par contre, dès qu'il a su la vérité, je ne pouvais plus m'en tirer. La date a été fixée et l'heure du départ écrite à l'encre.

Joueur occasionnel est peut-être une exagération, même s'il y a plusieurs années (en quatrième et cinquième années de l'élémentaire) j'ai habité près du 15e trou d'un parcours de golf d'Oklahoma City. En conséquence, j'ai beaucoup appris: comment éviter les balles des plus redoutables frappeurs de *shanks* (coups déroutés) qui habitent à l'est du Texas. C'est à ce moment que j'ai commencé à goûter au jeu. À la tombée du jour, papa m'emmenait jouer les derniers trous. Si je réussissais mon âge sur un trou, j'étais enchanté.

Quelques années plus tard, j'ai atteint mon sommet alors que j'accompagnais mon voisin lors de ses voyages en Caroline du Sud chaque été. Nous jouions presque chaque jour. Quand on joue avec le père d'un autre, il n'y a pas de pression. Peu lui importe que votre jeu soit abominable. Il ne se sent pas personnellement visé.

À part un glorieux 94 pendant mon secondaire, mon jeu périclite depuis. Je joue une ou deux fois par année, trois fois si je suis chanceux.

Par contre, papa joue une ou deux fois par semaine. Il a un handicap vérifié de 12 ou 13 et il est réputé pour ses longs coups de départ malgré un élan arrière que ne pourraient figer des photos en accéléré.

Il m'a assuré que nous irions jouer quelques fois avant le tournoi. Effectivement, deux jours avant le grand jour, j'ai mis les pieds sur un tertre de départ pour la première fois.

Ce n'était pas joli. Ma carte de pointage présentait plus de « bonhommes de neige » (8) qu'on peut en voir dans une banlieue du Minnesota en janvier. Mes coups roulés faisaient penser, en pire, à un ivrogne sur un golf miniature à deux heures du matin. De plus, malgré un bois 1 légèrement plus petit que ma tête, j'ai réussi à passer dans le beurre, ce qui en termes d'incompétence athlétique n'est surpassé que par être retiré sur trois prises.

Pourtant, il y avait de l'espoir. Je n'ai assommé aucun cervidé. J'ai trouvé plus de balles que j'en ai perdu. Enfin, je n'ai pas fait un fou de moi à tous mes coups de départ.

Vous êtes-vous déjà préparé à la hâte avant d'aller chez le dentiste? Vous vous brossez les dents, vous utilisez la soie dentaire et vous vous gargarisez comme un fou pendant deux jours pour essayer de réparer six mois de négligence. Eh bien, c'était tout à fait moi quelques heures avant le tournoi. Je lisais des magazines de golf, je pratiquais mes coups roulés dans le sous-sol et je zappais à la télé à la recherche de conseils – ou, à tout le moins, une reprise de *Dead Solid Perfect, Tin Cup* ou même *Caddyshack*.

À me voir aller, vous pourriez penser que mon père exerçait une énorme pression sur moi. Loin de là. Bien sûr, une bonne performance aurait valorisé l'expérience, mais il ne voulait que s'amuser. Mais dès que vous mettez le pied sur le tertre de départ, c'est comme au temps des Petites Ligues. Vous voulez bien faire devant papa. Quand j'étais au secondaire, nous avions joué au tennis contre deux gars qui devaient totaliser 150 ans d'âge. Ils nous ont écrasés parce que j'envoyais la balle partout sauf sur le court. Et le tennis est mon meilleur sport.

Le jour-J arrive et il fait un temps superbe. Je découvre que papa m'a inscrit avec un handicap de 26, même si la dernière fois que j'avais joué dans les 90, c'était au cours des années 80. Ajoutez son handicap de 13, multipliez par 40 pour cent et nous avons 16 coups. Ce ne sera pas suffisant.

Pendant que nous sommes dans la boutique du professionnel, il veut m'acheter une nouvelle paire de souliers de golf. Mon jeu ne le justifie pas, mais un des grands plaisirs de l'homme dans la vie est d'acheter des chaussures de sport pour les membres de sa famille. Je cède donc. Soulagé des sept kilos de mes anciennes chaussures de golf, la seule chose qui me permet de ne pas relever la tête est le poids des attentes que je m'impose.

Nous arrivons au premier départ et ma crainte de devoir jouer contre Johnny Miller et son fils disparaît. Nous jouons contre une mère et son fils et ils ont droit à 20 coups. Peut-être que nous nous en tirerons.

On joue selon la formule suivante: les deux partenaires frappent leur coup de départ, puis on alterne à partir du meilleur des deux coups. Après qu'un spectateur eut fait la blague rituelle du *mulligan*, je m'installe et frappe une chandelle à droite. Je m'attends à ce que quelqu'un invoque la règle de la chandelle au champ intérieur, mais il n'en est rien et la balle atterrit en toute sécurité en bordure de l'allée. Le grand Casey n'a pas fendu l'air!

Nous jouons mon coup de départ. Papa envoie la balle sur le vert. Je réussis presque le roulé. Normale! Je canonne la balle au deuxième trou et nous inscrivons une autre normale. Après un *bogey* au troisième, nous inscrivons une troisième normale. J'ai la tête pleine d'images d'un pointage net de 54 et du championnat du club. Je suis Tiger Woods!

C'est alors que la réalité reprend ses droits et que le déraillement se produit: double *bogey*, *bogey*, triple, double, double. Nous nous reprenons un peu sur le neuf de retour avant de nous effondrer de nouveau. Au moment où la pluie se met à tomber, nous terminons difficilement avec un 90, net 74. L'équipe mère-fils nous bat par deux coups.

Je ne nous ai pas menés au triomphe. Mais je ne nous ai pas nui non plus. J'ai simplement joué comme le golfeur médiocre que je suis, en partageant une voiturette, un pointage et un trop rare après-midi avec mon vieux. C'est beaucoup.

De plus, il y aura toujours l'an prochain. Je pourrais prendre des leçons, aller au terrain de pratique et échanger mon abonnement à un magazine de course pour un magazine de golf. Je pourrais peut-être jouer tous les dimanches et me trouver un vrai handicap. Mais il est possible que je ne ferai qu'enlever la poussière sur mes bâtons et sur mes chaussures neuves à temps pour le tournoi de l'an prochain.

*Mike Pennella*

# *Le* wedge *de Corky*

*Les parents lèguent à leurs enfants leur expérience et des souvenirs par procuration ; les enfants dotent leurs parents d'une immortalité par procuration.*

George Santayana

C'était un de ces moments qui réjouissent le golfeur d'avoir intégré ce sport à sa vie, un moment que seul un golfeur serait suffisamment sot pour en devenir sentimental. Le prélude à ce moment s'est produit alors que j'étais avec mes enfants dans la maison de mes parents, la maison où j'ai grandi, qui donne sur un terrain de golf. Le parcours, en banlieue de Philadelphie, a été construit par deux membres des célèbres « Whiz Kids », les Phillies de Philadelphie de 1950. Dans mon enfance, les propriétaires étaient assez gentils pour me permettre d'aller sur le terrain de pratique en fin de journée et de frapper toutes les balles que je voulais, à condition de viser le drapeau qui était au centre du terrain. C'est sur cette parcelle de terrain que j'ai appris à frapper une balle de golf aussi maladroitement que je le fais aujourd'hui.

J'étais dans la maison de mes parents quand, en passant devant la fenêtre de la cuisine, j'ai vu les trois enfants tenant des bâtons de golf. Mes parents ne sont pas amateurs de golf. Ils ne jouent habituellement que quelques fois par année, surtout quand ils rendent visite à la sœur de ma mère et à mon oncle en Floride. Néanmoins, le garage de la maison sur Fairway Road contient encore plusieurs bâtons, vestiges des jours où les cinq frères qui y vivaient s'appropriaient tout bâton, balle ou sac que quelqu'un nous offrait au club où nous étions caddies. Les enfants avaient trouvé quelques vieilles armes rouillées et pris quelques balles sales dans un vieux seau dans le garage et frappaient ces balles dans la cour arrière.

Comme vous pouvez l'imaginer, la pelouse souffrait plus que les balles. À petits coups avec les deux mains, seule la plus âgée, ma fille de dix ans, faisait contact à l'occasion. Les deux autres enfants, une fille et un garçon âgés de sept et cinq ans, labouraient assez bien la terre. C'était la première fois que je les voyais avec des bâtons, même si je pensais que c'était l'ennui plutôt qu'un intérêt réel qui les motivait.

C'était, il faut l'admettre, un moment étrange pour moi. Parce que le golf signifie tellement pour moi et parce que j'avais passé presque tout mon temps de travail à traiter de golf d'une manière ou d'une autre – caddie, éditeur ou rédacteur – j'avais décidé, il y a longtemps, de laisser mes enfants décider pour eux-mêmes s'ils voulaient jouer au golf ou non. Je savais que je ne pourrais pas être objectif et je craignais devenir un de ces pères de tennis ou de Petite Ligue, obsédé par la performance de son enfant au golf. C'est rare, mais de telles personnes existent dans le monde du golf. Quand j'étais junior, j'en ai rencontré quelques-uns, et un jour j'ai même vu un homme faire pleurer son fils très doué pendant un match où le fils m'avait lessivé. Ce n'était pas assez bien pour le père. Ce sont des choses qu'on n'oublie jamais. Il arrive que quelqu'un mentionne le nom de ce garçon (même si j'imagine qu'il est aujourd'hui un homme) et dira qu'il est un excellent golfeur amateur dans la région de Philadelphie. Je pense automatiquement à son père. Je comprends aujourd'hui qu'il était probablement un homme bon qui a seulement oublié qu'il s'agissait d'un jeu. À l'époque, il m'avait simplement semblé cruel.

« Pourquoi ne vas-tu pas dehors avec eux? » a demandé ma mère, et c'est ce que j'ai fait. Assis sur la véranda, j'ai dit des choses comme « Bravo! » et « Bel effort, petit. » Et ce fut tout. Rien d'autre.

Le moment est arrivé de la façon suivante. Nous étions à la maison dans le comté rural de Bucks, en Pennsylvanie, et nous étions en train d'emballer nos biens en vue du déménagement dans une plus grande maison, à peine un kilomètre plus loin. Ma fille aînée a trouvé un vieux *wedge* dans une armoire en faisant le ménage, un *wedge* qui m'avait rendu de fiers services pendant des années. En réalité, il ne s'agissait pas d'un véritable *wedge*. Il y a plusieurs années, j'ai constaté que je n'étais pas très efficace dans les fosses de sable et j'en ai conclu que c'était parce que les semelles des *wedges* de sable étaient trop larges à mon goût. Au même moment, j'ai trouvé un vieux fer 9 dans le garage de mes parents. C'était un Spalding, modèle Bobby Jones, compensé à grosse tête, et j'ai constaté qu'en frappant un plein élan, j'en tirais environ 110 verges. La semelle était merveilleusement mince. Je me suis donc aventuré sur le parcours et j'ai frappé quelques coups à partir des fosses de sable. Parfait, du moins pour moi. Je suis retourné au garage, j'ai raccourci la tige de deux centimètres, j'y ai installé une prise neuve et j'avais le *wedge* que je recherchais.

Avec le temps, le bâton, qui était déjà délabré, a pris un coup de vieux, mais cela ne le rendait que plus attrayant. Ce bâton était toujours présent dans mon sac. Je changeais mes bois, mes fers et mon *putter* régulièrement, mais le *wedge* ne m'a jamais quitté. Il m'a permis de sortir des fosses de *Pine Valley*, il (pas moi) a réussi le meilleur coup de rattrapage de ma vie d'une colline escarpée au *Royal Dornoch*, il m'a sorti du désert au *Phoenix* et *Palm Springs* et de l'herbe longue au *Baltrusol* et au *Westchester Country Club*. Un jour, en Floride, j'ai frappé un superbe coup de l'allée en face du chalet qui a planté comme une flèche à deux pieds du trou. Je me souvenais même d'un coup de l'allée pour entrer au premier vert au *Old Course*. Il était impossible, même pour moi, de rater cette allée. Et pourtant, il a fini dans le recoin d'une penderie pendant des années, fin de carrière ignoble, sans doute causée par un de mes enfants.

J'étais perdu dans mes pensées quand ma fille m'a demandé en tenant le *wedge* à la main: « Papa, pourrais-tu me le raccourcir, s'il te plaît, pour que je puisse m'en servir? » *Est-ce que je pouvais le raccourcir? Détruire volontairement un lien avec mon passé, un point de repère important de ma vie de golfeur? Es-tu folle, ma fille? Déjà que c'est toi qui l'as perdu la première fois. Tu veux maintenant ruiner ce bâton?* « Bien sûr, petite, ai-je dit. Nous le ferons ce soir, après le dîner. »

Et c'est ce que nous avons fait. Dans les derniers souffles d'une soirée de fin d'été, au seul son de la rivière Delaware qui poursuivait sa marche lente mais inexorable vers la mer, Michelene Corcoran, avec un peu d'aide de son vieux père, a fabriqué son premier bâton de golf. Prends-en soin, lui ai-je dit. Elle m'a assuré qu'elle le ferait.

Le lendemain après-midi, j'ai vu la prise du bâton qui dépassait de l'eau de notre étang à poissons. Je l'ai tiré et j'y ai trouvé une corde attachée à la tête du bâton. Il semblerait qu'une personne avait essayé d'en attraper un gros avec le bâton. *Bof*, ai-je pensé, *du moment qu'ils s'amusent.*

*Mike Corcoran*

*« Après que nous aurons regardé tes jouets,*
*pourrions-nous aller voir un peu les miens ? »*

# *Une question de parcours*

Le soleil du matin découpait clairement les montagnes, promettant une autre journée parfaite, et le persuadant de répondre à l'appel du parcours. Il avait quitté la maison tôt, mais pas trop tôt. Pas avant d'avoir aidé Mary dans leur routine quotidienne.

*Lionel a essuyé la balle, l'a déposée sur le vert du 9e trou et a ramassé son* marker *(marque-balle).*

Pas avant de l'avoir délicatement déposée et sortie du bain. Pas avant de l'avoir escortée vers la chambre, pas avant d'avoir fait disparaître les ravages d'une autre nuit sans sommeil en coiffant ses cheveux.

*Lionel a fixé le gazon luxuriant en pliant ses genoux, son* putter *à la main.*

Mary aimerait se promener sur le parcours et écouter le silence. Il pourrait lui montrer les oies qui glissaient sur l'étang et le pommier sauvage odorant en fleurs. L'amour de la nature et de la création de Dieu était quelque chose qu'ils partageaient.

Et ils avaient beaucoup à partager. Six filles. Vingt-deux petits-enfants. L'allégeance à leur église. Leur dévotion l'un pour l'autre. Tout cela n'avait pas changé, mais d'autres choses, oui.

*Lionel a baissé la tête, a aligné ses larges épaules au-dessus du bâton extra-long.*

Autrefois, le corps élancé et athlétique de Mary complétait bien les deux mètres de sa stature. Aujourd'hui, les épaules tombantes de Mary reposaient sur des béquilles.

Autrefois, elle tourbillonnait agilement avec lui sur la piste de danse. Aujourd'hui, les seuls tourbillons qu'elle pouvait faire étaient de circuler dans le centre commercial en fauteuil roulant.

Autrefois, ses doigts agiles volaient autour de la machine à coudre, bordaient un enfant qui dormait et nettoyaient la maison. Aujourd'hui, difformes et noueux, ils reposaient, inactifs, sur ses genoux.

*Lionel a raidi ses poignets.*

La polyarthrite rhumatoïde a envahi leur union après seulement neuf ans de mariage. Il l'a vue ravager le corps de sa femme. Les changements étaient à la fois immédiats et graduels, jusqu'à ce que, nettement, la maladie détermine le cours de leur vie.

*Lionel a fermé sa position et porté son poids vers l'avant.*

Certaines personnes disaient qu'il supportait un lourd fardeau. Mais à mesure que Mary en faisait moins, il en faisait tout simplement plus. Il a simplement élargi sa définition de son rôle de mari, le titre qu'il considérait le plus sacré d'entre tous. Après tout, il l'avait promis à Mary devant Dieu. C'est ainsi qu'il a joué de nouveaux rôles : cuisinier, maître de maison, maquilleur et chauffeur. Même infirmier.

Mary et lui allaient bien ensemble. Pas étonnant, leur collaboration s'était affinée à travers vingt-quatre chirurgies. Il savait mieux que tout soignant comment la soulever, la tourner, s'occuper de ses besoins personnels. La dernière opération à la hanche avait eu un prix élevé pour les deux : une infection permanente avait ajouté un nouvel élément à leur routine. Aujourd'hui, deux fois par jour, ses grandes mains appliquaient tendrement des pansements sur la blessure suppurante.

*Lionel a lentement fait son élan arrière avec le* putter.

Il pensait rarement à leurs anciens rêves. Ils avaient plutôt choisi d'en avoir de nouveaux. Comme celui d'acheter une nouvelle maison motorisée pour qu'il puisse l'aider à la toilette, ce qui était inacceptable dans les toilettes publiques.

*Lionel a terminé son* putt *avec un bon suivi.*

Et ils pourraient voyager. Ils pourraient aller visiter les enfants. Ils pourraient assister aux grands événements familiaux les plus importants pour eux: les baptêmes, les graduations, les mariages et les funérailles.

*Lionel a regardé la balle rouler, faire un doux arc et tomber dans la coupe. Il a écouté le* thonk *satisfaisant quand elle tombe à l'intérieur. Il a fait une normale.*

Mary disait toujours que d'autres maris l'auraient abandonnée il y a longtemps. Elle l'appelait même « son homme au grand cœur ». Mais il aimait lui rappeler que les vœux de mariage, quarante-cinq ans plus tôt, étaient sincères – et liants.

*Alors que l'ombre de son imposante silhouette s'étendait sur la riche pelouse, Lionel a regardé le soleil de fin de matinée. Il s'est penché et, avec ses gros doigts, il a ramassé la balle, l'a frottée sur son pantalon et l'a mise dans sa poche.*

Il y aurait d'autres jours pour jouer au golf. Mais, pour le moment, la maison l'appelait. La maison – et sa Mary.

*Carol McAdoo Rehme*

# *Le réveil*

J'étais assis dans une baignoire pleine de panneaux de gypse moisis quand mon fils de treize ans m'a posé la question. « Pourrais-tu m'amener jouer au golf à un moment donné? », a-t-il dit.

Il me fallait refaire la salle de bain. C'était l'automne et on prévoyait pour la semaine à venir 100 pour cent de soleil radieux de l'Oregon. Je voulais dire non. « Bien sûr, ai-je dit. À quoi pensais-tu? »

« Peut-être que tu pourrais, tu sais, venir nous chercher, Jared et moi, après l'école vendredi et nous conduire au *Oakway.* »

« Bonne idée. » Arrive le vendredi. Les averses continuaient. À voir dehors, les panneaux de gypse moisis semblaient le choix le plus intelligent. Mais, à l'heure dite, j'ai enlevé mes vêtements de bricoleur pour revêtir ma tenue de pluie de golfeur et j'ai mis les bâtons de golf des garçons et les miens dans le coffre de la voiture. Devant l'école, Ryan et Jared sont montés. Ryan m'a regardé d'un air perplexe.

« Que fais-tu avec ton chapeau de golf, papa? », a-t-il demandé. C'était, selon moi, une question idiote, comme si on demandait à un plongeur ce qu'il faisait avec ses palmes.

« Ben… je croyais que nous allions jouer au golf. » Une curieuse pause a suivi, comme une ligne téléphonique temporairement coupée.

« Euh, tu viens *aussi*? », a-t-il demandé. Soudain, j'ai été frappé comme un coup de fer 3 au plexus: je n'avais pas été invité.

J'ai vu défiler devant moi treize années d'éducation d'un enfant. La naissance, les couches, les biberons de nuit, l'aide aux devoirs, la construction de forts, la réparation de bicyclettes, l'assistance aux matches, le camping, les innombrables déplacements ensemble – mon fils et moi.

Aujourd'hui, je n'avais pas été invité. Nous y étions. La fin de notre relation comme je l'avais toujours connue. On en était rendu au « *Adieu*, vieil homme, merci pour tous les souvenirs. Je suis maintenant assez vieux pour frapper seul; retourne donc à ton fauteuil berçant et à tes mots croisés et – en passant – voici un bon de réduction pour ta prochaine bouteille de Géritol ».

Tous ces souvenirs ont défilé dans mon esprit en l'espace de deux secondes, ce qui ne me laissait que trois secondes avant que Ryan ne s'imagine que je pensais vraiment jouer au golf avec lui et son copain.

Je voulais dire quelque chose. Je voulais dire: *Comment peux-tu me faire cela? Me jeter par-dessus bord comme une vieille chaussette?* Nous avions toujours formé équipe. Mais là, c'était l'abandon. L'abus d'un adulte.

C'était comme si Lewis s'était tourné vers Clark en 1805 pour lui dire: « À plus tard, Bill. Je peux poursuivre le reste du voyage vers l'Oregon sans toi. » Comme John Glenn disant merci par radio au centre de contrôle et qu'il prenait désormais les choses en main. C'était comme Simon quittant Garfunkel en plein milieu de « Bridge Over Troubled Water ». Pourquoi fallait-il que les choses changent?

Assez rêvé. Il fallait que je m'explique avec lui. Il fallait que je lui dise à quel point j'étais blessé. Il fallait que je lui dise le fond de ma pensée. Il fallait que je rassemble tout mon courage, que je plonge et lui ouvre mon âme.

J'ai donc dit: « Moi? Jouer? Non... Tu sais que je suis débordé avec les rénovations. »

Nous avons roulé en silence pendant un moment. « Alors, comment vas-tu payer ton golf? », ai-je demandé, mon ego blessé et cherchant à lui rendre la monnaie de sa pièce.

« Euh, pourrais-tu me prêter sept dollars? » Ah! Je comprends. Il ne veut pas de moi mais il est heureux d'accepter mon argent.

« Pas de problème », ai-je répondu.

J'ai laissé mon fils et Jared, je leur ai souhaité bonne chance et je suis rentré à la maison. Mon fils volait désormais de ses propres ailes. Il n'y aurait personne pour lui montrer comment donner un léger crochet de gauche à son fer 5, comment se placer sur ce coup difficile en descendant, comment sortir des obstacles de sable. Et si la foudre tombait? Et l'hypothermie? Une voiturette hors de contrôle? Une bande de marmottes en guerre? Il est si petit. Qui s'occuperait de le défendre?

Et voilà que je m'éloignais de lui. Pas seulement pour aujourd'hui. Pour toujours. C'en était fait. Le lien était rompu. Plus jamais la vie ne serait la même.

J'ai ouvert la porte. « Qu'est-ce que tu fais à la maison? », a demandé ma femme.

Je savais que je ressemblerais à un enfant de treize ans qui était le seul de la bande à ne pas avoir été invité à la fête, mais sans changer mon air modeste immature, j'ai tout de même dit:

« Je n'étais pas invité », avec un brin de snobisme. Il y a alors eu une autre de ces pauses bizarres. Puis, ma femme s'est mise à rire. Très fort. Au début, cela m'a blessé. Puis, je me suis mis à rire, moi aussi, la situation étant soudain devenue beaucoup plus claire.

Je suis retourné à mon projet de rénovation de la salle de bains en comprenant que c'était ça la vie: le changement. Les pères et les fils doivent éventuellement changer. Je m'étais préparé à cela depuis qu'il m'avait vu pour la première fois en criant de terreur: pas à ce qu'il joue au golf sans moi, mais qu'il affronte la vie sans moi. Avec ses propres bâtons. Sa propre façon de jouer. Sa propre confiance.

Dieu rénovait mon fils. Il ajoutait de la distance ici. Un nouveau trait de caractère là. En somme, il lui permettait de devenir beaucoup plus qu'il ne serait devenu si j'avais continué à le couver. Tout comme moi quand je prenais mon sac de golf à motifs écossais sur mes épaules et que je franchissais à bicyclette les huit kilomètres qui m'amenaient à un petit terrain de golf public, le *Marysville*, que je m'imaginais être comme le *Augusta National*.

Je me rappelle que je me sentais très adulte en entrant dans ce sombre chalet, avec la fumée qui montait de la partie de poker sur la gauche, et que je déposais fièrement mes deux dollars pour neuf trous. Aurais-je voulu que mon père soit présent ce jour-là? Non. Un garçon doit faire ce qu'il doit faire: grandir.

J'ai repris la rénovation de la salle de bains. Quelques heures plus tard, j'ai entendu Ryan qui rentrait. Je l'ai entendu se plaindre à sa mère que ses coups roulés refusaient de tomber, que ses coups de départ obliquaient vers la droite et que le parcours ressemblait à un lac. Il me rappelait quelqu'un. J'entendais le bruit de l'eau dans ses baskets détrempés alors qu'il se dirigeait vers moi.

« Papa », dit-il en répandant de l'eau partout, « je joue mal. Pourrais-tu venir jouer au golf avec moi, un de ces jours? J'ai besoin d'aide. » J'aurais voulu le prendre dans mes bras. J'aurais voulu lancer ma scie radiale à toute allure pour célébrer. J'aurais voulu crier: « On a encore besoin de moi! » J'aurais voulu dire à Dieu: « Merci de me permettre de participer au travail de rénovation de cet enfant. »

J'ai plutôt pris un de ces airs du papa sérieux et j'ai répondu stoïquement: « Bien sûr, Ryan, quand tu voudras. »

*Bob Welsh*

# *La balle miraculeuse*

*Les hommes font les vrais miracles quand ils utilisent le courage et l'intelligence que Dieu leur a donnés.*

Jean Anouilh

Il ne manque pas de témoignages sur la puissance et la magie de la balle de golf Titleist qui est, de loin, la préférée sur le circuit de la PGA. Dans une série de messages publicitaires télévisés, Phil Mickelson, Davis Love et Ernie Els racontent que la Titleist les a accompagnés dans tous leurs moments privilégiés lors de tournois.

Rien dans leurs exploits Titleist, cependant, n'est aussi réconfortant que l'histoire du jeune Samuel Rachal. Sam est d'emblée le plus jeune porte-parole de Titleist, mais comme il a moins de six mois, il ne peut encore que gazouiller.

Nous allons donc raconter l'histoire pour lui.

Né prématurément de cinq semaines, le 15 mars 2001, d'un couple, Tom et Denise Rachal, natifs de Port Arthur, Texas – habitant maintenant à Dallas, Texas – Sam a débuté dans la vie avec ce que les golfeurs appellent un « coup injouable ». Ses artères cardiaques étaient croisées, ce qui signifiait que, pour survivre, il avait besoin d'un appareil nommé « commutateur artériel ».

L'opération a réussi, mais Sam avait comme handicap un cœur si faible qu'il a dû être branché à un cœur-poumon artificiel. Un problème aux reins a suivi. Cela a causé beaucoup de tourments à Tom, le fils de Pat et Mary Helen Rachal, et à Denise, la fille de Sam et Billie Jo Henry.

Cependant, bébé Sam n'allait pas se retirer de ce jeu aux enjeux élevés auquel on venait de l'initier. Aidé par la foi, la prière, l'espoir et une Titleist 1 qui est restée dans son lit pendant toute son aventure, il a surmonté les obstacles critiques dressés sur son chemin et on croit qu'il aura une vie normale.

Parlons maintenant de la Titleist 1.

Tom, un fervent du golf, avait vu la balle dans sa voiture en route pour la naissance de Sam et il avait pensé la glisser dans sa poche comme porte-bonheur. Plus tard, sans raison particulière, il l'avait mise dans le lit de Sam à l'hôpital.

Au cours des huit semaines suivantes, alors que Sam était transféré du Presbyterian Hospital au Children's Medical Center de Dallas, la Titleist 1 ne l'a jamais quitté. Jour après jour, semaine après semaine, pendant qu'il se battait contre des obstacles que même Pete Dye n'aurait pu imaginer, la Titleist 1 était toujours à ses côtés.

« Allez savoir pourquoi, mais cette balle de golf est devenue un point de convergence pour tout le monde, dit Tom. Les médecins et les infirmières cherchaient la balle chaque fois qu'ils entraient dans sa chambre. La balle était une espèce de symbole d'espoir. »

Sam est maintenant rentré à la maison, en santé et heureux, et la Titleist 1 est sur le bureau de Tom pour lui rappeler ce que Denise et lui ont vécu. Un de ces jours, si Sam désire tenter sa chance au golf, Tom a déjà décidé que ce sera la première balle qu'il frappera.

Par contre, ce ne sera pas la dernière Titleist dont il disposera.

Grâce à George Sine Jr, vice-président du marketing et de la planification stratégique pour les balles de golf chez Titleist, Sam sera bien approvisionné. Après avoir lu la lettre de Tom qui racontait comment la Titleist 1 était devenue un symbole positif pendant les difficultés de son fils, Sine a répondu par une lettre bien personnelle, 144 balles Titleist 1 personnalisées au nom et à la date de naissance de Sam et une paire de Footjoys pour bébé.

« C'était vraiment gentil de sa part », dit Tom à propos de la lettre de Sine. « Nous avons été très surpris de recevoir ce colis. »

Sine, père de quatre jeunes enfants, a manifestement été ému par l'histoire de Sam. Entre autres choses, il a écrit : « ... Bien que je sache que ce sont votre foi, vos prières et votre espoir qui ont permis à Sam de guérir, sans parler du dévouement de l'équipe médicale, le fait qu'une Titleist 1 vous ait accompagnés tout au long du voyage est une source de fierté pour notre marque.

« La ronde que vous m'avez décrite dépasse de beaucoup tout championnat majeur, tout trophée convoité ou pointage record, car il ne s'agissait pas d'une partie pour l'honneur mais d'une partie dont l'enjeu était la vie... Ainsi, pour vous permettre de conserver à jamais la désormais célèbre Titleist 1, je vous envoie une provision de No 1 neuves...

« Ces balles sont personnalisées pour cette première fois où Sam et vous approcherez de votre premier départ, placerez le *tee* dans la terre et chérirez ce qui sera certainement votre premier de nombreux moments père-fils pour partager non pas un jeu, mais plutôt un événement déterminant inoubliable. »

Ce serait peut-être une bonne idée que Titleist mette bébé Sam et son papa sous contrat pour un message télévisé chargé de force.

*Bob West*

# *Liens entre pères et fils*

Cher papa,

Cette année, je ne t'enverrai pas d'équipement de golf dispendieux pour la fête des Pères. J'imagine que tu es surpris, mais que tu te sens aussi soulagé.

En réalité, ce sont des raisons purement égoïstes qui ont fait que j'ai dépensé une petite fortune depuis quelques années à tenter de supporter ton golf qui périclitait. Je t'ai d'abord envoyé un jeu de bâtons « super senior » à tiges de graphite qui devaient, à coup sûr, redonner vie à ton élan.

Ils ont dû mourir avant de te parvenir car la fois suivante où nous avons joué ensemble, tu utilisais toujours les mêmes vieux fers déglingués. Tu m'as dit que tu étais trop sentimental pour t'en séparer. J'ai donné ces merveilles de l'ère spatiale à l'encan estival de notre église.

Puis, après avoir remarqué que tes coups de départ devenaient de moins en moins longs, j'ai puisé dans mes poches pour t'acheter le tout dernier des ensembles de bois, très high-tech, qui devaient compenser pour tes forces qui diminuaient. Tu me les as retournés avec un mot poli de remerciement et à peine une tache d'herbe dessus. Ils sont maintenant dans mon sac, compensant pour *mes* erreurs.

Pour culminer le tout, j'ai payé pour des leçons privées avec une jeune professionnelle très crack dont la spécialité est de permettre aux mâles golfeurs en fin de carrière de gagner quelques années de plus sous le soleil. De plus, elle était plus jolie que Helen Alfredsson – mais, bon dieu, papa, tu ne t'es jamais présenté à la première leçon. Pourquoi?

En fait, nous savons tous deux la raison. Tu n'as pas besoin de me frapper sur la tête avec le Petit Livre Rouge du président Penick.

Après plus de cinquante ans, ton golf, autrefois magnifique, est en train de disparaître pour de bon sur le dernier neuf, en route donc vers la nuit du golf.

Même si, de toute évidence, tu adores le golf, j'ai la nette impression que ton plus grand désir, c'est qu'on te laisse jouer en paix cette ronde, à ta vitesse, sans conseils, sans intervention de ma part ou de quiconque, pour aussi longtemps que le grand officiel dans le ciel te le permettra avant que ne sonne la sirène d'alarme pour une dernière fois.

Tu as soixante-seize ans? C'est un peu gênant de te voir refuser d'agir comme un homme de ton âge. Je sais que tu fais toujours des semaines de cinquante heures et plus au travail, que tu travailles plus fort que chacun de tes vingt employés et que tu crois que « retraité » est un vilain mot.

Tu es le seul mec de ton âge que je connais qui nettoie lui-même ses propres gouttières, tond sa propre pelouse et qui accepterait avec plaisir de commencer une ronde de golf à 6 heures du matin, si seulement le jeune professionnel pouvait être moins paresseux et se lever plus tôt.

Ironiquement, ce n'est qu'au golf qu'on peut constater que tu es mortel. J'imagine que c'est ce qui te fait le plus de peine. Si c'est le cas, imagine ce que je ressens.

Ainsi, par déférence pour ton âge « avancé », je t'éviterai le sermon de la boutique et je déclare un moratoire sur toute nouvelle marchandise. Après tout, P. G. Wodehouse a dit « Aucun homme ne connaît la paix qui dépasse l'entendement avant d'avoir abandonné le golf. »

Alors, si je t'accordais la paix et la tranquillité, et le droit de jouer – ou d'abandonner – le golf, selon ta propre horloge interne? Ce cadeau est entaché d'une condition. Je dois me vider le cœur. Nous jouons ensemble depuis trente ans et j'ai peine à m'imaginer que, lorsque tu décideras de lancer la serviette pour de bon, j'aurai perdu plus que mon meilleur ami et mon concurrent le plus farouche.

J'aurai perdu mon meilleur golf. Aujourd'hui, on parle beaucoup du golf comme d'une affaire de famille. As-tu vu à la télé le Pro-Am AT&T Pebble Beach National cette année? On aurait dit une réunion de famille où on avait ajouté un peu de golf pour le plaisir, avec tous ces Nicklaus, Floyd et Stockton qui flânaient partout.

Mark O'Meara a déjà dit que le moment le plus heureux de sa carrière de golfeur s'est produit quand il a gagné à *Pebble Beach* avec son père comme partenaire amateur. Payne Stewart a gagné six fois sur le Circuit et il a remporté deux tournois majeurs, mais la victoire qui lui tient le plus à cœur est sa première au *Quad Cities* en 1982 – parce que son père, Bill, qui est mort du cancer quelque temps après, était là pour la voir. Chaque fois que Tom Watson se dit de ne pas bouger la tête, il entend la voix de son père.

Le golf est un jeu qui crée des liens – dont ceux du sang. Ce n'est pas seulement un jeu qui lie les pères aux fils, mais aussi les fils aux mères, et les filles aux pères.

Était-ce une simple coïncidence ou un signe du destin que la mère de Paul Azinger, enceinte de lui, ait remporté le championnat de son club dans l'ouest du Massachusetts? Ou que le père de JoAnne Carner ait travaillé comme homme à tout faire dans un club privé pour que sa fille ait un bon endroit où jouer afin de se préparer à un titre de championnat national amateur?

La seule chose sur laquelle Rush Limbaugh et Jesse Jackson s'entendent, c'est qu'on aurait probablement pu éviter bien des malheurs à l'Amérique moderne si un père attentionné avait été présent quand cela était important.

Ceux d'entre nous qui ont grandi avec un père présent à temps plein devraient s'estimer chanceux de leur présence pour les reprendre lorsque cela était nécessaire et pour les encourager quand ils en avaient le plus besoin.

Les gens me disent que j'ai hérité de ton rire, papa. J'aimerais aussi avoir hérité de ta touche magique sur les verts et de ton petit jeu. Je sais que tu as peaufiné cette touche parce que le seul bâton que tu possédais adolescent était un vieux fer 5 à tige de noyer blanc que tu avais acheté pour un dollar.

Tu travaillais comme caddie en cachette parce que ton père croyait que le golf était réservé aux riches playboys. Je crois qu'il est ironique que ton travail dans la Huitième Armée de l'air pendant la guerre t'ait permis de jouer sur la plupart des célèbres parcours d'Angleterre et qu'après avoir gagné quelques tournois, tu en es venu à croire que le golf était tout sauf un jeu pour les riches playboys.

J'ai grandi en t'entendant répéter toutes ces platitudes, comme il faut respecter les Règlements, il faut se contrôler et jouer la balle là où elle repose. Tu étais un véritable général en campagne à propos de l'élémentaire courtoisie de notre conduite, de la politesse et de la façon de marquer nos balles, ainsi de suite.

Pendant des années, j'ai cru que tu étais assez rigide. Mais j'étais un petit écervelé avec du caractère qui a eu l'avantage de commencer sa vie avec un père qui l'a soutenu et avec un jeu complet de bâtons de golf. La première fois que j'ai lancé un bâton, en colère, tu as simplement quitté le terrain en me disant de t'avertir quand j'aurais cessé d'être un idiot. Quand tu m'as surpris en train de modifier mon pointage, tu m'as expliqué que je devrais m'habituer à jouer seul parce que personne ne veut jouer avec un tricheur.

Ces paroles m'ont fait mal, mais je ne les ai pas oubliées. Encore aujourd'hui, je me sens mal de même prendre un *mulligan*.

Je t'épargnerai le récit de tous les bons moments que nous avons passés ensemble en tant qu'adultes, à frapper des balles et à causer de tout et de rien, des enregistrements de Nixon aux dessous de Madonna. Nous avons été chanceux, papa, même protégés. Nous avons dû cesser nos compétitions sérieuses à peu près au deuxième mandat de Reagan, mais j'ai oublié de m'en rendre compte.

Il y a quelques années, j'ai appris que ton quatuor régulier avec lequel tu jouais depuis quinze ans s'était démembré. Un de tes partenaires, encore en colère d'avoir été battu à plate couture lors de notre dernier tournoi père-fils, a décidé de commencer à jouer avec des « plus jeunes ». Un autre est déménagé en France avec sa nouvelle femme. Le troisième, victime d'une thrombose coronarienne, ne peut plus jouer les matins où le temps est frais.

Tu t'es retrouvé seul avec ton jeu qui se détériore et beaucoup de samedis matins vides. Pas étonnant que ton enthousiasme ait baissé.

Je croyais te faire plaisir en t'invitant avec deux de mes amis à venir jouer une ronde au *Pinehurst No. 2*. La journée était froide et venteuse. Tu as raté ton premier coup de départ, et ce n'était que le début de la catastrophe – une série indistincte de doubles et triples *bogeys*.

Ton petit jeu, autrefois invincible, avait disparu. Un coup de vent a failli te renverser dans une fosse de sable. J'ai même remarqué que tes mains tremblaient. En rentrant à la maison, tu t'es excusé et je t'ai dit que ce n'était pas grave – nous connaissons tous des journées pourries.

Nous avons fini par en rire, mais j'ai eu peur. J'avais vu l'avenir de la mortalité du golf, et je n'avais pas aimé ce que j'avais vu. C'est à ce moment que j'ai sorti mon chéquier et que j'ai littéralement tenté de nous acheter du temps.

Comme nous le savons, ce plan a totalement échoué. Alors, je n'ai rien d'autre à t'offrir en cette fête des Pères que la paix et la tranquillité – et mes remerciements les plus sincères. Je ne sais pas si la gratitude d'un fils est importante aujourd'hui, mais je suis hanté par le fait que chaque partie que nous jouons ensemble pourrait être la dernière.

Je dois donc m'assurer qu'elle compte – tant en paroles qu'en gestes.

Je t'ai déjà entendu dire à tes partenaires de jeu que, lorsque le temps qui t'a été donné arriverait à sa fin, tu aimerais simplement tomber raide mort quelque part sur un vert – de préférence après avoir réussi un roulé de quatre-vingt-dix pieds en descendant pour terminer un match chaudement disputé.

Pas d'infirmières qui s'attardent, ni d'équipement de survie déshumanisant pour toi. Juste une sortie propre, côté jardin, avec un *birdie*. Une vraie vie, une mort soudaine. Il est probable que cela ne ralentirait même pas le jeu.

Je dois admettre que ces paroles m'avaient grandement choqué, mais j'étais alors un jeune de trente ans qui s'imaginait être éternel. Aujourd'hui, j'ai quarante ans et des enfants qui un jour pourraient découvrir qu'un bâton de golf peut servir à autre chose qu'à frapper un chien sans méfiance sur la tête.

Il est probable que tu seras parti depuis longtemps, mais si cela peut te consoler, ta petite-fille fait preuve de dispositions pour être un véritable prodige des coups roulés. Aucun doute dans mon esprit d'où lui vient ce talent. Alors, ne t'inquiète pas. La tradition familiale que tu as instaurée il y a cinquante ans nous survivra à tous les deux.

Ce qui me donne une idée, papa. Faisons un pacte final père-fils. Le premier qui arrive au ciel doit s'occuper de réserver l'heure de départ. Rendez-vous à 6 heures du matin, sur le parcours des champions. Tu l'as mérité.

*James Dodson*

# *J'étais dans l'assistance*

*Les femmes peuvent être pleines de vivacité. On nous permet une plus grande variété d'expressions faciales et de gestes. Les hommes doivent être comme le roc.*

Gloria Steinem

L'autre jour, ma femme participait à un match de golf au trou, et j'étais dans l'assistance.

Heureusement, ce genre de chose ne m'énerve jamais.

Elles ont pris le départ et l'adversaire de ma femme a calé un superbe roulé pour un oiselet et a remporté le premier trou. Un homme avec une veste jaune me suivait et il s'est tourné vers moi :

« Que faites-vous? »

« Je marque le pointage », ai-je répondu.

« Ne serait-il pas à propos de retourner votre crayon, la mine est à l'autre extrémité. »

« Merci », ai-je répondu dignement.

Ma femme a perdu le deuxième trou et tirait de l'arrière par deux. Une femme avec une casquette à grande palette s'est approchée de moi.

« Les choses n'ont pas l'air d'aller trop bien, n'est-ce pas? », dit-elle avec un air de sympathie.

« Ce n'est pas grave », ai-je répondu avec désinvolture. « Ce n'est rien. Après tout, ce n'est qu'un *gatch de molf.* »

Elle m'a fixé pendant un moment. « Bien sûr », dit-elle. « Oui, bien sûr! »

Ni ma femme ni son adversaire n'a remporté les deux trous suivants. Puis elles sont arrivées à un court *par* 3. Ma femme se préparait à frapper son coup de départ. L'homme à la veste jaune était encore à mes côtés.

« Elle se prépare à frapper », dit-il. « N'allez-vous pas regarder? »

« Je dois attacher mon lacet », lui ai-je répondu.

« Vous attachez vos lacets à chacun de ses coups depuis trois trous. »

« Ce sont de vieux lacets, très lisses », lui ai-je répondu.

Plus tard, le match était à égalité après six trous. C'est alors que ma femme a frappé un coup en mauvaise position dans l'herbe longue.

« Ne vous énervez pas », dit l'homme à la veste jaune. « Elle peut très bien s'en sortir. »

« Je ne m'énerve pas le moindrement et j'aimerais que vous cessiez de m'en parler », lui ai-je dit en m'éloignant.

« Attention… », dit-il, « regardez où vous… »

Deux membres du service d'ordre des spectateurs m'ont aidé à sortir de la fosse de sable et ont essuyé le sable que j'avais dans le dos.

« Votre femme devrait encourir une punition de deux coups », dit l'un d'eux d'un air sombre. « Il est interdit de tester la consistance d'une fosse de sable par quelque moyen que ce soit. »

Vers le milieu du match, ma femme a pris une avance d'un trou. La tension montait. Il faisait très chaud sur le parcours. J'ai cherché mon mouchoir pour essuyer la sueur sur mon front.

L'homme à la veste jaune m'a demandé: « Utilisez-vous toujours votre cravate pour vous essuyer le visage? »

« Il y a beaucoup d'autres matches en cours », lui ai-je répondu. « Pourquoi n'allez-vous pas en suivre un autre? »

Ma femme a remporté un autre trou et se retrouvait avec une avance de deux trous et quelques trous à jouer.

J'étais sur le côté de l'allée, à l'ombre de quelques arbres. La femme à la casquette s'est pointée derrière moi.

« Alors », dit-elle en me tapant sur l'épaule, « comment vous sentez-vous maintenant? »

« Bien », lui dis-je, trois mètres plus haut dans un arbre. « Très bien. »

« C'est bon », dit-elle. « N'essayez pas de descendre. Je vais aller chercher une échelle. »

Le soleil devenait plus chaud et la tension montait. Ma femme a fini par l'emporter au seizième trou. Quelqu'un est allé la féliciter et lui a demandé comment elle se sentait: « J'ai faim », a-t-elle répondu.

Je suis fier de dire que je suis resté de glace jusqu'à la fin du match.

En réalité, je ne me suis jamais senti aussi calme que lorsqu'ils m'ont transporté dans le chalet.

*John L. Hulteng*

# *La crise de l'an 2000*

*Pour être aussi célèbre que son père, il faut être beaucoup plus compétent que lui.*

Denis Diderot

Certains d'entre vous ne sont pas conscients de la crise qui pointe à l'horizon. C'est le moment de vous l'apprendre.

À l'approche du nouveau millénaire, une menace est imminente – une menace si inquiétante et radicale qu'il faudra pour l'écarter chaque once d'ingéniosité, chaque fibre de détermination et chaque corpuscule de courage humain. À défaut de quoi, la panique s'installera avant d'entraîner la dévastation totale.

Je parle, bien sûr, de la situation qui prévaut chez moi, plus particulièrement, l'épineux problème du plus jeune de mes deux fils, Scott.

Je me souviens quand Scott n'avait que huit ans, l'âge où chaque coup non raté était cause de grande joie, quand une promenade dans sa voiturette était la grande vie et quand le meilleur golfeur du monde était papa.

Comme les choses ont changé. Je ne me rappelle plus si c'est Mark Twain ou Will Rogers qui a dit: « Quand j'avais quatorze ans, mon père était un parfait idiot. Quand j'ai eu vingt et un ans, j'étais étonné de constater combien le vieux avait appris. » Scott a aujourd'hui quatorze ans.

C'est aussi son handicap. En deux ans, il l'a réduit de vingt coups. Même s'il ne peut pas frapper la balle aussi loin que moi – du moins c'était le cas l'an dernier – son élan est beaucoup plus fluide et il fait meilleur contact avec la balle. Son petit jeu est plus précis que celui de n'importe quel autre joueur de ma connaissance avec un handicap de 14, et son aplomb sur les coups roulés est, disons, celui d'un jeune de 14 ans. Et il le sait.

Alors maintenant, quand je frappe loin et droit, je n'entends plus de « Wow! », juste un grognement occasionnel. Et quand mon coup roulé de trois pieds fait le tour de la coupe, il n'exprime plus sa compassion, il ricane.

Scott et moi ne sommes plus des partenaires, nous sommes des ennemis. En réalité, depuis près d'un an, le petit a l'impression grandement erronée qu'il peut, sur un dix-huit trous donné, me battre. Me battre! Sans avantage!

Vous ne pouvez pas savoir combien il est désagréable d'entendre, chaque fois que vous débutez un match avec une personne, celle-ci dire: « Aujourd'hui, tu seras *battu*! » Laissez-moi vous dire que cela ne se produira pas. Du moins, pas dans un avenir rapproché. Tout de même, malgré les progrès sournois de la décrépitude, je peux encore jouer sous les 80 sur mon parcours local; et dans les meilleurs cas, Scott se contente de, bien disons, 81 – mais soyons sérieux, ce jour-là les allées étaient dures comme du roc et il a calé tous ses roulés.

À tout événement, vers la fin de l'été dernier, j'en avais assez de son insolence et j'ai fait la promesse solennelle suivante: « Scott, tu ne me battras pas cet été. Tu ne me battras pas l'an prochain. En fait, tu ne me battras pas d'ici la fin du siècle, ou même du millénaire. Je te résisterai au moins jusqu'au premier jour de l'an 2000. »

Fanfaron, il a immédiatement rétorqué: « Papa, l'an 2000 fait partie du XX^e^ siècle. »

« D'accord, tu ne me battras pas pendant aucune année qui débute par un 1. »

C'est ainsi que s'est engagé le combat. La piété filiale est morte, les querelles intergénérationnelles sont à l'ordre du jour, pendant qu'un père et son fils se préparent pour une longue saison de féroces combats. C'est également une question œdipienne, car ma chère femme a pris fermement parti pour son fils.

Peu m'importe. Il n'est pas question que le rejeton me détrône. Il pourrait, de nouveau, avoir de la chance sur un neuf, comme l'automne dernier, mais il faut dire qu'aucun de nous n'avait jamais joué sur ce parcours et qu'il lui a fallu jouer un 38 que seule l'insouciance de l'ignorance pouvait lui procurer. Je peux vous assurer que je ne lui permettrai jamais plus de prendre une avance de trois coups avec deux trous à jouer. Ce jour-là, j'étais très préoccupé par des choses à mon travail. De plus, le jeune a gelé au 17e et 18e.

Croyez-moi, cela ne se produira pas. Scott ne commencera pas à jouer régulièrement avant la fin de l'année scolaire, alors que j'ai l'intention de jouer au moins une douzaine de rondes d'ici-là, peut-être même prendre une leçon. Je crois qu'il faudrait peut-être que je réduise l'angle de mon bois 1. Mais je serai prêt, n'ayez crainte.

Ouais, tant qu'il ne connaîtra pas une poussée de croissance avant juin, tant qu'il utilisera son *wedge* de sable pour des coups qui devraient être des approches roulées, et tant que personne ne lui dira qu'il faudrait qu'il fasse remplacer les poignées de ses fers, la chance me sourit.

En fait, rien ne me fait plus plaisir que l'idée de me battre avec ce petit bonhomme pour le reste de ce siècle – et pendant longtemps au cours du prochain.

Viens, mon fils, essaie de me rattraper.

*George Peper*

---

NOTE DE L'ÉDITEUR: George Peper a tenu jusqu'à la fin de novembre 1999, alors qu'il a craqué sur le 18e pour un double bogey et perdu contre son fils pour la première fois. Mais c'était pendant des vacances au Japon, alors, il a décidé que cela ne comptait pas! Par contre, au cours de la dernière semaine de décembre, son fils lui a lancé un 74 à la figure pour le battre sérieusement. Au moment d'écrire ces lignes, tous deux ont un handicap de 5, mais celui de George monte alors que celui de son fils descend.

*« Wow ! Comment tu fais ?*
*Comment peux-tu t'élancer si fort*
*et la frapper aussi peu loin ? »*

*DENIS, LA PETITE PESTE. Avec l'autorisation de Hank Ketcham Enterprises et © North America Syndicate.*

# *Une parcelle de ciel*

Imaginez votre pire crainte en tant que parent. Vous perdez un enfant. Pour William Nobbe, ce terrible cauchemar s'est réalisé le soir du dimanche du Super Bowl, en 1990. « Vers minuit trente ce soir-là, le pasteur et le coroner étaient à la porte arrière », se souvient Nobbe. « On se doute bien que quelque chose ne va pas quand on voit ces deux personnes. » Nobbe a appris que son aînée et seule fille, Ann, avait péri dans un accident de voiture.

Alors que bien des parents se réfugieraient dans toutes sortes d'émotions après un tel drame, Nobbe a pris une décision au cours des jours et des mois qui ont suivi le décès de sa fille. Il poursuivrait la construction et il exploiterait un parcours de golf – imaginé par sa fille, construit à sa mémoire et nommé en son honneur: *Annbriar*.

La véritable histoire du *Annbriar* avait en fait commencé deux ans avant la mort d'Ann. Nobbe représentait la troisième génération de concessionnaire automobile dans la vente de Chevrolets et de Buicks. Quand General Motors lui a dit en 1988 qu'il devrait dépenser beaucoup d'argent pour moderniser son établissement, il a refusé et a vendu l'affaire. Il a décidé de prendre sa retraite sur son ranch de 140 hectares au sud-est de St. Louis.

Il faut savoir que Nobbe est un grand homme, surtout dans le cœur. À cinquante-neuf ans, 1,90 m et 115 kg, ses mains sont aussi grosses qu'un gant de baseball. Il adore travailler à l'extérieur. Ancien vendeur d'automobiles, il connaît aussi la mécanique. Après avoir vendu sa concession, il s'est occupé sur sa ferme et a rendu service à ses voisins.

C'est ce qu'il faisait jusqu'au soir où Ann, qui était dans l'immobilier, a dit à son père en rentrant: « J'ai bien réfléchi. Pourquoi ne pas construire un terrain de golf? » Ann était une bonne athlète qui venait de commencer à jouer. Elle était devenue accro. Elle avait aussi constaté qu'il y avait un besoin pour des terrains publics près de St. Louis.

Nobbe est tombé des nues. « Je ne jouais pas au golf à l'époque », dit-il. « Je croyais que le golf était pour les gens qui n'avaient rien à faire. » Ann refusa de lâcher prise. « Je ne connaissais rien au golf », dit son père, « mais j'ai pensé à ce qu'elle avait dit. Plus j'y réfléchissais, plus cela semblait une bonne idée. »

Nobbe a fait ses devoirs. Il a parlé à des architectes et à des associés potentiels. Ce n'est qu'après avoir fait la connaissance de Bob Kelsey, propriétaire du *Crystal Highlands Golf Club* de Festus, au Missouri, qu'il a décidé d'aller de l'avant. « Il a été superbe », a dit Nobbe à propos de Kelsey. « Il m'a montré ses livres et tout le reste. »

Vers la fin de 1989, tout était prêt. Nobbe avait engagé l'architecte de golf Michael Hurdzan, et sauf quelques inquiétudes à propos de l'échéancier, le rêve d'Ann allait se réaliser. Nobbe avait trouvé l'argent nécessaire au financement du parcours chez des amis et en offrant des parts dans le parcours contre des travaux. Ann était prête à quitter son emploi pour aider son père à gérer le terrain.

Puis, Ann Nobbe est décédée. Après la tragédie, Nancy, la femme de Nobbe, n'était pas d'avis que la construction devrait se poursuivre. « Ann et sa mère étaient très proches l'une de l'autre », dit Nobbe à propos de sa femme. « Mais, je n'ai jamais hésité. Je devais continuer. C'était l'idée d'Ann. » En mai, les travaux ont commencé.

C'est alors qu'est entré en scène Dana Fry, l'associé en design de Hurdzan et la personne choisie sur le site pour superviser la construction du parcours. « Cet homme [William Nobbe] est véritablement le meilleur homme que j'ai jamais rencontré de toute ma vie, dit Fry. Je n'oublierai jamais la première fois que j'ai rencontré William et Nancy. William m'a raconté la tragédie de sa fille et quand il a eu terminé, tout le monde pleurait. Il m'a dit à quel point il tenait à ce parcours de golf et qu'il fallait le construire à la mémoire de sa fille. C'est devenu beaucoup plus qu'un travail. C'est devenu une partie de mon cœur. »

Fry a été sur le site pendant un an et demi. Lui et son équipe ont déplacé un million de verges cubes de terre pour donner sa configuration au terrain. « Tous ceux qui y ont travaillé y sont personnellement attachés à cause de William », dit Fry. « Il faisait partie de l'équipe. »

Le *Annbriar Golf Course* a reçu ses premiers golfeurs le 28 mai 1993. Depuis, il a reçu des critiques très favorables, tant à l'échelle locale qu'à l'échelle nationale. *Annbriar* est un terrain public et aucune maison ne sera construite autour du parcours. Nobbe ne voulait pas en entendre parler. Depuis l'ouverture, Nobbe est omniprésent au parcours où il passe de douze à seize heures par jour à s'occuper de tout. On l'a vu préparer le petit-déjeuner ou le déjeuner pour ses clients, et même changer des pneus crevés dans le stationnement. Il adore ce qu'il fait. « Les gens viennent ici pour s'amuser », dit Nobbe. « Ils arrivent de bonne humeur. » Il croit que sa tâche est de s'assurer qu'ils repartent dans le même état d'esprit.

Cette expérience a fait de Nobbe un mordu du golf. Sa femme et lui voyagent continuellement pour comparer leur parcours aux autres mieux connus. « Je n'échangerais pas notre parcours pour *Torrey Pines* », dit Nobbe. « J'échangerais leur site. » William Nobbe est honnête, compréhensif et franc. Il est très fier de son parcours et la raison de son existence occupe une place de choix dans son cœur. « Si vous croyez qu'il est beau et que vous en êtes convaincu, c'est tout ce que je demande », dit Nobbe à propos de son parcours. « Je crois sincèrement que ce furent les dix meilleures années de ma vie. »

La seule chose qui aurait pu les rendre meilleures, c'est qu'Ann soit en vie. Mais le *Annbriar*, l'héritage personnel de William Nobbe, prospère malgré son absence.

*Gordon Wells*

# 6

# DE L'HERBE LONGUE

*Vous êtes une personne favorisée, en effet, si vous débutez chaque journée en acceptant qu'au cours de cette journée, il y aura des hauts et des bas, des coups de chance et des coups de malchance, des désappointements et des surprises, des événements inattendus. De la même façon, les golfeurs sages ont appris à accepter ces conditions défavorables du parcours comme étant représentatives des défis de la vraie vie.*

Roy Benjamin

# *Le plus chanceux des golfeurs*

*Chaque fois que je joue avec Gerald Ford, j'essaie de former un quatuor – le président, moi, un auxiliaire médical et un guérisseur.*

Bob Hope

Aucun golfeur digne de son bois 1 en titane n'oserait terminer une ronde sans se plaindre. Les verts sont toujours trop durs, la position des fanions trop difficiles, l'herbe longue est toujours trop longue et les fosses de sable sont trop profondes. Le code de conduite non écrit exige que tout golfeur formule de telles plaintes.

C'est ça ou admettre la vraie raison du manque de succès sur le parcours de golf: votre propre incompétence.

Tout en râlant avec les autres, au fond de moi je sais que je suis le golfeur vivant le plus chanceux. Je n'ai pas réussi un coup d'approche pour gagner le tournoi des Maîtres en prolongation. Je n'ai pas calé un coup à partir d'une fosse de sable pour gagner le championnat de la PGA. Mais je suis chanceux.

J'ai compris à quel point j'étais chanceux à la lecture d'un article dans l'édition Golf Plus du *Sports Illustrated*, qui disait:

« Un terrain de golf est le cinquième endroit où se produisent les accidents cardiaques, mais celui où la probabilité de survie est la plus faible – environ cinq pour cent des golfeurs qui subissent une attaque y survivent. »

Moi qui vous parle, j'ai battu deux fois les statistiques. Sur le même parcours. J'ai subi ce qu'on a appelé un arrêt cardiaque sur le troisième trou en février et sur le cinquième trou en novembre. Impressionnant, non?

Je suis convaincu que j'ai survécu parce que j'ai de bons amis. Dans le quatuor qui me suivait quand je me suis écroulé en février, il y avait le Dr Bob Bullington, un cardiologue à la retraite. Derrière ce groupe, il y avait Cotton Fitzsimmons, ancien entraîneur des Suns de Phoenix et deux des joueurs actuels des Suns, Joe Kleine et Dan Majerle. Ils ont appelé le 911.

Bullington m'a massé la poitrine pour me ranimer. Je me souviens d'être revenu à moi, étendu sur la frise du troisième vert, et d'avoir entendu un autre médecin dire à Bullington qu'il ne sentait pas mon pouls.

« C'est gentil! » ai-je dit.

J'ai ensuite suggéré qu'on laisse passer le groupe de Cotton, mais c'était trop tard. Ils étaient déjà passés. J'ai eu de la chance qu'ils ne m'imposent pas une pénalité de deux coups pour avoir retardé le jeu.

En novembre, j'ai calé un *putt* de cinquante pieds sur le cinquième trou. J'avais le souffle court, probablement à cause de l'excitation de mon exploit, mais j'ai réussi à retourner à la voiturette avant de perdre conscience. Mon partenaire, Paul McCoy, a immédiatement identifié mon problème et a rejoint en vitesse le groupe qui nous précédait et dans lequel, vous l'aurez deviné, il y avait le même Dr Bullington.

Cette crise était plus sérieuse. Bullington a cru m'avoir fêlé quelques côtes en frappant ma poitrine. Je n'ai repris conscience qu'à l'unité des soins intensifs. Apparemment, on a réglé mon problème avec un nouveau médicament et un *pacemaker*.

Le seul problème: Bullington refuse désormais de jouer avec moi. Il dit qu'il veut compléter ses dix-huit trous.

*Bob Hurt*

# *La force du golf de bienfaisance*

Quand parle Ryan Dant, notre petit héros, on dirait un oiseau qui chante, mais en plus heureux. « Oui, monsieur, nous avons joué aujourd'hui », dit-il.

Il a treize ans et joue au baseball – 1,38 mètre et 38,5 kg de dynamisme.

« J'ai frappé une balle au champ-centre et je me suis rendu sur les buts. »

Il joue au deuxième but et au champ gauche pour…

« Les Bombers ».

C'est peut-être parce qu'il habite près de Dallas que l'équipe favorite de Ryan est les Rangers. Son joueur favori est…

« Alex Rodriguez. C'est un bon joueur à l'arrêt-court et il frappe la balle vraiment fort. »

Derrière la maison de Ryan, il y a un terrain vague qui s'étend jusqu'à un ruisseau devant des courts de tennis. C'est là que lui et son père, Mark, un lieutenant de police à Carrollton, se lancent la balle.

« Je frappe aussi des balles de golf. »

La première fois que Ryan a tenu un bâton de golf dans ses mains, il est allé derrière la maison et il a pensé que ce serait *cool* de frapper une balle de golf à travers le champ, par-dessus le ruisseau et jusqu'aux courts de tennis, à environ 120 verges de distance.

« Le golf, c'est facile », dit-il.

La balle ne bouge pas.

« Plus facile que le baseball. »

Malgré ses meilleurs efforts, son coup le plus long n'a pas traversé le ruisseau.

En octobre 1992, la Adams Golf Company comptait en tout et pour tout trois employés et un téléphone qui ne sonnait pas, sauf pour de faux numéros et des vendeurs d'assurances.

Afin de trouver l'argent nécessaire pour faire fonctionner l'entreprise, Barney Adams, le patron, quittait l'atelier chaque après-midi pour faire des ajustements et des réparations de bâtons. Sur la porte, Adams avait accroché une affiche, PAS DE SOLLICITATION.

Mark Dant a passé outre à l'affiche. L'année précédente, pendant un examen de routine, un pédiatre avait constaté que la tête et le foie de Ryan étaient anormalement gros. Il a alors référé le garçon, alors âgé de trois ans, à un généticien qui, après avoir fait des examens, a conclu que Ryan souffrait d'une maladie génétique, la mucopolysaccharidose, connue sous l'acronyme de MPS1.

Comme son corps ne possède pas une enzyme qui décompose les sucres, ses cellules sont encombrées par des dépôts de molécules de sucre. Les dommages causés par le MPS1 sont progressifs et complets. Les articulations bloquent. Les organes, y compris le cerveau, cessent de fonctionner. À six ans, Ryan avait de si fortes céphalées qu'il en vomissait jusqu'à tomber de sommeil, épuisé. Il était petit; quand il courait, ses jambes étaient raides; il ne pouvait lever les bras pour enlever un t-shirt; il ne pouvait tenir un bâton de baseball car ses doigts étaient recroquevillés dans ses paumes. Les parents de Ryan savaient que les choses allaient empirer. « On nous a dit que Ryan ne vivrait pas plus de dix ans », dit Mark Dant.

Le jour où ils ont entendu ces paroles, Mark et sa femme, Jeanne, sont rentrés à la maison et ont commencé une période de chagrin et de deuil qui a duré plusieurs mois. « Nous n'avons rien fait d'autre que pleurer derrière les portes closes », dit-il.

En octobre 1992, le chagrin a fait place à la détermination des Dant de donner à leur fils une chance de survivre à une maladie qui permettait rarement à un enfant de vivre au-delà de l'adolescence.

Les Dant avaient fait assez de recherche pour savoir que cette chance ne viendrait que si la science trouvait un remède au MPS1. Ils savaient aussi que les scientifiques trouvent rarement un remède à moins que quelqu'un ne fournisse de l'argent pour leurs recherches.

C'est la raison pour laquelle, malgré l'affiche PAS DE SOLLICITATION sur la porte, Mark Dant est entré dans l'atelier de Adams Golf. Non pas qu'il s'attendait à beaucoup. Il ne jouait au golf que depuis un an et ignorait tout de cette entreprise dont les locaux étaient dans un centre commercial. Dant avait consulté les Pages Jaunes sous la rubrique « Golf » parce qu'il avait entendu dire que les tournois de golf étaient une excellente source de revenus pour les œuvres de bienfaisance. Il était certain que les Dant devaient recueillir plus que les 342 $ qu'avait rapporté leur premier événement, une vente de gâteaux.

Barney Adams se souvient: « Je transportais une boîte de bâtons vers le devant de l'édifice quand un jeune homme est entré. Mark faisait du porte-à-porte pour recueillir de l'argent. Il m'a raconté l'histoire de Ryan, mais à cette époque, j'avais probablement moins d'argent que lui; nos ventes annuelles se situaient autour de 150 000 $. Je lui ai donc dit: "Pourquoi ne vendriez-vous pas des bâtons à l'encan pour recueillir de l'argent?" Nous lui avons donné trois ou quatre bâtons. »

Le premier week-end de golf des Dant a rapporté 25 000 $. C'est peu dans le milieu de la recherche scientifique. Mais à la Fondation Ryan pour les enfants atteints de

MPS – créée par les Dant après avoir assisté à une conférence sur les enfants atteints du MPS et leurs familles, ces 25 000 $ étaient une véritable fortune.

C'était de l'espoir.

Les tournois de golf sont devenus la principale source de revenus de la Fondation Ryan, passant de 25 000 $ à 75 000 $, puis à 150 000 $. Au début, l'argent était versé à la Société nationale pour la MPS. « Chaque année, Mark venait nous voir et nous lui donnions d'autres bâtons », dit Adams.

C'était toujours un combat. En 1994, après avoir consacré toutes ses vacances à faire du porte-à-porte, Dant a écrit à quatre-vingt-dix sociétés de golf.

« Toutes ont répondu "Non" », dit-il. « J'étais prêt à tout abandonner. »

Épuisé, démoralisé, Dant est rentré du travail un soir pour trouver des boîtes devant sa porte. « C'était des fers Tommy Armour et 288 *sleeves* (boîte allongée contenant trois balles) de balles Wilson Staff », raconte-t-il.

« C'était un signe. J'étais stupéfait. Cela me disait "Ne lâche pas." »

Il a alors entendu parler des travaux d'un scientifique californien, Emil Kakkis, docteur en biochimie qui s'était spécialisé en génétique. « Dr Kakkis avait trouvé le moyen de synthétiser l'enzyme manquante chez les enfants atteints de MPS, dit Dant. Mais il commençait à manquer d'argent. Deux mois encore et il devrait fermer son laboratoire. »

La vie comporte des séries de coïncidences si merveilleuses qu'elles semblent pré-ordonnées. Comment expliquer autrement que les vies d'Emil Kakkis, de Mark Dant et de Barney Adams se soient croisées? Voyez…

Au moment où il avait besoin rapidement de beaucoup d'argent, Dant s'est de nouveau tourné vers le patron de Adams Golf – sauf que Barney Adams n'était plus un petit entrepreneur. Il était devenu un nom dans l'industrie du golf après avoir créé et vendu les bois d'allée Tight Lies. Et il avait envie d'aider Ryan.

« J'ai demandé à Mark combien il faudrait pour accélérer les recherches », dit Adams. S'étant fait répondre 200 000 $, Adams a téléphoné à un ami, Tom Fazio, l'architecte de parcours de golf. « Je lui ai raconté l'histoire de Ryan et je lui ai dit: "J'ai besoin de X dollars de toi pour m'aider à financer ce projet." »

Ce jour-là, sur-le-champ, Fazio a fait un chèque. « J'avais la gorge serrée, raconte Fazio. J'ai moi-même six enfants et je me suis dit: "Qu'est-ce que je ferais si un médecin me disait ce que ce médecin a dit à Mark Dant?" »

Sans les contributions de Adams et Fazio, le Dr Kakkis aurait sans doute dû abandonner ses recherches. Parce que les recherches de Kakkis sont devenues plus connues, la société de biotechnologie BioMarin Pharmaceutical lui a donné 5 millions $, en espérant pouvoir mettre un traitement sur le marché.

« Il ne faut pas être mélodramatique à ce sujet, dit Mark Dant, mais sans M. Adams, M. Fazio et l'industrie du golf tout entière, mon fils serait mort. Je sais que le golf est un jeu. Mais le golf a redonné la vie à ma famille. »

Le 13 février 1998, Ryan Dant est devenu le troisième de dix enfants atteints de MPS à recevoir le traitement de remplacement d'enzymes du Dr Kakkis. Une semaine plus tard, devant son miroir, la chemise relevée, Ryan criait, « Wow! Maman, papa! Regardez comment il a rapetissé. » Son estomac n'avait plus cette terrible enflure.

Trois années d'injections hebdomadaires de quatre heures n'ont pas guéri Ryan; elles ne lui ont que rendu son corps. Mais grâce au traitement, il a grandi de 14 centimètres et gagné 15 kg, et il est de nouveau un athlète. Il a passé la dernière semaine de juin dans un camp de baseball.

« Nous n'avons parcouru que la moitié du chemin et c'est un miracle, dit Mark Dant. Et les médecins nous disent que ce qui s'est passé dans son corps s'est aussi produit dans son cerveau. Il y a possibilité de régression mentale. La prochaine étape est une thérapie de remplacement génétique. »

Barney Adams est toujours du voyage. « Ils disent que les recherches sur le remplacement génétique coûteront 2 millions $. J'ai dit à Mark: "D'accord, recommençons". Je n'ai jamais parlé de la participation de ma société, pas plus que Tom Fazio n'a parlé de la sienne. Mais aujourd'hui, nous avons cette motivation secrète. Nous voulons recueillir 2 millions $ pour Ryan Dant. »

Le 13 février 2001, troisième anniversaire de son premier traitement aux enzymes, Ryan Dant est sorti dans sa cour arrière avec un nouveau bois 5 Tight Lies qui porte son nom gravé dans la semelle.

Il a mis une balle sur un *tee*, a regardé vers le ruisseau tout là-bas, vers les terrains de tennis encore plus loin et s'est élancé.

La balle a rebondi sur la clôture des terrains de tennis.

« Wow! Quel coup! » a dit Ryan.

En a-t-il frappé une autre?

« Non, monsieur. J'ai rapporté mon bâton dans ma chambre. Je ne veux pas perdre cette énergie. »

*Dave Kindred*

# *Un exemple de courage*

Pete Farricker n'a jamais participé à un Omnium américain ni gagné un championnat amateur d'un État, même s'il n'avait pas de marge d'erreur et qu'il pouvait se sortir d'une mangeoire d'oiseau quand il le fallait. Avant que la sclérose artériolatérale (la maladie de Lou Gehrig) ne commence à détruire son corps il y a plusieurs années, il était un golfeur sensationnel et deux fois meilleur en tant que personne, un maître de l'humour et de la compassion qui a marqué la vie de tous ceux qui l'ont connu et, on peut le croire, la vie de quelques-uns qui ne le connaîtront jamais.

Sa mort, à l'âge de quarante-cinq ans, a été, bien sûr, une tragédie – cet homme merveilleux a été fauché en pleine force de l'âge par une maladie aussi mystérieuse que brutale. Il est déjà assez triste que Pete ait laissé une femme et un fils de trois ans. Qu'il ait réalisé deux des plus grands accomplissements de sa vie après quarante ans – fonder une famille et devenir le rédacteur spécialisé dans l'équipement de *Golf Digest* – est un coup tordu du destin. Son temps au sommet a été beaucoup plus court que son ascension.

Il serait gentil de dire quelque chose de très profond à propos de Pete, sauf que ses éloges funèbres étaient beaux et simples, à l'image de l'homme qui n'a pas demandé à ce monde autant qu'il lui a donné. Longtemps après avoir été diagnostiqué de l'ALS, Pete a joué de toutes les positions injouables sans jamais se plaindre, il nous a fait rire et nous a fait pleurer, il nous a fait vivre et nous a fait demander pourquoi. La meilleure chose qui me soit jamais arrivée a été de passer six mois dans le bureau voisin du sien.

Travaillant comme pigeon-voyageur dans la banlieue cossue de la réalité qu'on appelle le circuit de la PGA, je sais que le courage n'est pas le geste du joueur qui réussit un *putt* de cinq pieds au soixante et onzième trou, ou de celui qui vise le fanion situé au fond à gauche du vert le dimanche après-midi. Le courage, c'est de rentrer au travail quatre jours par semaine après que vos bras vous ont laissé tomber. Le courage, c'est de permettre à une personne de déposer une cuillerée de salade de thon dans votre bouche, puis de regarder votre petit garçon droit dans les yeux et lui dire que c'est bon d'être en vie.

Le courage, c'est de demander à une personne de vous accompagner à la toilette pour remonter votre slip après avoir fait vos besoins. L'autre jour, je regardais sur NBC la télédiffusion de l'Omnium Senior des États-Unis. On employait le mot « patience » pour décrire les hommes qui accumulaient les normales ou qui frappaient leur balle au centre d'un vert à trois paliers. Je ne voudrais pas faire le difficile, mais j'ai vu ce qu'était la patience. Elle ne ressemblait pas du tout à cela.

La patience, c'est de prendre quinze minutes pour passer de votre lit à votre fauteuil roulant, dix minutes de plus pour passer de votre fauteuil roulant à votre camionnette, puis de vous demander si vous ne pouvez pas parler parce que vous avez la gorge sèche ou que vos cordes vocales ont cessé de fonctionner pour de bon. La patience, c'est de prendre quarante-cinq minutes pour quitter le bureau à la fin de la journée, dont vingt minutes pour attendre que votre cheville cesse de trembler. La patience, c'est d'attendre qu'une personne passe pour vous aider à quitter l'étage.

L'une des pires choses de l'ALS est que votre corps devient de la compote alors que votre cerveau demeure parfaitement fonctionnel. Un jour que je le ramenais à la maison, j'ai demandé à Pete comment il se sentait à l'intérieur. « Comme un homme de 110 ans », a haleté l'homme qui ne semblait pas plus vieux que 90 ans. Vers la fin, il articulait tellement mal qu'il fallait lui demander à trois ou quatre reprises de répéter. Mais, croyez-moi, cela en valait toujours la peine.

La dernière fois que j'ai vu Pete, il était faible, ses orteils étaient recourbés et paralysés. Il ne pouvait plus lever la tête, ni manger, boire ou dormir. Il fallait lui donner des glaçons concassés pour l'hydrater. Nous savions que la fin approchait, lui aussi ; mais dans ce corps ravagé, il y avait une âme solide, saine et blindée.

« Comment est la vie sur le Circuit? », m'a-t-il demandé à cinq ou six reprises avant que je le comprenne.

Beaucoup moins bien que la vie avec toi, Pete. Beaucoup moins bien que la vie avec toi.

*John Hawkins*

*Pour un gars aussi gentil et chaleureux, il a en lui assez de feu pour incendier toute une ville.*

Peter Jacobsen,
en parlant de Paul Azinger

*Reproduit avec l'autorisation de Aaron Bacall.*

# *Faire contact*

Rentrant à la Nouvelle-Orléans avec son cousin Bill Kyle après un mariage, Pat Browne pensait à la ronde de golf qu'il prévoyait jouer le lendemain. Il était tard l'après-midi du samedi, 26 février 1966, et comme Kyle conduisait, Browne, trente-deux ans, qui avait fait partie de l'équipe de golf et de basketball de l'Université Tulane dans sa ville natale de la Nouvelle-Orléans, n'avait pas à se concentrer sur la route.

Soudain, il a vu une voiture roulant à vive allure qui arrivait de la direction opposée. En approchant, le conducteur a perdu la maîtrise du véhicule et a traversé le petit terre-plein. « Bill ! Attention ! », a crié Pat Browne. Au même instant, l'autre véhicule a percuté la voiture que conduisait Bill Kyle. La force de l'impact a été telle qu'elle a replié le capot de la voiture de Kyle qui a traversé le pare-brise, lançant des tessons de verre dans les yeux de Browne et sectionnant son nerf optique.

L'adolescent qui conduisait l'autre voiture, qu'il avait volée, a été tué sur le coup. Browne et Kyle ont survécu à de sérieuses blessures. « La dernière chose que j'ai vue, c'était cette voiture traverser le terre-plein », raconte Browne, trente-cinq ans après l'accident qui l'a rendu aveugle en plus de lui valoir une fracture de la clavicule, de la mâchoire et de la rotule, et lui coûter plusieurs dents.

*Comment vais-je faire maintenant pour jouer au golf?*, s'est demandé Browne quand les médecins lui ont annoncé qu'il ne verrait plus jamais. *Et comment pourrai-je supporter la vie sans revoir mes trois filles?*

Au moment de l'accident, Pat Browne était marié et avait trois filles, âgées de onze, neuf et sept ans, qui étaient la grande joie de sa vie. Il était aussi avocat dans une grande étude de la Nouvelle-Orléans et un athlète très connu. Quand il en avait le temps, Browne excellait sur le parcours de golf, où il jouait dans les 70 avec un handicap de 3, soit deux de moins que lorsqu'il faisait partie de l'équipe de golf de l'université Louisiana State. À l'occasion, Browne, qui faisait 1,90 mètre et 95 kg, jouait au basketball amateur. Quand il jouait pour Tulane, il avait affronté des grandes vedettes, des membres du Temple de la Renommée comme Bob Pettit de Louisiana State et Sam et K. C. Jones à l'époque où ils ont remporté deux championnats nationaux de suite pour l'Université de San Francisco au milieu des années cinquante.

Pat Browne avait tout un avenir devant lui jusqu'à ce que, subitement, les lumières s'éteignent pour toujours pendant cet après-midi d'hiver en 1966. « Déprimé? J'imagine que je l'ai été pendant un bout de temps », dit Browne, qui est passé de 95 à 75 kg pendant sa convalescence. « Mais je savais que je devais reprendre ma vie et j'étais convaincu que, malgré ma cécité, je pourrais continuer à faire la plupart des choses que je faisais avant l'accident, peut-être même jouer au golf. »

Après des mois d'hospitalisation et une longue convalescence, tout en apprenant à fonctionner dans un monde devenu soudainement tout noir, Browne est retourné travailler au cabinet d'avocats Jones and Walker sur une base temporaire, en juin 1966, quatre mois après l'accident. « En septembre, j'avais repris mon travail à temps plein, j'ai plaidé ma première cause, dit-il, et j'ai compris que je pouvais encore pratiquer le droit avec succès. »

Au printemps suivant, deux amis, Bobby Monsted et Doc Schneider, ont convaincu Browne de frapper quelques balles de golf au *New Orleans Country Club* dont les trois hommes étaient membres. « Viens, Pat, essaie pour voir », a dit Monsted.

« Bobby, comment pourrai-je frapper la balle si je ne la vois pas? », a dit Browne.

« T'inquiète pas, tu y arriveras », a dit Schneider. « Tu seras à nouveau un bon golfeur. » Au club, après quelques élans de pratique de Browne, Monsted a mis une balle sur un *tee*, a mis Browne en position et lui a donné un bois 1 dont il avait placé la tête au sol directement derrière la balle.

« Tu es prêt, Pat », dit-il. « Tout ce qu'il te reste à faire est de prendre ton élan et de frapper la balle. » Browne, craintif et peu sûr de lui, a pris un élan modéré et a envoyé son coup de départ à environ 150 verges, en plein centre de l'allée, soit 100 verges de moins que ses coups de départ avant l'accident.

« L'impact m'a semblé bon », a-t-il dit à Monsted et Schneider. « Où est allée la balle? »

« En plein centre », a répondu Schneider. « Pas mal pour une première fois. »

« Je veux en frapper d'autres », dit Browne avec enthousiasme. Pendant les quinze minutes qui ont suivi, avec l'aide de Monsted et Schneider pour le guider à chaque coup, Pat Browne s'est démené. La plupart de ses coups de bois étaient droits, quelques-uns ont même franchi 200 verges, mais la plupart de ses coups de fers partaient à angle droit – des *shanks* en langage de golf.

En quittant le terrain d'exercice, Monsted a dit: « Pat, c'était superbe pour la première fois. Je crois que tu devrais poursuivre. Tu étais tout de même un golfeur sans handicap ou presque avant l'accident, et ton élan est encore superbe, tu as toujours une bonne coordination et d'excellents réflexes. »

« Tu as peut-être raison, Bobby, et merci à toi et à Doe pour votre aide », dit Browne à ses amis en se dirigeant vers le chalet. « Avec un peu de pratique, je pourrai peut-être jouer assez convenablement. »

En fait, Browne a joué plus que convenablement. Henry Sarpy, avocat au même bureau d'avocats, s'est proposé comme « coach » de Browne, c'est ainsi qu'on appelle les gens qui aident les golfeurs aveugles à se placer avant leurs coups et qui les guident sur le parcours. Ensemble avec d'autres amis, ils ont joué des dizaines de parties au cours des deux années qui ont suivi. Un jour, Sarpy a dit : « Pat, je crois que tu devrais penser à participer au tournoi national des golfeurs aveugles. »

« Un tournoi de golf pour les aveugles? », a demandé Browne, incrédule.

« En effet, il a lieu chaque année », a répondu Sarpy. « Charlie Boswell est le président de l'Association des golfeurs aveugles et, à en juger par ton jeu, tu pourrais bien te classer. » Browne avait entendu parler de Boswell. Il avait été un exceptionnel joueur de football et de baseball à l'université de l'Alabama avant de perdre la vue au cours de la Deuxième Guerre mondiale. Il s'était mis au golf après être devenu aveugle et il avait écrit un livre intitulé *Now I See* (Maintenant je vois).

En compagnie de son coach Sarpy, Browne a participé à son premier tournoi pour aveugles à Chattanooga, au Tennessee, en 1969. À cette époque, le secteur des golfeurs aveugles était dominé par Boswell et Joe Lazaro qui, tout comme Boswell, avait perdu la vie au cours de la Deuxième Guerre. Browne a terminé quatrième, jouant entre 100 et 108, ce qui est excellent pour une compétition de golfeurs aveugles. « Je sais que je peux faire mieux », a-t-il dit à Sarpy après le tournoi. Il l'a fait et a remporté son premier tournoi national en 1975. Puis, de 1978 à 1997, il l'a remporté, exploit phénoménal, vingt années de suite en compagnie de Gerry Baraousse, un ancien golfeur tout étoile à Washington & Lee, qui lui servait de coach.

Pendant cette période, et passé l'âge de soixante ans, Browne est devenu le meilleur golfeur aveugle du monde entier. Jouant selon les règles de la U.S. Golf Association, il a fait mieux que la plupart des golfeurs voyants, même les très bons. Il a enregistré un 80 au parcours très difficile de *Pinehurst* en Caroline du Nord, un 76 à son club, le *New Orleans Country Club*, avant de jouer quatre rondes consécutives dans les 70, dont deux 74 en 1982, au très difficile *Mission Hills Country Club* en Californie.

Dans les années 1990, alors que le circuit des golfeurs aveugles a connu une expansion internationale, Browne a gagné une foule de tournois, tant aux États-Unis qu'à l'étranger. À quelques reprises au milieu des années 1990, c'était son fils adolescent, Patrick, devenu un des meilleurs golfeurs juniors de la Louisiane, qui lui a servi de coach.

Browne a été président de la U.S. Blind Golfers Association de 1976 à 1992 avant que ne lui succède Bob Andrews, qui a perdu la vue au Vietnam. Browne a été honoré à plusieurs reprises. Il a reçu le prix Ben Hogan de l'Association des journalistes de golf de l'Amérique, il a été intronisé au Temple de la renommée de Tulane ainsi qu'au Temple de la renommée du sport de la Louisiane.

« Je crois que j'ai été privilégié », dit Browne, qui est président et chef de la direction d'une institution financière de la Nouvelle-Orléans depuis 25 ans. « J'ai joué sur les plus beaux parcours d'Angleterre, d'Irlande, d'Écosse, d'Australie et de Nouvelle-Zélande, ce que je n'aurais pas fait si je n'avais pas perdu la vue. J'ai aussi rencontré des gens merveilleux, particulièrement d'autres golfeurs aveugles. J'ai aussi été au Tournoi des Maîtres six ou sept fois depuis mon accident et j'ai joué sur le parcours *Augusta National*. Voilà le véritable paradis du golf. Et dire que j'y ai joué deux fois. J'imagine que des gens se demandent pourquoi les aveugles jouent au golf. Ils ne comprennent pas que ce qui importe, c'est l'excitation qu'on ressent à frapper la balle de golf. Et il n'est pas nécessaire de la voir pour l'apprécier. »

*Jack Cavanaugh*

# *Une passion d'enfance qui résonne*

J'ai attendu que ma mère parte. Puis, après avoir ouvert la porte avant et regardé disparaître la Ford Falcon blanche, j'ai pris position pour mon coup de fer 8. En plein centre du salon, une balle de golf en plastique sur le tapis, j'ai aligné mon coup parfaitement dans la petite ouverture près du chandelier, laquelle menait vers la porte arrière en route vers ma cible, un carré de moustiquaire au fond de la véranda.

À treize ans, je frappais des balles à l'intérieur depuis plus d'un an. Les coups de fer 8 étaient mes préférés – même les balles de pratique en plastique ont une trajectoire idéale avec ce bâton. J'aimais la silhouette particulière de ce bâton. Il avait l'air brave et se distinguait par rapport aux autres bâtons. Il n'avait rien de l'angle prononcé du fer 7 (qui me faisait penser à un morceau de tarte), ni même la rondeur bulbeuse et enflée des *wedges*. Décidément, quand on prenait position avec un fer 8, on voyait exactement ce qu'il était: un bijou de machine à mesurer.

Au cours de l'année écoulée, un petit point d'usure avait commencé à apparaître sur le tapis, et même si cette marque ne faisait pas plaisir à ma mère, elle n'en faisait pas de cas à la pensée que peut-être un jour je gagnerais des millions sur le circuit et que je lui achèterais une maison de rêve.

Par contre, mon élan suivant produirait un grand coup que personne ne saurait ignorer. Mon élan arrière m'a semblé assez ordinaire, une bonne rotation. La transition était bonne, elle aussi. Les autres enfants ont des chiens; moi, mon élan était mon fidèle serviteur. Le bâton est arrivé exactement là où il le devait, et avec un relâchement bien calculé, j'ai parfaitement aligné la face d'acier forgé du bâton.

Mon *tee* de pratique dans le salon se situait près du piano familial. Quand on frappe une balle de golf de pratique en plastique, elle rappelle la sensation douce et légère de tapoter un ballon. Lors de cet élan fatal, j'ai bien ressenti cela, suivi immédiatement après par un *bruit sourd* des plus inattendus. J'avais solidement frappé le côté du piano avec mon fer 8, qui était maintenant profondément encastré dans la chambre de résonance de l'instrument. On ne voyait plus que la tige argentée. J'étais figé sur place. Le tableau devait ressembler à une farce de boulevard.

Je n'aimais pas me considérer comme un enfant délinquant. J'étais un bon élève et un bon athlète. Je mangeais mes légumes, je ne fumais pas et je compatissais avec les enfants qui étaient moins fortunés que moi. Cependant, sachant que j'avais fait quelque chose de mal, l'instinct criminel a pris le contrôle.

J'ai sauté sur ma bicyclette et je me suis dirigé vers le magasin de bonbons, puis au magasin de matériel d'art, en face. J'ai vu la voiture de maman au supermarché et je me suis rappelé qu'elle avait mentionné vouloir s'arrêter chez son amie Phyllis avant de rentrer. J'en ai conclu qu'il me restait une heure et demie pour exécuter mon plan.

De retour à la maison, il n'y avait pas un instant à perdre. J'ai mâché une bonne quantité de gomme et je l'ai collée dans le « divot » (motte de gazon) vertical défoncé dans le piano. Puis, avec la liberté enthousiaste d'un Van Gogh, j'ai coloré la gomme rose en brun, tâchant de reproduire la teinte du bois de l'instrument.

Mon escapade malheureuse s'est terminée rapidement. Maman est rentrée avec ses courses, a vu la gomme dégoulinant de peinture à l'eau bon marché sur le trésor familial et a fait une sainte colère. Mon père qui, sur le parcours de golf, s'émerveillait de tous mes bons coups comme un ténor qui chanterait « Sonny Boy », une bouteille de Guinness à la main, a soudain rejeté l'idée qu'il puisse y avoir une dimension spirituelle au golf. Comparer à mon postérieur, la marque sur le piano ressemblait à la surface d'un lac de montagne tranquille au lever du jour. Le piano porte toujours sa cicatrice, mais les miennes ont guéri, et je suis devenu un golfeur. J'ai même joué sans marge d'erreur pendant des années alors que j'enseignais à Memphis.

Ma passion pour le golf dépasse pourtant le simple plaisir de jouer. Elle pénètre jusqu'à la racine même du mot passion, qui est basée sur l'idée de souffrance. Lorsque nous reconnaissons la souffrance des autres, nous apprenons la compassion. Chaque fois que je joue au golf, je vois ma propre frustration qui se reflète dans l'exaspération de mes partenaires et je me souviens de ce que j'ai appris quand, enfant, je pratiquais mon élan dans le salon – que le monde n'est pas une scène, mais un parcours de golf.

*Andy Brumer*

# *Un cadeau approprié*

Richard, mon mari, est un accro du golf et il aime pratiquer son élan sur notre pelouse. Souvent, il lui arrive au cours de l'été de briser une fenêtre ou deux.

« Pas grave », disons-nous chaque fois. « Au moins ce sont nos fenêtres. » Et nous faisons remplacer la vitre.

Une année où il avait de la difficulté avec sa *slice* (son crochet de droite), il a brisé un grand total de quatre fenêtres.

Le printemps suivant, il a reçu un colis. C'était une boîte d'une douzaine de balles de golf. Sur la carte qui les accompagnait, il était écrit:

« Bonne saison. De Mike, votre vitrier. »

*Kay B. Tucker*

# *Peiner pour réaliser son rêve*

*Ted Rhodes était le meilleur golfeur que j'ai jamais vu et cela inclut Arnold Palmer et Jack Nicklaus. Si on lui avait permis de jouer sur le circuit de la PGA, il aurait tout raflé.*

Charlie Sifford

Par un matin de 1926, un petit garçon, William Powell, a marché le long d'une voie ferrée pendant 11 kilomètres. Il a trouvé son avenir. Non pas qu'il le savait. Tout ce qu'il savait, c'est qu'il avait aimé ce qu'il avait vu ce matin-là. Il avait vu un parcours de golf. Grands dieux! Quelle affaire! Il n'avait jamais vu autant de verdure.

« Superbe », dit-il aujourd'hui, soixante-quinze ans plus tard. Mais il le dit mieux que cela. Il le prononce mélodieusement, doucement, lentement. « Suuupeeerbe », dit-il.

Par un matin de 2001, l'arrière-petit-fils d'esclaves de l'Alabama est assis dans une voiturette près du premier départ de son propre parcours de golf. Il l'a construit de ses mains, avec l'argent qu'il a gagné à l'usine, pendant des journées de dix-huit heures, en compagnie de sa femme et de ses enfants travaillant à ses côtés.

Les gens roulaient sur la route 30 en Ohio et voyaient William Powell sur sa terre sauvage qui arrachait les souches comme des dents gâtées. Ils le voyaient à cheval, tirant, brûlant, dégageant, arrachant les poteaux de clôture et enlevant les roches, plantant, arrosant et tondant. Il suait des rivières.

« Nous avions 27 hectares, une grange délabrée, une laiterie en ruines, des poulets dans les mauvaises herbes, pas de plomberie, pas de chauffage et un énorme matou qui chassait des rats aussi gros que lui », dit Powell. « Peu importe ce qu'était "l'esprit de pionnier", nous devions l'avoir. »

Il a mal partout. Quand on lui demande s'il joue encore au golf, il rit: « Je fais semblant. » Il mesure 12 centimètres de moins que les 1,75 m du joueur de football qu'il était dans sa jeunesse à l'université Wilberforce. « À 86 kg, j'avais l'air d'en faire sept de moins. »

Il touche son blouson. « Pour la première fois, j'ai un ventre. »

Ce qu'il peut parler! Pendant trois heures, nous causons. Il conduit un visiteur autour du *Clearview Golf Course* en disant des paroles sensées. « J'aime mieux échouer en essayant que de réussir en ne faisant rien. »

De la façon dont il raconte son histoire, c'est une leçon de l'histoire américaine. Il a travaillé à ce parcours non pas pendant des mois, ni des années, mais pendant des décennies.

Quand il a entrepris son projet, vers la fin de 1946, le circuit de golf professionnel a appliqué une clause de « Blancs seulement ». Jackie Robinson ne jouait pas encore pour les Dodgers. Pendant que Powell travaillait à son projet, Rosa Parks a été arrêtée, Emmett Till a été battu à mort, Martin Luther King Jr. a été abattu, Watts a brûlé. Quatre jeunes filles sont mortes dans une église à Birmingham, en Alabama. Bull Connor a lâché les chiens de la guerre raciale.

William Powell continuait de travailler. Sa fille, Renee, ancienne joueuse du circuit LPGA, aujourd'hui professionnelle en chef de *Clearview*, demande: « Comment peut-on poursuivre pendant cinquante ans un projet quand on vous met constamment des bâtons dans les roues à cause de la couleur de votre peau? L'histoire de mon père est: "N'abandonne jamais." Sur le circuit, j'ai reçu des menaces de mort et quand j'appelais à la maison en pleurs, devinez quoi? Mes parents ne m'ont jamais dit "Rentre à la maison". »

Les banquiers ont refusé de lui prêter de l'argent, même pas un prêt aux GI. Un agent d'assurances lui a dit de ne pas parler de son projet, car les Blancs viendraient construire un autre parcours juste à côté du sien. Des vandales ont pillé ses maigres ressources. Il a continué à travailler. « Même les Noirs croyaient que j'étais un peu fou, dit Powell. Qui d'autre voudrait combattre sans arrêt une société raciste et l'apartheid? Mais, j'avais la passion du golf. Il fallait qu'elle se manifeste. »

Le golf l'avait envahi ce matin de 1926. Willie Powell et son ami George avaient quitté leur petite ville de Minerva, en Ohio. Ils ont suivi la voie ferrée pour voir un parcours de golf, même s'ils ne savaient pas ce que c'était.

Ils ont traversé en courant un tunnel d'un demi-kilomètre de peur de se faire coller contre le mur par un train. Un mur dont les pierres s'écroulaient sous la vibration des locomotives qui passaient à toute vapeur.

Les garçons ont été témoins de la construction de la voie ferrée par d'énormes pelleteuses à vapeur. Ils ont entendu les explosions de dynamite. « Très excitant », dit Powell. « Comme s'ils creusaient le canal de Panama. »

C'est alors qu'ils ont vu le parcours de golf – superbe – le *Edgewater Golf Course*. Ils y ont passé la journée. Powell a pu voir une Ford modèle T transformée en tracteur-tondeuse avec des roues arrière de trente centimètres de large en acier et un rouage d'entraînement à chaîne dont les maillons faisaient près de deux centimètres. Il a vu des golfeurs frapper des balles dans le ciel et il a été étonné de voir la distance parcourue par ces balles. Il voulait essayer lui-même, si jamais sa mère le laissait de nouveau sortir de la maison.

Il faisait nuit quand le gamin a tenté de se glisser dans son lit après avoir franchi les 11 kilomètres de retour. C'est alors qu'il a entendu sa mère dire: « Willie! Va me chercher une branche! »

Elle voulait une branche très souple provenant du saule du parterre avant. Elle s'en servait de façon très efficace. Le garçon, aujourd'hui âgé de 84 ans, William Powell, frétille encore sur le siège de sa voiturette de golf et dit: « C'est une correction que je n'oublierai jamais. »

Mais il était mordu du golf. Il a travaillé comme caddie pour trente-cinq cents la partie. Il est devenu un joueur qui aurait pu devenir professionnel à une autre époque. « Je jouais bien, mais comme John Shippen et Teddy Rhodes et tant d'autres, je n'avais pas l'occasion. Nous devions payer la taxe du racisme. »

Pendant la Deuxième Guerre mondiale, le Sergent Powell de l'armée américaine organisait des convois de camions en prévision de l'invasion du jour-J. Pendant ses congés, il jouait au golf partout en Grande-Bretagne. Mais, de retour à la maison, la guerre terminée, pas de golf.

« J'avais risqué ma vie pour ce pays », dit-il. « Je venais de quitter un pays où on m'avait traité comme un être humain. Je devais maintenant être heureux d'être traité comme un moins que rien? Je ne pouvais participer aux tournois locaux. Je savais qu'on aurait dû me le permettre, mais il n'y avait rien à faire. »

Rien? Powell avait été capitaine des équipes de golf et de football de son collège. Il avait dirigé des hommes dans l'armée. Il citait souvent le directeur-adjoint R. R. Vaughn: « Billy, tu n'es qu'un petit Noir et tu dois comprendre que tu ne peux rien faire aussi bien qu'un petit Blanc. Tu dois faire mieux! »

Il ferait quelque chose. « Je n'acceptais pas d'être contrôlé par certains éléments de la société – vous savez lesquels – quand ils n'avaient pas mes standards. »

Il allait donc construire son propre parcours de golf. « Il le fallait », dit-il. « Je devais le faire pour ma propre fierté. C'était nécessaire. J'avais le droit d'exister. »

Bien des années plus tard, William Powell sait pourquoi il voulait construire *Clearview*. Mais il ne sait pas pourquoi il croyait qu'il réussirait. Il n'avait ni argent, ni terrain, et ne savait pas comment s'en procurer. « Puis, il y a eu des miracles », dit-il.

Sa femme, Marcella, et lui avaient admiré le terrain qu'ils voyaient en se rendant de East Canton à Minerva. Le terrain fut bientôt mis en vente. Il s'est associé à deux médecins; sa contribution provenait d'un emprunt fait à son frère.

Aujourd'hui, *Clearview* est un parcours de dix-huit trous qui s'étend sur 53 hectares de terrain verdoyant et vallonné, orné de cornouillers et de sassafras, de chênes et d'érables. Une brise fraîche souffle sur la terre en friche transformée en espace vert. Au premier départ, une affiche parle du « Parcours de l'Amérique ». Le 16 février 2001, *Clearview* a été inscrit au registre national des lieux historiques.

Jeff Brown, un historien de l'Ohio qui a complété le formulaire de demande d'inscription, dit: « C'est une histoire étonnante. Le seul parcours de l'histoire américaine dessiné, construit et propriété d'un Afro-Américain. »

« La leçon de la vie de M. Powell », dit le Dr Obie Bender, adjoint au président du Baldwin-Wallace College et membre de *Clearview* depuis trente-cinq ans, « est "Ne permettez pas aux autres de vous définir." »

La femme de Powell, Marcella, est décédée en 1996. Son fils, Larry, est surintendant du parcours. Sa fille, Renee, dirige la boutique, donne des leçons et, comme le reste de la famille, est engagée dans la Clearview Legacy Foundation, dévouée à la préservation de l'histoire du parcours.

Les Powell auraient besoin d'un musée juste pour y exposer tous les honneurs qu'ils ont reçus: un doctorat honorifique de Baldwin-Wallace. Le Prix Jack Nicklaus pour la famille de golf de l'année du National Golf Foundation, en 1992. Une bourse de la Fondation Tiger Woods au nom de William et Marcella Powell. Membres à vie de la PGA of America.

C'est bien beau, mais c'est tard. « Ces honneurs sont merveilleux », dit Powell sur le premier départ, cinquante-cinq ans après avoir quitté la U.S. Route 30 pour suivre une allée de terre battue et commencer l'œuvre de sa vie, « mais il manque quelque chose, parce que Marcella n'est pas là pour les partager. Elle n'a jamais dit "Ton projet ne se réalisera jamais." »

Il fait faire le tour du propriétaire à un visiteur par un doux après-midi et il parle d'une souche par-ci, d'un ruisseau par-là, et des fleurs.

Il arrête au nouveau départ du cinquième trou, en rénovation avec l'aide de la PGA of America, et il montre trois érables qui sont maintenant en plein centre de l'allée plutôt qu'en bordure.

« Nous les abattrons », dit-il.

« Il serait peut-être intéressant », suggère le visiteur, « d'en laisser un dans l'allée. »

Soudain, William Powell lève le menton. Ses yeux deviennent brillants. « Nous pourrions peut-être », dit-il. On décèle l'excitation d'un jeune garçon dans la voix du vieil homme.

*Dave Kindred*

# *Les débuts d'une relation amour-haine*

*Je souhaiterais que les allées soient plus étroites. Ainsi, tous les joueurs devraient jouer de l'herbe longue, pas seulement moi.*

Seve Ballesteros

Mes excuses au propriétaire de la résidence sur South Mountain, celui qui a dû se demander si une comète ne venait pas de frapper son mur. Honnêtement, je ne savais pas qu'une petite balle blanche pouvait faire tant de bruit en frappant une maison.

Mes excuses à l'homme qui est apparu dès que j'ai eu frappé la balle, celui qui s'est soudainement présenté dans mon allée et qui a échappé par quelques centimètres à la fin de sa vie, sans parler de son match. Je devrais vraiment apprendre à dire « Fore » un peu plus tôt.

J'ai beaucoup d'empathie pour une certaine femme, celle qui s'interroge présentement sur les politiques de retour des maris.

Je l'admets, j'ai fait quelque chose d'horrible pendant mes vacances. J'ai appris à jouer au golf.

Je ne sais pas ce qui a précipité cette folie. Un jour, je me suis retrouvé en train de chercher sur l'Internet et d'imprimer des pages et des pages sur l'élan de golf. Les quelques journées suivantes ont été vécues dans un cocon ridicule: des visites aux guichets automatiques, des visites au terrain de pratique, des séances de pratique d'élan à minuit dans mon entrée. Puis, ce fut l'orgie.

Onze rondes, neuf différents parcours et vous dire ce dont j'ai été témoin.

J'ai connu l'euphorie, la satisfaction intense d'un bel élan et d'une balle qui vole très, très loin. J'ai été un peu alarmé par mes erreurs, particulièrement quand le résultat se trouve quelque part, non loin d'une affiche parlant de serpents à sonnettes dans les environs immédiats.

J'ai vu une femme horrifiée dans son jardin, pleine de ressentiment envers une balle qui a frappé son toit de tuiles, comme si un terrain de golf avait soudain poussé autour de sa maison.

J'ai envahi un vert caché sans savoir que le quatuor qui me précédait ne l'avait pas encore quitté, puis, après m'être excusé, j'ai joué une de leurs balles.

J'ai complété une ronde en deux heures et cinq minutes. Seul. Une journée grisante où le parcours semblait désert et que j'étais la seule personne vivante. Évidemment, ce jour-là, les astres m'étaient favorables, les bâtons étaient des baguettes magiques, et j'étais le maestro – une journée où j'aurais aimé avoir des témoins.

Une autre fois, il m'a fallu trois heures et demie pour jouer le premier neuf, coincé derrière une légion de quatuors très lents. Une parade de tortues, voilà le purgatoire du golf.

J'ai vu des hommes mesurer de très longs coups roulés pendant cinq minutes, puis faire rouler la balle sur une longueur de six pouces.

J'ai vu un ami frapper un coup à angle droit ratant de peu un autre ami assis dans la voiturette. J'ai volontiers raclé le sable.

Et, au moment où vous croyez être le plus grand et le seul idiot de la planète…

Un après-midi, alors que je me dirigeais vers ma balle qui reposait sur le dernier brin d'herbe avant le lac, un plongeur est sorti de l'onde. En habit de plongée, il transportait environ six mille mauvais coups.

C'est certain, la misère adore la compagnie.

Le golf est bien semblable à la vie. Il nous humilie sans fin. Le tout enrobé d'un bouquet d'espoir. Mais, au bout du compte, il nous en donne tout juste assez pour nous inciter à continuer.

Honnêtement, je vous dirai que cette expérience a été motivée par la curiosité et par le désir d'acquérir des compétences sociales. Vivre en Arizona et ne pas apprendre à jouer au golf, c'est comme vivre à Paris et ne pas parler français. Je crois toujours qu'une activité qui exige qu'on porte une chemise avec un col n'est pas un sport, mais en tant qu'activité récréative, le golf crée de l'accoutumance. C'est beaucoup mieux que le ping-pong et qu'une randonnée en voiturette qui a mal tourné.

C'est vraiment un jeu fascinant. Intoxicant par sa solitude, décadent par sa consommation de temps, un merveilleux rappel du plaisir de marcher sur une pelouse.

Je veux bien admettre qu'il me reste encore beaucoup à apprendre sur l'étiquette, et que je n'oublierai jamais l'air de mon ami quand je suis arrivé à notre premier rendez-vous de golf avec un t-shirt. J'en suis cependant rapidement devenu amoureux et je suis prêt pour la prochaine étape.

Car, je commence à détester ce jeu.

Vendredi, j'ai frappé trois bons coups d'affilée et un *putt* de six pouces pour le premier oiselet de ma vie.

Samedi, sur le tertre de départ, j'ai complètement raté la balle.

Maintenant, je comprends.

Pourquoi on appelle ça le golf? Parce que le mot « %!#!@ » était déjà pris.

*Dan Bickley*

# 7

# LE DIX-NEUVIÈME TROU

*Une ronde de golf devrait*
*nous inspirer dix-huit fois.*

A. W. Tillinghast

*Je sais que mon golf s'améliore*
*car je frappe moins de spectateurs.*

Gerald Ford

# *Le plaisir de la chasse*

Trouver des balles de golf ressemble à une course aux trésors pour adultes. J'aime cette sensation juvénile de moments d'excitation « Hé, *cool*! », même si je serai très bientôt dans la catégorie des golfeurs seniors. De plus, personne n'a jamais trop de balles de golf. Pour être honnête, la fois où je me suis senti le plus riche a été lorsque j'ai acheté une grosse de balles. J'étais au septième ciel! Il suffit de prendre une *sleeve* (boîte allongée contenant trois balles) de ces brillants joyaux blancs et de se diriger vers le parcours. Un jour, je les ai toutes mises sur le tapis et j'ai joué avec comme un chaton avec une souris-jouet. Je les prenais à pleines mains pour le simple plaisir sensuel de les sentir glisser dans mes doigts comme de grosses gouttes d'eau. Malheureusement, elles ont disparu trop rapidement.

Je sais, c'est ma faute. Si j'avais mis plus de temps à frapper les vieilles balles dures du terrain de pratique, les belles balles auraient duré plus longtemps. Bien sûr, l'impression d'une *sleeve* de balles neuves est bonne, mais rien ne ressemble à la joie d'en posséder une grosse. *Douze douzaines!* C'était l'abondance au sens biblique: « Tu posséderas des globes d'albâtre pur du meilleur *balata* et leur nombre sera infini » (Livre d'Arnold, Chapitre 4, Verset 72). Il est toujours plaisant de trouver des balles. Vous êtes sur le parcours, lors d'une mauvaise ronde. Vous en frappez une autre très haut, par-dessus les arbres, et elle s'arrête dangereusement près des limites du terrain. Vous marchez péniblement vers le bois en espérant qu'elle n'est pas perdue et que, par miracle, vous pourrez la jouer. *Voyons. Je pourrais jouer un* punch-slap *(coup massé) à la hauteur du genou et la faire courber autour de ce pin.* Vous voyez ce que je veux dire. Soudain, je vois une balle perdue et je me sens un peu mieux. C'est comme si les dieux du golf avaient eu pitié de moi et m'avaient offert une compensation. Ouais!

Comme s'ils s'en souciaient vraiment! Ce sont ces mêmes dieux du golf qui ont laissé à un millimètre de la coupe votre *putt* pour gagner le match contre votre beau-frère arrogant. « Beau coup, Tarzan! » Ce sont eux aussi qui lui ont permis de frapper un violent crochet de gauche avec un fer 4, au-dessus de l'eau, toucher une roche pour rebondir sur le vert à courte distance du fanion, ce qui lui a valu un oiselet, alors que vous avez frappé un superbe coup de fer 6 qui s'est retrouvé dans la fosse de sable à l'arrière du vert. La sympathie n'est pas leur fort. De plus, si vous n'aimiez pas qu'on abuse de vous, vous ne joueriez pas au golf. Je m'étonne qu'on ne retrouve pas plus souvent dans les petites annonces gratuites des journaux: « Recherché: Mâle soumis cherchant discipline et conseils sur ses coups. Prière de demander Maîtresse Flog. »

Alors, en bon dominé, vous ramassez la balle et, sans gêne, la mettez dans votre sac. Pour sauver la face, vous dites: « C'est pour ma pratique. » Bien sûr. Tout le monde voudra bien croire que a) vous pratiquez, ou b) vous ramassez vos propres balles. Pourtant, personne ne vous contredit car ils ont dit le même mensonge. Vous êtes comme des ivrognes conspirateurs dans une ruelle qui s'écoutent jurer qu'ils vont tous arrêter de boire et devenir de bons citoyens. En vérité, cette petite merveille vous sera utile. Tôt ou tard, vous noierez une fois de trop une de ces précieuses petites boulettes de *surlyn* que vous venez de retirer de son *sleeve* et vous vous rabattrez sur les vieilles balles. Vous allez les perdre de toute façon, pourquoi alors gaspiller les bonnes?

Récemment, la chasse aux balles de golf a pris un tout nouveau sens pour moi. Je rendais visite à un ami à Myrtle Beach, en Caroline du Sud. Il habite en bordure d'un parcours de golf. (Je sais, tout le monde à Myrtle Beach habite près d'un terrain de golf.) Nous faisions une promenade en soirée avec Fido, et voilà que je la vois: une balle haut de gamme, blanc luisant, à peine usagée, dans l'herbe longue, à environ 220 verges du premier tertre de départ. Une trouvaille! Avez-vous consulté le prix de ces choses récemment? Cinquante-quatre dollars la douzaine, quand il y en a! Un calcul rapide vous dit que cela représente 4,50 $ la balle, moins l'usure qui, dans ce cas, correspondait probablement à un élan.

« Tu la veux? », ai-je demandé.

« Non, garde-la », a répondu mon ami. « J'en ai un plein garage. »

Je ne croyais pas qu'il savait quelle marque de balle j'avais trouvée, mais je l'ai prise. Un peu plus loin, j'en ai trouvé d'autres. Elles n'étaient pas toutes de la même qualité, mais la plupart étaient de haut de gamme avec quelques cicatrices. J'étais accro! Vous le seriez aussi si vous veniez de trouver 5 $. C'étaient les Champs-Élysées des golfeurs. J'en voulais encore. « C'est superbe! », ai-je dit. « J'aimerais faire la même chose chez moi. »

Il a répondu: « C'est sûrement possible. Il y a moins de concurrence à Charlotte. Ici, il faut sortir tôt si nous voulons battre les retraités à ce jeu. »

Il avait raison. Combien peut-il y avoir de personnes dans une communauté « golfique » haut de gamme qui prendraient (ou perdraient) leur temps à chasser des balles? « Mon cher Barfield, ce ne serait pas une balle usagée par hasard? » J'avais besoin d'un prétexte, d'un déguisement, d'un plan. J'ai donc surpris ma femme en lui disant: « Chérie, j'ai besoin de plus d'exercice. Je crois que je vais commencer à faire une promenade chaque soir. »

J'ai attendu le lundi. Le parcours était fermé, je ne risquais donc pas de rencontrer les golfeurs de fin d'après-midi. De plus, après tout un week-end de jeu, les bois devraient déborder de petits fruits pleins de fossettes prêts à être cueillis.

J'ai mis un chapeau et de l'anti-moustique pour chasser les tiques et les maringouins. Je portais des shorts longs et des bas aux genoux pour réduire les risques d'herbe à puce. J'ai pris un fer 6, sous prétexte d'éloigner les chiens mais qui ferait aussi bien l'affaire dans le cas des serpents, j'ai mis un sac de plastique dans ma poche et je suis parti.

En marchant d'un pas rapide, je préparais mon plan. J'ai fixé mes règles. Pas de fouilles dans les jardins des voisins. Ils avaient payé très cher pour donner sur un parcours de golf, ils méritaient donc de garder les balles qui s'égaraient sur leur terrain. Les étangs étaient hors limites. Je ne peux pas me résoudre à acheter une puise. De plus, cela serait trop évident.

Je devrais choisir. Les terrains vagues étaient légitimes, mais le meilleur terrain de chasse demeurait le côté droit des trous en pente. Il faut aller là où les joueurs avec des crochets de droite perdent leurs balles et ont peur d'aller les chercher. Il faut aussi être prêt à affronter quelques dangers comme la maladie de Lyme, les serpents venimeux et les entorses aux chevilles.

Mon plan a fonctionné à merveille. Mon ami avait raison; je n'avais pas de concurrents. Je suis rentré à la maison avec dix balles. Le lendemain, je les ai amoureusement lavées et triées. Les balles de pratique, celles des enfants, les balles ordinaires et celles pour les tournois. C'était Noël. Le lendemain, les résultats étaient encore meilleurs. J'avais amélioré ma technique de recherche.

J'ai continué à faire mes « promenades » et je ne suis jamais rentré bredouille. À plusieurs occasions, j'ai trouvé deux douzaines de balles. Pas toujours en parfait état, mais tout à fait jouable. Dans plusieurs cas, ces balles n'avaient été frappées qu'une seule fois et portaient des traces de boue. C'est tout ce qui les séparait de la boutique du professionnel. Pour un homme qui avait cessé de porter des gants de golf par mesure d'économie, c'était une manne. J'ai retrouvé cette impression de fausse richesse extravagante. J'endure avec plaisir le fardeau opulent des choix à faire. « Quelle balle à 50 $ la douzaine vais-je prendre aujourd'hui? »

C'est encore mieux autour du bar au chalet. « Cette marque est plus molle, mais je préfère la faible rotation de celle-ci sur mes coups de départ », m'arrive-t-il de dire. « Par contre, rien ne bat cette troisième marque pour les coups roulés. » Je suis devenu un expert en matière de balles de golf.

Mes copains m'envient le luxe de jouer avec plusieurs marques de balles. Ils se demandent s'ils jouent assez bien pour discerner de telles différences subtiles d'une marque à l'autre. Ils sont épatés quand j'ose un coup de l'herbe longue sans crainte de l'eau qui est devant. Ma taille s'est amincie, mon portefeuille est plus épais et mon cholestérol et mon pointage ont baissé. La vie est belle.

Maintenant, si je pouvais trouver le lieu où les gens lancent leurs nouveaux bois de départ.

*Henry Lawrence*

*Reproduit avec l'autorisation de George Crenshaw, Masters Agency.*

# *Dieu merci!*
# *J'ai toujours mon autre métier*

Au deuxième tertre de départ au *Old Course* de St. Andrews, mon partenaire de jeu et professionnel itinérant, Paul McGinley, s'est tourné vers moi et m'a fait un clin d'œil en disant: « Félicitations, tu viens de rater les deux plus larges allées du monde du golf. » J'ai ri. Aussi étrange que cela puisse paraître, c'était ce que j'avais fait! Hors-limites vers la droite sur le 18e et un coup à angle droit avec un fer 3 sur le premier départ du *Old Course*. Aïe!

Nous avions commencé notre ronde sur le 10e trou, et notre équipe affichait 10 sous la normale après vingt-huit trous. (La veille, nous avions joué au *Kingsbarns* et Paul avait terminé à 6 sous la normale.) Aujourd'hui, il s'acheminait vers un 64 pour égaler le record du parcours. Donc, coup dérouté ou allée ratée, peu m'importait. J'étais au paradis.

C'était le vendredi, deuxième ronde du Championnat de quatre jours Pro-Am Dunhill Links en Écosse. Paul et moi jouions sur le *Old Course* à St. Andrews, en compagnie de Sven Struver et de son partenaire amateur, le descendeur légendaire Franz Klammer. Demain, nous nous rendrions au *Carnoustie* pour revenir au *Old Course* le dimanche pour la quatrième et dernière ronde, si nous nous qualifiions.

J'étais là parce que j'avais participé au tournoi caritatif de Michael Douglas à Los Angeles plus tôt dans l'année. C'est là que j'avais rencontré Iain Banner, membre de l'équipe Dunhill, le commanditaire du tournoi en Écosse. Il avait promis d'inviter toutes les célébrités qui avaient participé au tournoi de Michael et, chose promise, chose due, une invitation est arrivée chez moi par la poste pour une semaine de golf sur trois des parcours les plus vénérés du monde du golf. *Sans blague!*, ai-je pensé. *J'y vais!* J'ai retourné mon formulaire dûment signé le jour même.

Je suis arrivé le lundi après-midi, en provenance de New York, décidé à jouer le plus possible pendant les rondes de pratique avant le début officiel du tournoi, le jeudi. Le tirage au sort des équipes a eu lieu le mardi soir. Il y avait plusieurs professionnels, mais surtout du circuit européen. Peu de professionnels étaient venus d'Amérique, à cause du 11 septembre. La liste des acteurs américains était aussi courte: Michael Douglas, Samuel Jackson, Hugh Grant (de Los Angeles) et moi.

Johann Rupert, président du tournoi et un hôte aussi exubérant que généreux, a lu la liste des équipes. Kyle MacLachlan avec Paul McGinley… Les gens autour de moi ont approuvé. Bon golfeur, Coupe Ryder, très compétitif mais aussi très facile à vivre. J'espérais seulement ne pas lui nuire, car la bourse du gagnant était de 800 000 $.

J'étais, naturellement, inquiet de mon élan. J'étais un assez bon joueur, car j'avais grandi en jouant au golf dès mon jeune âge. Conseillé par mon père et ses amis golfeurs, mon élan était assez bon, ressemblant un peu à celui de Tom Weiskopf. Droit avec un bon geste descendant et sous la balle. J'avais fait partie de l'équipe de golf de mon école secondaire, habituellement sixième ou septième joueur, et il m'arrivait de remettre une carte de 4 ou 5 au-dessus de la normale. Aujourd'hui, je manquais de temps pour jouer. Je jouais environ une douzaine de fois par année. C'était assez pour me rappeler ce que j'avais déjà été en mesure de faire, mais pas assez pour le réaliser. J'ai commencé à imaginer le désastre télévisé au cours du week-end. Ainsi, le vendredi après-midi, après avoir bûché pendant ma première ronde au *Kingsbarns* et une désastreuse deuxième ronde au *Old Course*, j'ai mis mon sort entre les mains du magicien du golf Robert Baker et de son partenaire en enseignement, Grant Hepburn.

Dans leur infinie sagesse, les commanditaires du tournoi avaient installé un centre de formation près du terrain de pratique pour les malheureux amateurs qui, comme moi, avaient perdu (ou n'avaient jamais eu) leur élan. C'est ainsi qu'après avoir regardé mon élan et l'avoir enregistré sur vidéo, ils m'ont démonté, avant de me remonter à l'image de Ernie Els. (C'était son élan qu'on avait mis sur ordinateur – et que j'essayais d'imiter – et un des nombreux professionnels avec lesquels Robert travaille régulièrement.) Quand je dis démonté, je n'exagère pas. Nouvelle prise, nouvelle position face à la balle, nouvelle position à la fin de mon élan arrière – une remise en état complète – et cela a donné des résultats. J'ai commencé à frapper la balle. Je veux dire, j'ai commencé à canonner la balle. Et elle était droite! Après avoir entendu pendant des années « de l'intérieur vers l'extérieur » sans jamais pouvoir y arriver, je le réussissais pour la simple raison que ma position de départ débouchait naturellement sur cette trajectoire. Robert et Grant m'avaient sauvé la vie en un après-midi. J'étais revigoré et déterminé à mettre ce nouvel élan en pratique.

Le lendemain matin, nous nous sommes dirigés au nord vers *Carnoustie*. Le vent poussait la pluie à l'horizontale. Le tournoi s'était déroulé dans le brouillard et la pluie depuis le début de la semaine. Aujourd'hui, c'était la pire journée, et nous jouions sur le parcours le plus difficile. Notre équipe a réussi à terminer à trois sous la normale, Paul ayant joué brillamment dans des conditions exécrables, dix-sept normales et un oiselet. J'ai connu, moi aussi, un moment de gloire, en sortant de la tristement célèbre fosse Spectacles du 14e trou et réussissant mon roulé pour un oiselet naturel. Mon nouvel élan était toujours une œuvre inachevée, (que pouvais-je espérer d'autre?) et sans être régulier, mais j'étais certes plus confiant.

Au cours de l'après-midi, je suis retourné au terrain de pratique. J'ai commencé à rêver de coups de golf. Le monde et ses problèmes avaient disparu. Mes contacts avec la réalité se limitaient à un appel de bonne nuit à ma fiancée, qui m'a incroyablement encouragé, et à mon père, à l'autre bout du monde. Je l'appelais chaque jour pendant ma ronde et, à une occasion, pendant que les caméras étaient sur nous, j'ai passé le téléphone à Paul pour qu'il lui dise bonjour. Mon père, qui regardait le Golf Channel à 4 heures du matin à Yakima, Washington, s'est vu parlant à Paul McGinley sur le 12e départ de *Carnoustie*, avec son fils dans le décor. Cet instant, à lui seul, valait le déplacement.

Mon père avait joué en Écosse environ dix ans plus tôt pendant un pèlerinage de golf. Il m'a parlé du golf « sur des parcours », du vent, de la température chimérique, de la nature rude des Écossais et de leur amour du golf. Ces gens connaissent vraiment leur sport. Ils ne gaspillent pas leurs applaudissements pour la simple raison que vous avez atterri sur le vert. Non, monsieur! Il vous faudrait placer la balle à moins de douze pieds à partir de l'herbe longue et passer au-dessus des arbustes avec un fer 5. Un tel coup vous vaudrait des applaudissements bien mérités.

J'ai frappé quelques coups de cette nature, mais bien plus de l'autre sorte. Pas aussi raté que le coup de fer 3 à angle droit, mais assez pour me faire apprécier le fait que j'avais un travail régulier qui ne demandait pas des coups de départ de trois cents verges et d'atteindre les verts en coups réglementaires.

La leçon la plus importante de cette semaine d'observation attentive est peut-être la suivante: il est impossible pour le golfeur amateur à la maison d'imaginer ce que vit le golfeur professionnel pendant sa ronde. Chaque coup est exécuté en étant certain que la balle fera exactement ce que le pro veut qu'elle fasse.

De plus, ce ne sont pas les spectateurs qui créent la pression. C'est cette danse indéfinissable entre le physique et le mental chez le golfeur. Le besoin continuel d'évacuer la tension. La conviction inébranlable que vous avez choisi le bon bâton pour le coup et que votre corps le réalisera avec la précision qu'exige votre cerveau. Ajouter à cela que c'est ainsi que vous gagnez votre vie et la pression vous semblera intenable. J'ai regardé Paul McGinley faire cela méthodiquement pendant les quatre jours du tournoi, et cela a changé à jamais ma manière de jouer, de pratiquer et de regarder ce sport.

Nous sommes au dernier jour. Paul et moi sommes qualifiés pour les dernières rondes, par un coup. Ce qui est plus excitant (et plus énervant) encore, c'est que Paul est en tête à égalité avec Paul Lawrie à moins quatorze. Cela signifie que je ferai partie du dernier quatuor à prendre le départ du *Old Course*. (J'ai les mains moites sur mon clavier rien qu'à y penser.)

Premier tertre. 11h27. Je suis là avec les comeneurs du tournoi... soupir. Personne n'attend rien de moi, non? *Bang!* Un bon (pas plus) coup de départ avec un léger crochet vers le côté gauche de l'allée et c'est parti. Paul McGinley frappe un coup de fer vers la droite et la balle fait un bon malchanceux dans le ruisseau. Il commence avec un *bogey* 5, Laurie fait un oiselet, et comme ça, Paul vient de tomber à deux coups de la tête. Je réussis une normale et j'aurais été heureux de me retirer au chalet pour jouir de la situation. Malgré tout, je me tire pas mal d'affaire au cours de la journée, je me trouve à deux au-dessus de la normale après 15 trous avant la catastrophe. J'envoie ma balle hors limites sur le 16e, je fais un triple *bogey* 7 sur le *Road Hole* et, sur le 18e – vous l'aurez deviné – un hors-limites sur la droite. Une fin douce-amère pour une ronde de golf dont je ne me serais jamais cru capable au début de la semaine.

McGinley a eu de la difficulté au cours de la dernière ronde, car son *putter* a refusé de collaborer, alors que Lawrie calait un long roulé après l'autre. Sa frustration était palpable. Ce n'était pas un jour faste pour McGinley, pourtant il avait toujours un bon mot d'appui pour moi, me disant que je jouais de bons coups. Lawrie a joué une ronde solide, résistant à une poussée de Ernie Els en calant un *putt* de cinquante pieds de la « Valley of Sin » du 18e pour un oiselet et la possession exclusive de la première place. La foule a crié de plaisir en voyant le coup roulé tomber et Lawrie a esquissé un pas de danse pour souligner sa victoire. À cet instant, tout cela semblait surréaliste, debout sur la frise du vert, assistant à une fin spectaculaire de la part d'un grand golfeur, me sentant inclus dans cette fraternité d'élite.

Puis, tout était fini. Une impression de vide a envahi le parcours. Je ne voulais pas partir tout de suite. Je ne voulais pas lâcher prise encore; je n'étais pas prêt à rentrer dans mon monde. J'ai dit au revoir à mon partenaire et nouvel ami Paul McGinley, et je cherchais à lui dire des mots d'encouragement tout en sachant que le tout paraîtrait ridicule. Je l'ai donc remercié de sa compagnie et de ses mots d'appui qui m'avaient fait tant de bien.

J'ai remonté l'allée du 18e. Il y a quelque chose qui vous hante sur un parcours de golf désert en fin de journée, avec l'écho des petites vérités qui se sont révélées à chaque participant. J'ai commencé à penser au lendemain, à mon voyage de retour et comment cette expérience en Écosse m'avait marqué. De nouveaux amis, une nouvelle appréciation du jeu et des hommes qui le jouent bien et, peut-être, un nouvel élan qui m'accompagnerait dans mon monde et dans la solitude du terrain de pratique où, croyez-moi, j'imaginerai frapper des centaines de coups de départ parfaits en plein centre de l'allée du 18e trou du *Old Course* de St. Andrews.

*Kyle MacLachlan*

# *Jeudi, jour des messieurs*

*Un juge d'État a imposé une surveillance directe de la cour à un club de golf du Massachusetts, suite aux éléments de preuves irréfutables déposés au cours d'un procès, démontrant qu'il y avait de la discrimination sexiste, ce qui justifiait une surveillance judiciaire dans l'intérêt public. Le juge se chargera personnellement de l'instauration des nouvelles politiques au* Haverhill Golf and Country Club.

Nouvelle, janvier 2000

À cause de l'hiver difficile et d'un surcroît de travail au printemps, je n'avais pas mis les pieds à mon club de golf depuis quatre mois. Vous imaginez donc ma surprise quand je m'y suis rendu et que j'ai vu tous ces cabriolets enguirlandés. Ils étaient alignés à l'endroit où on garait habituellement les voiturettes.

J'ai garé ma voiture sous un chêne et je me suis immédiatement rendu voir le préposé qui était maintenant une fille. « Travaillez-vous ici, mademoiselle? », ai-je demandé.

« Je suis la personne préposée aux voiturettes, oui », a-t-elle répondu en mangeant son yogourt, appuyée sur un cheval de manège attelé à un cabriolet. « Mon nom est Ellen. »

« Vous êtes nouvelle, Ellen. » « Ouais. J'ai été embauchée après que James a été karaté. »

« James a été quoi? » « Il a appelé Francesca "Chérie" ou "Bébé" ou quelque chose du genre. Elle lui a donc donné un coup de karaté au cou et elle l'a foutu à la porte. »

« Qui est Francesca? » « Vous ne connaissez pas Francesca? C'est la professionnelle en titre. »

« Elle l'est? Qu'est-il arrivé à Dutch? »

« Dutch qui? »

« Dutch Miller. Il est pro ici depuis quinze ans. »

« Il y a bien un Dutch qui travaille à la cuisine. »

« Dutch est devenu chef? »

« Je ne crois pas qu'on appelle le laveur de vaisselle un "chef". »

Tâchant de rester calme, j'ai dit: « Dites-moi, Ellen, par quel, disons, bizarre concours de circonstances une personne nommée Francesca est-elle devenue notre professionnel en titre? »

« Je l'ignore. Demandez à Juliette. »

« Juliette...? »

« Il y a longtemps que vous n'êtes pas venu ici. Juliette est la directrice du golf. »

Je suis entré en coup de vent dans la boutique et j'ai dit à la jeune femme derrière le comptoir: « Êtes-vous Francesca? »

« Je suis Samantha. Francesca participe à un tournoi cette semaine. »

« Où est Juliette? »

« Elle participe au même tournoi. »

J'ai regardé autour de moi. La boutique avait surtout des bâtons et des vêtements pour femmes. Sarcastique, j'ai demandé: « Avez-vous des Titleist fushia? »

« Non, mais j'ai jaune d'œuf et lime », a-t-elle répondu sérieusement.

J'ai décidé qu'il me fallait un verre, un double Junior, et je me suis rendu au bar des hommes. Il y avait une nouvelle affiche au-dessus de la porte qui disait que l'endroit avait été rebaptisé Le Café d'Emily. « Hello. Je suis membre », ai-je dit à la femme qui m'a accueilli. « Je vois que vous avez changé le nom du bar, mais je présume que je peux toujours avoir un verre. »

« Le jeudi seulement, je regrette », a répondu la femme.

J'ai rétorqué. « Vous voulez dire que je ne peux venir ici que le jeudi? »

« Jeudi est la journée des messieurs au parcours. Évidemment, vous pouvez boire et manger ici les jeudis. Vous ne connaissez pas les nouvelles règles du club? On les a publiées dans le bulletin mensuel du club. »

« J'imagine que j'aurais dû le lire. »

« Je crois que vous auriez dû, en effet. »

« Êtes-vous Emily? »

« Non, je suis Dorothy. Emily participe à un tournoi cette semaine. »

« Et si je vous graissais un peu la patte, Dorothy? Croyez-vous que cela m'aiderait à avoir un verre? »

« Les pourboires ne sont pas permis, monsieur. »

« Alors, a-t-on le droit de quémander? »

« Monsieur, je serai heureuse de vous faire porter un verre au vestiaire des hommes. Il est maintenant à la place qu'occupait celui des femmes, bien sûr. »

« Bien sûr. » J'ai pris mon verre dans ce qui était maintenant le petit vestiaire des hommes, très encombré, et où le préposé m'a dit qu'il pourrait m'apporter un sandwich aux courgettes et betteraves si j'avais un petit creux. J'ai refusé faiblement.

Quand je suis sorti pour partir, j'ai trouvé deux gardes de sécurité féminins qui se tenaient près de ma voiture.

Une d'entre elles a dit: « Vous avez garé votre voiture dans l'espace de Francesca. »

« Excusez-moi », ai-je dit. « Je l'ignorais. »

« Vous le saurez la prochaine fois. » a-t-elle répondu. Je suis rentré à la maison sur quatre pneus crevés et j'ai désespérément commencé à chercher mon jeu de croquet dans les placards de rangement.

*Dan Jenkins*

*Reproduit avec l'autorisation de Jonny Hawkins.*

# *Rêver à une normale*

*Le golf est un jeu où on tente de contrôler une balle avec des outils mal adaptés à cette tâche.*

Woodrow Wilson

Une exposition de défibrillateurs. Passe encore, mais deux? J'ai assez de rappels concernant la direction que prend ma santé physique quand le matin je dois le remonter – et le rentrer – pour attacher mon pantalon. Dans une foire commerciale, je n'aime pas particulièrement me faire rappeler les procédures de réanimation. Bien que, considérant ce qu'on nous donnait comme nourriture dans la salle des médias, savoir qu'une de ces machines se trouvait à proximité était réconfortant au moment de se remettre en ligne pour une seconde portion de poulet parmesan.

Je sais depuis quelque temps déjà que ce dont mon golf a vraiment besoin, ce sont quelques trucs, gadgets, aides à l'élan et équipements non conformes aux règles. Ainsi, ma présence à la version golf de Disney World – la foire annuelle de la PGA à Orlando, en Floride – visait à déterminer ce dont j'avais besoin pour me rapprocher du trou et m'éloigner de ces défibrillateurs.

Il y avait un gant de golf qui promettait d'augmenter ma distance de 10 à 20 verges et à prévenir les crochets à droite. Je l'ai essayé et, immédiatement, le gant m'a frappé sur le côté de la tête. Comme j'ai toujours cru que je pourrais corriger mon crochet vers la droite et jouer mieux si quelqu'un me frappait sur le côté de la tête à l'occasion, je dois dire que le produit tenait sa promesse. J'ai vu un autre gant, le « Knuckle Glove » [le gant à jointures], qui vous aide à toujours prendre votre bâton de la même manière. Je présume qu'il vous envoie les jointures dans les dents chaque fois que vous modifiez votre prise pendant votre élan arrière.

Ensuite, j'ai passé devant un stand de consultants en golf miniature. J'ai essayé d'imaginer un de leurs baratins de vente. (« Bien, si le nez de clown et le moulin à vent sont de riches traditions du golf miniature, notre recherche a cependant noté que les dinosaures, les héros de bandes dessinées et les dragons sont très tendance cette année. »)

Les logiciels sont aussi très populaires. Un de ces programmes analysait votre pointage avant de vous donner des conseils à partir des résultats de son analyse. Dans mon cas, il me conseillait d'acheter un de ces gants qui vous frappe sur le côté de la tête pour corriger mon crochet de droite. J'ai décidé de ne pas acheter.

Ah oui! Vous pouvez dorénavant acheter un dispositif antivol pour votre équipement de golf. J'imagine que, si le prix des bâtons approche ce qu'on payait pour une voiture il y a une génération, c'est un bon investissement. Attendez-vous un jour à voir « The Club » à tous les dépôts de sacs de golf du pays, surtout dans les zones urbaines.

Vous pouvez désormais obtenir un diplôme en gérance professionnelle de golf d'une université accréditée, rien de moins. Le programme B.G. (bachelier en golf) offre peut-être des majeures dans des sujets aussi importants que la façon de dire « 150 $, marche ou voiturette? » avec un visage sans expression. « Optimisation du trajet de la voiturette à rafraîchissements » et « Théorie et pratique sur la marge de 400 pour cent pour les boutiques de professionnels » pour compléter le cursus.

Un produit mettra votre balle sur le *tee* au terrain d'exercice, ce qui vous évite la détestable nécessité de vous pencher et de vous étirer pendant que vous cherchez à vous distraire en faisant de l'exercice. (Note: Voir plus haut « défibrillateurs ».) Un autre produit destiné à l'aire de pratique vous promet de réduire la température de 15 degrés.

De plus, dans certains marchés, on peut trouver des voiturettes climatisées. Il a toujours été un peu difficile de suer dans notre sport de prédilection. Bientôt, apparemment, cela sera impossible.

Alerte pour Myrtle Beach: Vous n'aurez plus à mettre le four de votre cuisinette à « broil » pour faire sécher vos chaussures de golf trempées après une ronde sous la pluie. Ce nouveau produit non seulement séchera-t-il vos chaussures, mais il en éliminera les odeurs. Ce qui signifie que le Gros Al n'aura plus à laisser ses chaussures sur le balcon ou sur le rebord de la fenêtre lors de votre pèlerinage annuel à La Mecque du golf de l'univers. Maintenant que les chaussures mouillées et puantes sont chose du passé, il sera désormais plus facile de placer quatre sacs de golf dans le coffre de la Ford Aspire que vous aurez louée, grâce à un truc de rangement appelé le Golf Butler. Imaginez qu'un jour le Golf Butler sera muni d'un logiciel qui fera vos réservations de départ et qui changera aussi les billets de vingt en belles pièces de un dollar bien neuves pour les fantasmes siliconés des soirées à ces clubs pour messieurs.

Voilà ce qu'il me faut: un autre machin pour pratiquer mon élan. Celui-ci compte deux rayons laser qui irradient du bas et du haut de la tige. La théorie voudrait qu'on garde le rayon laser en ligne droite (représentée par un bout de ruban adhésif collé au plancher) pendant le début de l'élan arrière (le rayon du bas de la tige) et en haut de votre élan (le rayon du haut projeté du bout de la prise). Lors d'un élan approprié, le rayon laser des deux sources restera sur le ruban. Dans mon cas, cela ne s'est pas produit, mais le vendeur m'a dit qu'avec la trajectoire de pivot inversé, extérieure-intérieure, et le coude trop haut de mon élan, j'ai possiblement pratiqué par inadvertance une chirurgie oculaire au laser.

Une entreprise vantait les vertus de ses forces en planification financière en clamant que son but était d'éliminer les impôts, la taxe sur les gains en capital et sur les transferts de richesse. Elle se vantait aussi d'utiliser « des stratégies *offshore* ». Je me suis mordu la langue et j'ai choisi de ne pas leur demander s'ils ne savaient pas également où était le corps de [Jimmy] Hoffa, car je craignais que cela ne nécessite que je doive traverser l'aéroport de Miami avec un colis non identifié pour leur compte.

Au lieu de cela, de retour à l'aéroport d'Orlando, je prenais une bière en tentant de digérer l'énorme quantité de produits et services dont j'avais été abreuvé depuis quatre jours. Je me sentais totalement épuisé, ma tête tournait et je pensais à tous ces produits reliés au golf qui alimentaient notre économie. Qu'arriverait-il si tous les gens frustrés par leur mauvais jeu, comme moi, décidaient d'abandonner le golf? Ces golfeurs du dimanche, ou plutôt ces ex-golfeurs, pourraient faire crouler toute l'économie globale. Une pensée à faire frémir.

J'ai levé la tête et j'ai vu une jeune maman qui marchait derrière une poussette où un enfant disparaissait sous les produits Disney. J'ai regardé le visage de la maman et j'ai vu que c'était elle qui avait la tétine à la bouche.

Je savais trop bien ce qu'elle ressentait.

*Reid Champagne*

# *L'humour à son meilleur*

*J'ai vécu une merveilleuse expérience au golf aujourd'hui. J'ai fait un trou de rien. J'ai raté la balle et calé le* divot *(la motte de terre).*

Don Adams

Hartman était un solide géant de 127 kilos et 1,87 m. Quand il entrait dans une pièce, il avait une présence qui exigeait l'attention. De plus, il avait les yeux pétillants. Oh, quel pétillement! Hartman était le genre d'homme qui pouvait convaincre une demi-douzaine d'amis d'aller prendre une marche, pieds nus dans la neige, et s'arranger pour rester derrière pour fermer et verrouiller la porte avant d'avoir à sortir lui-même.

C'est Hartman qui m'a initié au golf. Il adorait ce jeu. Une fois, quand nous étions plus jeunes, quelques-uns d'entre nous avaient loué une ferme pour l'été. C'était un endroit où nous allions, la semaine terminée, faire ce qui nous plaisait. Un soir, Hartman a suggéré de jouer au golf le lendemain au parcours local. Huit d'entre nous ont accepté immédiatement et se mirent au lit à une heure raisonnable, ce qui à l'époque n'était pas dans nos habitudes, pour pouvoir prendre un départ tôt le lendemain.

Le matin suivant, nous étions au parcours assez tôt pour être les deux premiers groupes à prendre le départ. C'était un petit parcours du type « pacage à vaches » qui nous convenait très bien. Le niveau d'habileté des participants allait d'un peu mieux que débutant à une ronde *bogey*, mais avec beaucoup de difficulté. Hartman était l'un des meilleurs mais, ce jour-là, il était clair qu'il avait autant de difficulté que nous tous.

Finalement, victime de la frustration, Hartman a cassé! Sur le départ du huitième trou, normale 3 de 157 verges, il a sorti son bois 1 de son sac. D'un air dramatique qui était sa marque de commerce, Hartman s'est élancé de la force de ses 127 kilos et a frappé cette pauvre balle. La balle est partie comme si elle savait qu'elle n'était plus aimée et s'est dirigée en droite ligne vers les arbres et la rivière sur la gauche du vert. L'autre quatuor nous avait déjà rejoints sur le tertre de départ et nous étions sept à nous tordre de rire. Personne n'a regardé la balle aller, sauf Hartman, qui a eu un mouvement de recul quand nous avons entendu la balle frapper un arbre à la gauche du vert. Nous nous attendions à tout, sauf à l'air excité qu'il a pris en nous demandant: « Vous avez vu ça? »

« Vu quoi? », a été notre réplique unanime.

« Ma balle. Elle a frappé cet arbre, a rebondi sur le rocher devant le vert et a roulé en direction du fanion. Je crois que je ne suis pas loin! »

« Ouais, ouais! Cette balle est tellement loin que tu ne la retrouveras jamais », ai-je dit avec détermination.

Convaincus qu'il était impossible que la balle de Hartman soit encore sur le parcours de golf, encore moins près du trou, nous avons regardé Hartman jouer ce que nous considérions comme son coup sérieux. Il a joué un coup avec son fer 8 et nous nous sommes mis en route en direction du vert, ignorant tout ce qu'il disait à propos du fait qu'il s'agissait là d'une balle provisoire.

Plus nous approchions du vert, plus Hartman se faisait taquiner. Il était clair que sa balle n'était pas sur le vert. Hartman n'en croyait pas ses yeux.

« Je sais que je l'ai vue se diriger par là », dit-il, très convaincu.

« Elle est peut-être dans la coupe! », a suggéré Pete, d'un ton sarcastique.

Pete s'est dirigé vers la coupe, a jeté un coup d'œil et a crié à l'intention de Hartman.

« Quelle balle jouais-tu? »

« Top Flite Numéro 4 », a répondu Hartman.

Pete en avait le souffle coupé quand il a pris la balle dans la coupe.

« Elle est dans le trou! » C'est tout ce qu'il a pu dire en bégayant. Hartman était le dernier du groupe à arriver au trou pour authentifier la balle.

« C'est ça! Je ne le crois pas! Un trou d'un coup! », s'est-il écrié, excité.

Le reste du groupe est resté bouche bée, incrédule. Impossible. Pourtant, nous étions sept à l'avoir vu. Le coup le plus incroyable de l'histoire.

Nous avons terminé notre ronde dans un état de torpeur excitée, ayant hâte de raconter à quelqu'un, n'importe qui, ce que nous venions de voir.

De retour au chalet, nous prenions quelques bières en racontant notre histoire à qui voulait bien nous écouter. C'est ainsi qu'une personne a suggéré d'appeler le journal local qui prendrait peut-être notre photo et nous donnerait notre quart d'heure de célébrité. Pendant que nous rêvions d'apparitions à la télévision et de contrats de commandites, Hartman, assis au bout de la table, avait cet air moqueur qu'on lui connaissait bien. Le ton caractéristique de son rire, à ce moment-là, a dissipé tout doute. Nous avions été mis en boîte.

Comme nous étions le premier groupe de la journée, nous étions dans la position unique d'être les premiers à atteindre chacun des trous. Hartman a tiré avantage de ceci pendant que nous étions au 6e trou, parallèle au 8e.

Comme il avait frappé sa balle en direction des arbres qui séparaient les deux allées, personne ne s'est inquiété de le voir disparaître dans cette direction pour chercher sa balle. Pendant qu'il se promenait dans ce *no man's land*, il s'est rendu au 8e vert et a déposé sa balle dans le trou avant de revenir sur l'allée du 6e comme s'il venait de jouer sa balle de l'herbe longue. Pendant qu'il terminait de jouer ce trou et pendant le suivant, il a fait montre d'un talent digne d'un acteur shakespearien en faisant monter sa frustration jusqu'au départ du 8e.

Il y a peu de gens qui ont l'imagination et le savoir-faire pour faire une farce de cette envergure et, en même temps, rendre ses victimes heureuses. Il en était ainsi de la plupart de ses farces, ceux qui riaient le plus étaient les victimes. Le cancer nous a enlevé Hartman bien trop tôt, à l'âge de quarante-trois ans, mais il nous a légué son humour bon enfant, son appétit de vivre et sa gratitude pour ses bons amis.

Le géant me manque.

*John Spielbergs*

# *Les dix incontournables du golfeur du dimanche*

*Il m'a fallu 17 ans pour frapper trois mille coups sûrs au baseball. Il ne m'a fallu qu'un après-midi pour faire de même au golf.*

Hank Aaron

C'est inévitable…

1. Vous êtes dans l'allée à 220 verges du vert. Le groupe qui vous précède est toujours sur le vert. Vous savez que si vous frappez, vous vous rendrez au vert et que ce groupe se dispersera dans la panique. Une fois de plus, vous serez confronté à quatre golfeurs en colère qui vous attendront au bar. Vous attendez donc qu'ils quittent, puis vous ratez votre coup et la balle reste à court de 75 verges.
2. Vous portez votre chapeau chanceux, vos chaussettes chanceuses et vos sous-vêtements chanceux. Tout va bien pour vous. Même si vous jouez traditionnellement 90, vous avez bien joué sur le neuf de retour et vous êtes à 76 avec deux trous, normales 4, à jouer pour votre meilleure partie de l'année. C'est là que vous faites deux triples *bogeys* sur les deux derniers trous, les seuls triples *bogeys* de la journée, et que vous terminez – vous avez deviné – avec 90.
3. Après avoir bien étudié la situation, vous décidez de frapper un haut coup lobé en direction du vert surélevé, comme Tiger le ferait. Vous ratez votre coup, la balle part à l'horizontale et dépasse le vert. Au trou suivant, confronté à la même situation, vous décidez de frapper un coup bas avec un fer 9, comme Sergio le ferait. Au

lieu de cela, votre balle monte en flèche et s'arrête à trois verges du vert.

4. Après avoir raté votre coup de départ, calotté votre approche, visité une fosse de sable où il vous a fallu trois coups pour à peine toucher le vert, vous réussissez un coup roulé de quarante-cinq pieds, avec deux changements de direction, en descendant, que vous ne pourriez plus refaire si votre vie en dépendait.

5. Votre coup de départ s'arrête derrière un arbre si impressionnant qu'on devrait lui donner le nom d'un président. Par miracle, non seulement votre coup de fer contourne-t-il la chose, mais il bifurque vers la gauche pour se retrouver en plein centre de l'allée. Votre coup de départ suivant s'arrête derrière un jeune arbre d'au plus un pouce de diamètre. Avec un bois d'allée, vous frappez le petit arbre de plein fouet, la balle rebondit à cinq verges derrière vous.

6. Vous jouez particulièrement bien ce jour-là et vous décidez, en conséquence, de « donner quelques conseils » à un autre joueur. Dès cet instant, votre jeu se détériore plus vite qu'une bernache du Canada en route vers le sud à la fin de novembre.

7. Vous décidez de porter vos nouvelles chaussures de golf, cadeau d'anniversaire, pour jouer sur un parcours que vous ne connaissez pas, même si elles ne sont pas encore cassées. En arrivant, vous découvrez que ce club joue selon la règle des “sentiers seulement” et vous vous retrouvez à marcher plus de kilomètres que Lewis et Clark lors de leur exploration des Dakotas.

8. Sur le terrain d'exercice, votre copain vous permet d'essayer son nouveau bois 1 de cinq cents dollars. Vous n'avez jamais, jamais, frappé la balle si loin, ou si droit. Alors, vous vous en procurez un. La première fois que vous l'utilisez lors d'un match, vos compagnons de jeu vous donnent le surnom de « Porteur d'eau! » car vous

dirigez chacun de vos coups de départ vers le lac, le ruisseau, même dans la piscine d'un centre de villégiature voisin, avant de le remiser et de revenir à votre bois 1 acheté cinquante dollars dans une vente-débarras.

9. Après avoir lancé des brins d'herbe en l'air et avoir déterminé que le vent souffle de la gauche vers la droite, vous modifiez votre prise, vous jouez la balle plus en arrière pour qu'elle reste basse et vous visez un peu à gauche par mesure de prudence. Puis, après deux superbes élans de pratique, vous frappez un crochet de droite très haut dans le vent et la balle se retrouve deux allées plus loin sur la droite.

10. Le parcours est très occupé et il y a retard à la normale 3 de 195 verges. Le groupe devant vous vous fait signe de frapper. Vous savez que vos chances d'atteindre le vert avec autant de spectateurs sont à peu près nulles. Alors vous décidez de jouer devant le vert. C'est alors que vous frappez un malicieux coup en rase-mottes qui n'arrête pas de rouler avant de s'arrêter à quelques pouces de la coupe. Un insecte mort et plusieurs brins d'herbe tombent de votre balle. La foule crie son enthousiasme – et, bien sûr, rit.

Quelles sont les bonnes nouvelles qui découlent de ces incontournables? On vous demandera plus souvent de jouer parce que vous donnez un si bon spectacle!

*Ernie Witham*

# *Les aventures d'une balle de golf*

*Depuis que je joue au golf, je parle aux balles. J'accepte qu'une balle de golf est un objet inanimé; je comprends qu'une balle de golf n'a pas d'oreilles, pas de cerveau, pas même un système nerveux. Par contre, rien n'est plus plaisant que de voir une balle de golf sortir d'une fosse de sable au moment même où vous lui avez crié « Saute, balle, saute! ». Alors oui, je parle aux balles de golf. Je l'admets. À l'œil, je dirais que nous sommes une majorité à le faire.*

Michael Bamberger

Il était normal que ça finisse ainsi, dans cette poubelle derrière la boutique du professionnel. J'imagine que c'était inévitable depuis le jour où ils m'ont mise dans une boîte à l'usine. Il demeure que c'est décevant: personne ni rien au monde n'aime admettre que la fin approche. Pas même une balle de golf.

Une balle de golf? En effet. Jusqu'ici, aucune balle de golf n'a jamais parlé. Bien, moi, je vais vous raconter mon histoire. Elle doit être racontée – nous sommes trop nombreuses à avoir été projetées à droite, à gauche, calottées, égratignées et perdues sans même un dernier regard de la part de ceux que nous avons servis si loyalement.

Ma vie n'a pas été ordinaire, car pendant une splendide journée, j'ai vécu ce que peu de balles ont vécu – la chance de m'exécuter sur le circuit professionnel. Ceci mis à part, j'ai vécu comme la plupart de mes consœurs. Aujourd'hui battue, marquée et sérieusement coupée, j'ai été jetée – je ne suis plus bonne à rien.

J'ai vécu mes dernières semaines sur un terrain de pratique. Une vie horrible. On vous met dans un panier, on vous jette par terre et vous êtes propulsée à l'autre bout du champ par des golfeurs dont l'habileté varie de très grande à inexistante.

Mais je me débrouillais assez bien jusqu'à ce matin. Une débutante a parlé quelques instants au professionnel avant de prendre le panier de balles dans lequel j'étais. « Je n'ai jamais joué au golf avant, mais mon mari insiste pour que j'essaie », a expliqué la dame au pro. J'ai eu un mouvement de recul.

Elle était dangereuse. Du genre à vous administrer un coup fatal avec son élan malhabile. Mon seul espoir était qu'elle frappe le sol derrière moi et que je roule lentement sur la pelouse en évitant les blessures sérieuses. Il n'y avait aucune chance qu'elle me frappe solidement.

Je la regardais péniblement frapper, ratant certaines balles deux ou trois fois.

Puis ce fut mon tour, et elle s'est élancée sur moi avec un fer 7. Elle aurait pris une hache que cela n'aurait pas été différent. La tête du bâton m'a frappée sur le haut et j'aurais crié de douleur si le code d'éthique des balles de golf l'avait permis.

Au lieu de cela, j'ai eu besoin de toute ma force et détermination pour retenir mes entrailles solidement enroulées pendant que je roulais sur le sol. La douleur était presque intolérable, mais je suis devenue tout engourdie en m'arrêtant à moins de trente verges du *tee*.

J'ai fait un inventaire rapide et j'ai découvert le pire – la blessure était mortelle, une coupure profonde et mauvaise qui exposait mes enveloppes et garantissait la fin de ma carrière, même sur un terrain de pratique.

Moins d'une heure après, le préposé au terrain de pratique m'a récupérée. Il m'a regardée et, sans hésiter, il m'a mise dans le sac avec les autres balles à jeter. Un peu plus tard, il m'a lancée dans la poubelle.

Mais ceci n'était que la fin de mon histoire, la partie la plus triste. J'aimerais vous raconter la totalité, incluant ma relation intime avec Sandy Douglas, le célèbre professionnel itinérant.

Par un heureux hasard, le vendeur d'articles de sport m'a donnée à Sandy. Celui-ci n'utilise que des balles avec le chiffre 3. C'est le mien. Je me suis donc retrouvée dans son sac deux jours à peine avant le début de la Classique Dorado, un tournoi de 200 000 $.

Il y avait plusieurs balles neuves dans le sac, mais pas assez pour que je n'espère pas voir un peu d'action. Sandy, comme la plupart des professionnels, n'utilise ses balles que sur six trous avant de les mettre dans son sac de pratique. J'étais heureuse. Je participerais à un tournoi majeur et je terminerais ma vie avec Sandy Douglas en voyageant dans un sac de pratique de ville en ville sur le Circuit.

Les choses se sont déroulées comme je l'avais imaginé. En réalité, c'était même mieux, car Sandy m'a choisie parmi les trois premières balles qu'il utiliserait lors de la Classique. J'ai aussi participé aux préliminaires, car Sandy m'a choisie pour pratiquer ses coups roulés.

Sandy Douglas est tout ce que sa réputation dit de lui. Il est coloré, plein d'humour et il a le genre de charme qui attire les grosses foules: il devait y avoir cinq mille personnes autour du premier tertre pour le voir. Sandy m'a placée délicatement sur le *tee* et il s'est mis en place. J'étais fébrile.

« Allez petite balle, nous allons t'envoyer là-bas tout doucement », a dit Sandy à voix basse. Puis, il a pris un élan tout en douceur. Le bois 1 m'a touchée parfaitement et, soudain, le vert sous moi est devenu tout embrouillé. J'ai atteint le sommet de ma trajectoire et j'ai commencé à descendre. Je me suis sentie attirée en direction du centre de l'allée. J'ai finalement atterri et roulé jusqu'à mon arrêt.

Les spectateurs ont applaudi et j'ai pu voir que nous étions en parfaite position, ayant parcouru environ 275 verges et avec accès direct au vert. Sandy et son caddie sont arrivés, ont tenu une brève conférence sur la distance et le choix du bâton, et j'étais de nouveau en route, cette fois propulsée par un fer 9. Cette fois encore, l'élan était bon et j'ai exécuté un arc très haut avant de retomber en direction du fanion. Sandy m'avait frappée un peu fort, mais j'ai réussi à m'agripper au vert et à revenir à environ huit pieds du fanion.

On a placé une pièce de monnaie derrière moi et le caddie m'a donné un bain avant que Sandy ne me replace sur le vert et se prépare pour son roulé. Il voulait un oiselet pour prendre un bon départ et je souhaitais l'aider à l'obtenir.

« Il me semble qu'elle courbera environ un pouce vers la gauche », a dit Sandy au caddie.

« Un peu plus que ça, disons un pouce et demi », a rétorqué le caddie.

Sandy n'ajouta pas un mot. Il m'a soigneusement alignée et le silence s'est fait tout autour. Enfin, il m'a frappée et j'ai roulé avec précaution en direction de la coupe. À deux pieds, j'ai commencé à courber vers la gauche et je me suis retrouvée en droite ligne. *Plouk!* J'y étais et un grand cri est monté de la foule. Sandy m'a récupérée de la coupe et m'a tenue en l'air pour remercier les gens de leurs applaudissements. C'était un grand moment pour moi.

Le deuxième trou était une autre normale 4, et Sandy a frappé un autre bon coup de départ, mais avec un crochet de gauche plus prononcé qu'il ne le souhaitait. Je me suis retrouvée dans l'herbe longue, mais j'ai réussi à ramper jusqu'à une bonne position et il n'y avait plus de problème.

Un bon coup de fer 8 m'a placée à six pieds de la coupe sur la partie plane du vert. Un coup roulé très droit que Sandy a réussi pour un autre oiselet.

Deux trous et déjà deux sous la normale! J'avais de la difficulté à le croire! Quelle expérience exquise! Je devais être la balle la plus chanceuse du monde – du moins je le croyais.

Je ne m'attendais certes pas au déchirement qui allait suivre. C'est plus pénible encore quand on sait que ce n'était pas notre faute, ni à l'un ni à l'autre.

Le troisième trou est une normale 3 de 180 verges dont le vert est défendu par un étang droit devant.

« Donne-moi mon fer 6 », dit Sandy.

« Je crois qu'un fer 7 est suffisant », répondit le caddie.

Puis, Sandy et son caddie ont fait un conciliabule dont je n'ai pu rien saisir, mais quand Sandy a pris sa position devant moi, j'ai pu voir qu'il avait un fer 7. Son caddie l'avait convaincu.

Les secondes qui suivirent furent une histoire d'horreur. Sandy m'a bien frappée mais dès mon départ du *tee*, je pouvais voir que j'aurais de la difficulté à traverser l'étang! Soudain, je me suis sentie mal. Je ne traverserais pas l'étang. J'ai plongé dans les herbes gluantes à peine trois pieds de la berge de l'étang. J'ai peine à décrire mon agonie alors que je calais dans la boue, sous deux pieds d'eau.

Quelques minutes plus tard, j'ai vu le bout d'un *wedge* qui fouillait près de moi. Sandy tentait de me retrouver et je voulais désespérément m'accrocher à ce *wedge*, ce qui, évidemment, m'était impossible. Quelques instants plus tard, le *wedge* avait disparu. J'avais été déclarée perdue.

Ainsi prenait fin la partie excitante de ma vie. Ça été court, mais mémorable.

Ce qui a suivi était presque prévisible. Environ une semaine plus tard, un jeune garçon pataugeait dans l'étang à la recherche de balles. Il m'a trouvée ainsi que plusieurs autres, en a vendu quelques-unes à la boutique du pro, mais il m'a gardée. J'avais l'air presque neuve.

Pendant le mois qui a suivi, j'ai été au service du père du garçon, un handicap autour de 12 qui m'a un peu malmenée mais ne m'a pas infligé ces coupures si redoutées. Enfin, il m'a perdue dans l'herbe longue derrière un vert. La fois suivante, j'ai été trouvée par un préposé au terrain qui a failli me passer dessus avec sa tondeuse. Il m'a remise à la boutique et c'est ainsi que j'ai débuté ma carrière sur le terrain de pratique.

C'est à peu près tout ce qu'il y a à dire. J'ai vécu dangereusement, mais je m'en suis tirée jusqu'à l'autre jour.

Maintenant, je suis enfouie dans cette poubelle et j'entends le camion à ordures qui approche. Je reconnais le son, car je l'ai entendu à plusieurs reprises au cours des semaines précédentes.

Ce n'est plus qu'une question de minutes maintenant, avant qu'ils me transportent vers le dépotoir. Je me demande comment Sandy Douglas a terminé à la Classique Dorado. Je me demande ce qu'aurait pu être ma vie si ce n'avait été de cet étang. Je me demande si cette dame débutante apprendra jamais à frapper une balle.

*Bob Robinson*

# *Silence, s'il vous plaît!*

Elle était assise dans les gradins du 15e trou, perdue dans ses pensées. Elle pensait peut-être au trou précédent ou encore à cette belle journée en Géorgie. Ou, elle priait peut-être pour que ce soit enfin l'année où l'*Augusta National* se laisserait toucher et permettrait à son mari de partir avec un veston vert au lieu d'un cœur brisé.

C'est alors que Laura Norman entendit ces voix. Deux hommes assis près d'elle au tournoi des Maîtres discutaient… des cheveux de son mari. Greg Norman était-il un vrai blond ou non? C'était impossible. Ses cheveux étaient trop parfaits, d'un blond presque blanc. Cela faisait trop partie de l'image plus grande que nature du Grand Requin Blond.

« L'un d'eux disait que Greg avait dû passer la nuit debout pour les décolorer », se rappelle Laura en riant. « Ils me faisaient penser à deux mégères. On aurait dit qu'ils étaient jaloux de lui. »

Après une autre remarque du genre, Laura en avait assez entendu. « Ils sont blond naturel », dit-elle.

Ils ne la croyaient pas. « Oui, bien sûr! », dit l'un des hommes. « Comment le savez-vous? »

Elle a souri: « Je suis sa coiffeuse. »

Deux mâchoires sont tombées. « Vrai? Ben… euh… mon dieu…euh… okay. »

Cela les a-t-il empêché de continuer?

Qu'en pensez-vous? Je gagerais que les deux gars ont recommencé quelques groupes plus tard.

Les hommes et les femmes qui suivent leur mari ou leur femme sur les circuits de la PGA ou de la LPGA connaissent bien cette situation. En déambulant en dehors des cordages, ils ont un privilège qui nous échappe: ils peuvent regarder travailler leur conjoint. Cela comporte des avantages et des inconvénients. D'une part, ils n'ont pas à attendre que le conjoint ou la conjointe rentre à la maison et leur raconte leur journée pour savoir si la soirée sera calme ou agitée.

D'autre part, ils doivent endurer les commentaires des autres personnes qui regardent leur conjoint au travail. Des gens qui disent à qui veut les entendre ce qu'ils croient savoir. Des gens qui donnent leur opinion sans se soucier de qui pourrait les entendre. Des gens qui offrent des conseils non sollicités aux femmes, aux maris, aux mères et pères, même aux joueurs, qu'ils aiment ça ou non. Pas étonnant que les conjoints cachent leur badge qui les identifie comme « famille » et marchent seuls.

Imaginez que vous entendez un inconnu parler de votre vie de famille ou déblatérer contre votre femme parce qu'elle est la dernière du peloton et simplement parce qu'elle ne fait pas partie des joueuses favorites. Rien de plus intéressant que d'entendre de « vrais amateurs » dire avec un petit rire nerveux que votre mari est « beau » et qu'il – et par conséquent vous – se dirige vers le tribunal du divorce. Il y a aussi les « experts » qui adorent dévoiler les détails croustillants de la fête olé-olé que vous n'avez jamais organisée ou qui discutent de votre goût en matière de meubles.

« Aujourd'hui, ma fille m'a dit de faire vite et de venir la retrouver ici », dit Sally Irwin après avoir suivi son mari, Hale, pendant sa ronde. « Ils parlaient de notre maison en Arizona. Ils disaient à quel point elle était grande et à quoi elle ressemblait. Rien de cela n'était vrai. »

C'est rarement le cas. Demandez à Nicki, la femme de Steve Stricker. En 1998, elle se tenait derrière le 17e vert au Championnat des Joueurs, enceinte de cinq mois et coincée entre deux gars qui tentaient d'impressionner leur femme ou leur petite amie et de s'impressionner l'un l'autre.

« Steve est arrivé sur le vert et un des deux hommes a dit à l'autre: "Sa femme était son caddie, mais ils se sont disputés et ils ont maintenant divorcé" », raconte Nicki en riant. « Je suis restée là à me demander si je devais dire quelque chose, mais j'ai finalement choisi de ne rien dire. Ils tentaient simplement de faire bonne impression sur les femmes.

« Quand vous êtes devant une telle situation, vous devez réfléchir. Voulez-vous les gêner? Ou voulez-vous simplement vous éloigner? J'ai choisi de m'éloigner. »

D'autres ne l'ont pas fait. Polly, la première femme de Ben Crenshaw, embarquait tout de go dans le jeu. Quand quelqu'un racontait quelque chose à propos de Ben, elle s'approchait sans révéler qui elle était et disait: « Vraiment. Je veux en savoir plus. »

Un jour, la mère de Norman, lasse d'entendre un amateur critiquer son fils, l'a frappé de son parapluie. Une autre fois, Irene Burns en avait assez des commentaires désobligeants d'un amateur à l'égard de son mari, George, elle a donc pris un bon élan et lui a donné un coup de son siège portable. Sue Stadler, dont le mari, Craig, a toujours été un des favoris et une cible des spectateurs, a fait preuve de plus de subtilité.

« Nous étions à l'Omnium Kemper, et Craig jouait ce dimanche », raconte Sue. « Il y avait des gars qui criaient après Craig depuis le début et l'un d'eux a crié: "Allez Stadler, c'est le temps de craquer." Il était à quelques pieds derrière moi quand il a dit ça.

« Plus tard, pendant que nous marchions, je me suis soudain arrêtée et j'ai sorti mon siège portable. Le gars s'est buté directement dessus. En plein estomac. » « Houp. Pardonnez-moi. »

À une autre occasion, Sue a été moins subtile. Craig jouait en compagnie de Raymond Floyd et quelqu'un l'a traité d'enfoiré. « J'ai gardé mon calme et j'ai dit: "Excusez-moi, monsieur, mais mon mari n'est pas un enfoiré" » raconte Sue. « Tous les spectateurs ont ri de lui. »

C'est encore mieux quand c'est le joueur, ou la joueuse, qui réplique directement. Au cours de la dernière ronde du tournoi des Maîtres de 1994, la première femme de Jeff Maggert, Kelli, et sa mère, Vicki Benzel, attendaient qu'il joue son coup d'approche au 13e vert. Jeff était le dernier à jouer et il jouait une balle provisoire, ce qui lui a valu des commentaires désobligeants de certains amateurs qui l'appelaient « Maggot » et autres noms grossiers. Kelli et Benzel réprimandaient les amateurs qui avaient insulté leur mari et leur fils quand une balle est tombée sur le vert et a roulé dans la coupe pour un albatros 2.

« J'espérais seulement que ce n'était pas sa balle provisoire », dit Kelli. Ce n'était pas le cas. Maggert avait frappé un fer 3 sur 222 verges pour réussir le troisième albatros de l'histoire du tournoi des Maîtres, le premier depuis 1967 et le premier au 13e trou. Tous, y compris les hommes Maggot, l'ont applaudi.

La question la plus polie peut s'avérer choquante et même amusante. Imaginez le jour où le mari de Dale Eggeling, Mike, se trouvait à proximité du 17e vert lors d'un tournoi à East Lansing, au Michigan. Dale se dirigeait vers la meilleure ronde de sa carrière, un 63, et elle venait de frapper son coup d'approche à huit pieds à peine du fanion. À cet instant, un reporter s'est approché et a demandé, « Quelqu'un peut-il me dire laquelle des joueuses est Dale Eggeling? »

Quand Mike l'a pointée du doigt, le reporter lui a demandé s'il était certain. Mike a répondu qu'il l'était, car il était son mari.

« Puis, très sérieusement, le gars, un reporter ne l'oubliez pas, a dit: "Savez-vous qu'elle est en tête du tournoi?" J'étais étonné qu'un reporter pose une telle question. Je crois que j'ai répondu quelque chose comme, "Oui, elle joue bien." » Elle a remporté le tournoi.

Certains incidents ne sont pas amusants du tout. Un jour, pendant son cours primaire, Kevin, le fils de Craig Stadler, a entendu un spectateur dire que son père était un idiot. En pleurant, Kevin a demandé à sa mère pourquoi la personne avait dit une telle chose.

« Il avait le cœur brisé. C'est beaucoup plus difficile pour les enfants », dit Sue. « J'ai dit à Kevin que l'homme ne connaissait pas son père et que c'était lui l'idiot. »

Elle a aussi appris à Kevin et à son frère à ne jamais dénigrer une autre personne. Jamais.

Un scénario se répète si souvent que c'est comme un rite de passage: un mari ou une femme accompagne son conjoint en début de carrière et quelqu'un demande qui joue dans ce groupe. Quand la femme ou le mari énumère les noms, le spectateur répond « Personne d'important ». C'est alors que, si elle est avertie, la femme se tournera vers le spectateur et dira poliment: « Hey! Je suis madame Personne. Et je n'aime pas ce que vous avez dit. » Si elle n'est pas préparée...

« Il faut se blinder », dit Allison Frazar, dont le mari, Harrison, est devenu professionnel en 1996. « Les gens s'emballent pour un rien et ils ne sont pas mal intentionnés. Cependant, il arrive que leurs critiques soient fondées, et je me dis que je devrai m'en occuper en rentrant à la maison. »

Un autre problème majeur quand on regarde travailler un membre de sa famille: on a tendance à vouloir l'aider. Melissa Lehman se souvient d'une semaine particulièrement difficile, alors que chaque membre de la famille s'est transformé en critique ou professeur. Comme ils habitaient ensemble, cela était très difficile pour Tom.

Finalement, Melissa a fait une crise. « J'ai dit: "Dorénavant, Tom est la seule personne qui sera autorisée à se réjouir ou à être en colère suite à un coup de golf. Compris?" » Dès que Tom est rentré ce soir-là, elle a dit: « Allez, viens. On s'en va. » Ce qu'ils ont fait.

Certaines histoires sont tout simplement idiotes. Amy Mickelson a entendu deux vieux messieurs qui prétendaient que son mari, Phil, s'était brisé les deux jambes dans un accident de ski. « Il a fallu lui amputer les deux jambes, ont poursuivi les deux hommes. Malgré cela, voyez comment il marche bien. »

Il y a aussi le cas de cet homme qui expliquait, très sérieusement, la raison pour laquelle Frazar, résidant de Dallas, portait des chemises avec l'étiquette Byron Nelson. « Vous savez, c'est le petit-fils de Byron Nelson », disait-il. « C'est pourquoi il porte le nom de Byron Nelson sur son cœur. Byron est son plus grand supporteur. » Évidemment, il n'y a aucun lien de parenté. Frazar porte les chemises parce qu'il a conclu une entente avec E. McGrath Clothing, fabricant de ces produits.

La femme d'Hal Sutton, Ashley, a entendu un autre homme dire à son voisin que Hal avait fait ses études avec sa fille à l'Arizona State University au début des années soixante-dix. « J'ai ri d'eux », dit-elle.

« Si tel était le cas, il aurait eu seize ans. » Hal a fréquenté le Centenary College.

La meilleure solution est de ne pas se faire remarquer. Le mari de Dottie Pepper, Ralph Scarinzi, essaie tellement de passer inaperçu qu'il est toujours un demi-trou en avant du groupe de Pepper et ne regarde même pas les spectateurs qui s'approchent de lui.

L'anecdote favorite de Melissa Lehman la concerne personnellement. Un jour, un spectateur s'est approché du caddie de son mari, Andy Martinez, et a dénigré Tom.

« L'homme a dit: "Je croyais que Tom Lehman était un bon chrétien" », raconte Melissa. "Si c'est le cas, comment se fait-il qu'il était en train d'étreindre une jolie femme derrière la roulotte de conditionnement physique, cet après-midi. Elle avait les cheveux foncés et elle était sur une bicyclette. Et elle était sexy."

En effet, c'était la femme de Tom.

Excusez-moi.

*Melanie Hauser*

*« Je cherche la balle, tu cherches le bâton. »*

# *L'utile à l'agréable*

*Le fait que deux personnes mariées vivent ensemble jour après jour est incontestablement le miracle sur lequel le Vatican a omis de se pencher.*

Bill Cosby

C'était une belle journée d'automne, et j'ai décidé de jouer une partie de golf. Quand j'ai téléphoné à un ami pour lui demander s'il voulait se joindre à moi, sa femme a répondu au téléphone:

« Pat s'amuse à nettoyer le terrain », dit-elle. « En ce moment, il nettoie des glands sous un arbre et les lance vers le terrain vacant voisin. »

« Il s'amuse vraiment? », ai-je demandé.

Elle a répondu: « Il utilise un fer 8. »

*Jerry P. Lightner*

# *Le plus beau cadeau*

Le son est pur et doux. Un bruit métallique, et en même temps presque celui de la céramique. Fort, oui, c'est très fort. Comme un coup de fusil, il vous fera tourner la tête si vous l'entendez pour la première fois.

*Smack!* J'ai regardé pendant que mon ami Carl frappait avec force une autre balle de golf vers le fond du terrain de pratique. Il a figé son suivi pendant que la balle volait toujours plus haut dans un ciel de fin d'après-midi.

« Tu sais », a-t-il dit, « l'achat de ce bâton est sûrement le meilleur investissement que j'ai fait pendant l'année. » Il s'est retourné avec un sourire un peu trop insolent.

Connaissant le penchant de Carl pour l'achat de titres de haute technologie, je n'allais pas le contredire. De plus, je commençais à peine à prendre conscience d'être un peu étouffé par les tentacules vertes de la jalousie qui s'enroulaient autour de mon cou. Je savais qu'il me fallait mettre la main sur un de ces bois 1 d'une façon ou d'une autre. Carl a essayé de m'expliquer cette merveille de la science.

« On l'appelle *elastic reticular venting* (répartition réticulée élastique), ou ERV. C'est l'épaisseur variable de la face, tu sais; cela agit comme une sorte de trampoline. »

J'ai acquiescé, tout en fixant la tête brillante du bois pendant que Carl s'apprêtait à frapper une autre balle. Ce n'était pas juste, non? Pourquoi Carl avait-il un si beau bâton de golf et pas moi? En constatant que je faisais la moue, je me suis repris en main, j'ai redressé les épaules vers l'arrière et j'ai essayé de prendre un air indifférent pendant que nous suivions ensemble des yeux son coup suivant qui montait et montait, jusqu'à ce que la balle se niche dans le filet le plus éloigné du terrain de pratique.

« Oui, monsieur Jacky. Il te faut une de ces merveilles. »

« Combien t'a-t-il coûté? » Les mots sont sortis de ma bouche avant de pouvoir les arrêter. Je me suis senti rougir. Qu'est-ce que cela pouvait bien faire, le coût d'un instrument si parfait? Est-ce que Perlman hésiterait devant un Stradivarius? Est-ce que Puck se contenterait de tomates de piètre qualité? Comment donner un prix à la perfection?

« Je l'ai payé autour de 450 $, taxes incluses. Je l'ai acheté chez Reno Bob. Tu sais, au centre commercial. »

Bien sûr que je savais. Reno Bob était la boutique de golf à escompte où ces vendeurs, encore adolescents, se vantaient nonchalamment des 220 verges qu'ils atteignaient avec un fer 7. Je me suis dit que j'arrêterais au centre commercial en retournant à la maison. Mais un instant, a-t-il dit 450!? Pour un bâton de golf!? Seigneur! Hattie me tuerait si je songeais même à dépenser une telle somme d'argent pour un seul bâton de golf.

« Alors, as-tu des projets pour les Fêtes? »

Je n'ai pas saisi immédiatement la question de Carl. Quatre cent cinquante dollars pour un seul bâton? Ce chiffre résonnait dans ma tête.

« Non, nous avons l'intention de passer un Noël tranquille à la maison cette année. »

Il faut dire que Carl n'est pas un costaud. Alors il est peut-être compréhensible que j'aie été un tout petit peu déprimé en regardant sa balle suivante traverser la clôture du fond.

Je suis retourné directement à la maison. Hattie cuisinait un pain de viande et ma petite fille de cinq ans, Jennifer, attendait à la porte arrière, toute prête à donner à son papa la plus grosse caresse qu'elle pouvait. Bien sûr, j'ai repris ma bonne humeur. Elle m'a fait signe de me pencher et m'a soufflé à l'oreille.

« Tu sais, il ne reste que quatre jours. »

Je voyais qu'elle était déjà tout excitée.

« As-tu été sage? Tu sais qui te surveille, non? »

En mettant ses mains devant sa bouche, elle m'a regardé avec ces grands yeux verts et a murmuré: « Le Père Noël. »

Hattie nous a vus et a froncé des sourcils. Je savais qu'elle n'aimait pas que je crée tant d'attente chez l'enfant. Pendant une semaine, nous avons eu la même conversation. « Noël, ce n'est pas seulement le Père Noël, ou recevoir des cadeaux », me disait-elle sans cesse. Elle était tout à fait sérieuse quand je l'embrassais sur la joue. Elle m'a pointé du doigt à la table de la salle à manger. Le repas était très bon, comme d'habitude. Ma Hattie avait inventé le pain de viande. Elle attendait que j'aie la bouche pleine avant de parler.

« Je dois aller faire des courses demain. Pourquoi ne venez-vous pas, toi et Jennifer, au centre commercial avec moi? J'ai cru savoir qu'il y aura quelqu'un de spécial là-bas. Pendant que je serai occupée, vous pourriez peut-être vous faire photographier. »

J'ai compris ses sous-entendus et j'ai souhaité que cette année, le Père Noël soit un peu plus convaincant. L'an dernier, j'avais passé près d'une heure à essayer d'expliquer comment le vieux lutin jovial pouvait avoir un accent jamaïcain.

Le lendemain, quand nous sommes arrivés au centre commercial, Hattie nous a quittés pour un endroit inconnu, et je me suis promené dans les allées de boutiques avec Jennifer qui me tirait la main avec excitation. Tous les magasins étaient décorés de lumières scintillantes, de rouge, d'argent, d'or et de banderoles aux couleurs vives. Nous avons suivi le groupe d'enfants qui riaient et se dirigeaient en courant vers une énorme maison en pain d'épice recouverte de neige, ou des flashs occasionnels m'indiquaient l'endroit où prendre une photo. Quand nous sommes arrivés, j'ai été déçu de constater que la file était immobile. Il y avait un écriteau qui indiquait: « Le Père Noël est parti nourrir les rennes. De retour dans cinq minutes. »

J'ai suggéré de marcher sans nous éloigner jusqu'au retour du Père Noël. Quand nous avons tourné le coin, mon cœur n'a fait qu'un tour. Il était là, juste dans la vitrine de Reno Bob's Discount Golf Shop. Mon bois 1 ERV y était, brillant, attirant, m'appelant par mon nom. J'ai senti une faiblesse dans mes genoux.

« Allons par là, Jenny. »

Ma petite fille innocente m'a suivi gentiment. Pouvait-elle ressentir l'excitation qui me gagnait pendant que nous nous tenions devant la boutique de golf? Pouvait-elle s'imaginer que son papa pouvait devenir à ce point fébrile à propos d'un objet inanimé? Quelque chose d'aussi insignifiant qu'un bâton de golf?

« Tiens, vous voilà! »

La voix de Hattie m'a fait sursauter.

« Avez-vous déjà vu le Père Noël? »

« Non », ai-je bégayé. « Il nourrit ses rennes. » J'ai souri, en me sentant un peu embarrassé.

« Bon, j'avais deviné que vous vous retrouveriez ici. » Il y avait une pointe d'insinuation dans sa voix. « C'est ton magasin préféré, n'est-ce pas? »

« Oui, c'est certain, mon préféré. Je veux dire, c'est *un* de mes magasins préférés. Bien sûr, j'aime aussi la boutique de fils à tricoter. »

« Bien sûr, la boutique de fils à tricoter. C'est aussi une de tes préférées. »

Il était évident que Hattie n'avalait pas ce que j'essayais de lui faire croire.

« Wow, regarde là! » Elle pointait vers la vitrine de la boutique. « Regarde ce bâton de golf. »

J'ai acquiescé. « Oui, c'est une beauté, n'est-ce pas? » J'étais étonné. Je n'aurais jamais pensé que Hattie appréciait le raffinement d'un bon bois 1. Mon ERV était là, devant nos yeux, ressemblant à une œuvre d'art.

« Non, non. Regarde le prix de cet objet. »

J'ai vu son doigt qui pointait vers l'étiquette rouge du prix qui pendait à la prise du bâton. Elle était bouche bée. Elle a finalement retrouvé assez de contenance pour dire: « Peux-tu imaginer une personne qui dépense autant d'argent pour un seul bâton!? Seigneur! »

J'ai esquissé un sourire. Il m'était apparu qu'il pourrait être possible de rassembler les faits – peut-être compiler une liste des attributs essentiels d'un engin aussi perfectionné que celui-là pour frapper une balle. Bien sûr, j'aurais pu dire qu'il était en titane, le métal qu'on utilise dans les avions supersoniques. Plutôt, je me suis mordu la lèvre et j'ai fixé la fenêtre de la boutique.

« Bon », ai-je dit finalement. « Mon ami Carl en a un et c'est un bâton tout à fait remarquable, et plusieurs des meilleurs joueurs l'achètent, et tu sais, si tu aimes vraiment le golf, cela vaut peut-être la peine... »

Je me suis tu. Hattie me jetait son regard: « Tu dois être fou! » Je voyais très bien qu'il n'y avait rien à faire et j'ai donc suggéré que nous retournions vers la maison en pain d'épice.

Hattie et moi étions toujours très rationnels en ce qui concerne Noël. Nous avions convenu qu'aucun de nous dépenserait plus de 200 $ pour nous offrir un cadeau. Elle expliquait, et j'étais d'accord, que toute l'attention devait être portée à Jennifer. C'était parfaitement sensé. Cependant, je me souvenais qu'enfant je persistais à m'imaginer que mes parents m'offriraient le cadeau que je voulais vraiment à chaque Noël. Une année, c'était une bicyclette. L'autre, une carabine à air comprimé. À seize ans, je pensais vraiment que mes parents m'offriraient une petite voiture sport rouge. Finalement, les Noëls étaient un désappointement après l'autre. Pas de bicyclette, pas de carabine à air comprimé, et certainement pas de petite voiture sport rouge.

« Je l'entendais s'exclamer en s'éloignant, Joyeux Noël à tous, et une très bonne nuit. » J'ai refermé rapidement mon livre et j'ai regardé mon enfant rayonnant. Les braises dans notre foyer jetaient une douce chaleur dans la pièce et les lumières blanches qui étincelaient dans l'arbre se reflétaient dans les yeux de ma fille. La porte de la cuisine s'est ouverte et Hattie en est sortie en transportant une assiette de biscuits et deux verres de lait.

« En voici un pour notre fille, et un pour le Père Noël », a-t-elle dit. J'ai fait semblant de désapprouver. Je savais qu'au fond d'elle-même, Hattie aimait Noël – décorer l'arbre, faire des biscuits, accrocher les bas. Tout comme moi, elle n'était qu'une enfant qui avait vieilli.

« Papa, crois-tu qu'on devrait éteindre le feu pour que le Père Noël ne se brûle pas le derrière? »

J'ai acquiescé, l'air pensif, et j'ai pris un biscuit dans l'assiette. J'ai ensuite promis que je prendrais soin de tout et je l'ai prise dans mes bras.

« Tu sais », lui ai-je dit, « le Père Noël ne viendra pas tant que tu ne dormiras pas à poings fermés. »

Hattie et moi avons bordé Jennifer et nous avons fermé sa porte de chambre. Debout dans le hall, j'ai longuement embrassé ma femme.

« Tu sais, chérie, le Père Noël ne viendra pas tant que nous ne dormirons pas à poings fermés. »

Elle m'a regardé d'un air séduisant.

« C'est vrai, trésor. Le Père Noël fait mieux de fabriquer cette bicyclette. N'oublie pas les glands et les roues stabilisatrices d'apprentissage. »

Il faisait froid ce matin-là et j'ai marché comme un lutin à travers la pièce pour me rendre au thermostat et monter le chauffage. J'ai examiné la croûte qui se formait sur ma jointure à vif – une marque que je partageais sans doute avec des milliers de pères qui assemblaient des bicyclettes. Je suis ensuite allé voir Jennifer. Elle dormait paisiblement; j'ai donc préparé le café et réveillé Hattie. Enfin, quand notre petite fille est arrivée tout endormie dans le salon, se frottant les yeux d'une main pour se réveiller, Hattie et moi étions assis ensemble sur le sofa, des témoins du meilleur spectacle en ville.

Au même moment, en voyant les yeux embués de larmes de ma fille pendant qu'elle s'avançait, ravie, sur la pointe des pieds, je me suis rappelé le vrai sens de Noël. À Noël, nous trouvons l'espoir, qui nous vient tout d'abord d'une histoire mystérieuse à propos d'un bébé né dans une pauvre crèche, et ensuite d'un traîneau illuminé tiré par huit merveilleux rennes dans une nuit froide et calme. Par cet espoir, nous entendons une prière sans fin voulant que tous les enfants du monde puissent partager la joie d'un monde nouveau et meilleur. Un enfant était né, et après tout, Noël est vraiment pour les enfants.

C'était une belle veste à carreaux écossais, et je savais que Hattie l'avait payée plus cher que le montant convenu. J'étais très heureux de l'avoir. De fait, je l'ai portée le samedi suivant pour aller au club. Là, sur le terrain de pratique, j'ai vu mon ami Carl. Il avait dû avoir un départ très tôt car il venait de terminer sa séance de réchauffement quand je suis arrivé. Je l'ai regardé frapper quelques coups de bois 3.

« Hé, Carl. Comment va ton élan? »

« Ne m'en parle pas, Jacky. Ne m'en parle pas. »

Je pouvais voir mon ami sous un nuage gris. Je le regardais en silence pendant qu'il frappait quelques coup de plus. Puis, il a remis son bois 3 dans son sac.

« Hé! Tu ne vas pas frapper avec ton gros bâton? », ai-je demandé.

« Quel gros bâton? »

« Voyons, Carl, tu sais, ton bois 1 ERV. Ton gros bâton.

« Oh, ça. Je l'ai brisé. »

« Tu l'as quoi? »

« Ouais. Au 10e départ hier, j'en ai frappé une entre les quatre vis, mais la face a cédé. Je crois bien qu'il n'est pas encore assez perfectionné. On ne peut frapper que quelques douzaines de fois avant qu'il ne courbe. J'aurais bien aimé le savoir avant de l'acheter. »

J'ai regardé Carl, bouche bée, pendant qu'il ramassait son sac et se dirigeait l'air morose en dehors du terrain de pratique. Il s'est ensuite retourné et, me regardant de haut en bas, il a dit: « Hé! Jacky, c'est une très belle veste. »

*J. G. Nursall*

# *À propos des auteurs*

## Jack Canfield

Jack Canfield est l'un des meilleurs spécialistes américains du développement du potentiel humain et de l'efficacité professionnelle. Conférencier dynamique et coloré, il est également un conseiller très en demande pour son extraordinaire capacité à informer et inspirer son auditoire, pour l'amener à améliorer son estime de soi et maximiser son rendement.

Auteur et narrateur de plusieurs audiocassettes et vidéocassettes à succès, dont *Self-Esteem and Peak Performance*, *How to Build High Self-Esteem*, *Self-Esteem in the Classroom* et *Chicken Soup for the Soul*, on le voit régulièrement dans des émissions télévisées telles que *Good Morning America*, *20/20* et *NBC Nightly News*. En outre, il est le coauteur de nombreux livres, dont la série *Bouillon de poulet pour l'âme*, *Dare to Win* et *The Aladdin Factor* (tous avec Mark Victor Hansen), *100 Ways to Build Self-Concept in the Classroom* (avec Harold C. Wells), *Heart at Work* (avec Jacqueline Miller) et *La force du Focus* (avec Les Hewitt et Mark Victor Hansen).

Jack prononce régulièrement des conférences pour des associations professionnelles, des commissions scolaires, des organismes gouvernementaux, des églises, des hôpitaux, des entreprises du secteur de la vente et des corporations. Sa liste de clients corporatifs comprend des noms comme American Dental Association, American Management Association, AT&T, Campbell's Soup, Clairol, Domino's Pizza, GE, ITT, Hartford Insurance, Johnson & Johnson, the Million Dollar Roundtable, NCR, New England Telephone, Re/Max, Scott Paper, TRW et Virgin Records. Jack fait également partie du corps enseignant d'une école d'entrepreneurship, Income Builders International.

Tous les ans, Jack dirige un programme de formation de huit jours qui s'adresse à ceux qui œuvrent dans les domaines de l'estime de soi et du rendement maximal. Ce programme attire des éducateurs, des conseillers, des formateurs auprès de groupes de soutien aux parents, des formateurs en entreprise, des conférenciers professionnels, des ministres du culte et des gens qui désirent améliorer leurs talents d'orateur et d'animateur de séminaire.

## Mark Victor Hansen

Mark Victor Hansen est un conférencier professionnel qui, au cours des vingt dernières années, s'est adressé à plus de deux millions de personnes dans trente-deux pays. Il a fait plus de 4000 présentations sur l'excellence et les stratégies dans le domaine de la vente, sur l'enrichissement et le développement personnels, et sur les moyens de tripler ses revenus tout en doublant son temps libre.

Mark a consacré toute sa vie à sa mission d'apporter des changements profonds et positifs dans la vie des gens. Tout au long de sa carrière, non seulement il a su inciter des centaines de milliers de personnes à se bâtir un avenir meilleur et à donner un sens à leur vie, mais il les a aussi aidées à vendre des milliards de dollars de produits et services.

Mark est un auteur prolifique qui a écrit de nombreux livres, dont *Future Diary*, *How to Achieve Total Prosperity* et *The Miracle of Tithing*. Il est coauteur de la série *Bouillon de poulet pour l'âme*, de *Dare to Win* et de *The Aladdin Factor* (tous en collaboration avec Jack Canfield) et de *The Master Motivator* (avec Joe Batten).

En plus d'écrire et de donner des conférences, Mark a réalisé une collection complète d'audiocassettes et de vidéocassettes sur l'enrichissement personnel qui ont permis aux gens de découvrir et d'utiliser toutes leurs ressources innées dans leur vie personnelle et professionnelle. Le message qu'il transmet a fait de lui une personnalité de la radio et de la télévision. On a notamment pu le voir sur les réseaux ABC, NBC, CBS, CNN, PBS et HBO. Mark a également fait la couverture de nombreux magazines, dont *Success*, *Entrepreneur* et *Changes*.

C'est un homme au grand cœur et aux grandes idées, un modèle pour tous ceux qui cherchent à s'améliorer.

## Jeff Aubery

Introduit dans l'industrie du golf dès son jeune âge, Jeff a eu comme mentor personnel et professionnel Nat C. Rosasco, le propriétaire de Northwestern Golf Co. Aujourd'hui entrepreneur à son tour, Jeff a fondé et préside la société Golf Sales West, Inc./Tornado Golf, la plus importante société de fabrication de sacs de golf.

Le golf est une passion dans la vie de Jeff. Il a parcouru le monde intensivement pour explorer le sport et l'industrie qui l'entourent. Jeff est particulièrement fier de son travail infatigable pour attirer les gens vers le golf en développant des programmes et des produits accessibles et à la portée de tout le monde.

Il commandite des programmes de golf pour juniors et des tournois de bienfaisance partout au monde. Golfeur passionné, Jeff prend le temps de jouer une ronde chaque fois que c'est possible. Il a eu le plaisir de jouer avec les plus grands noms du golf sur les plus beaux terrains du monde.

Jeff a été à deux occasions sur la liste des best-sellers du *New York Times* et aussi du *USA Today* et de *Publishers Weekly*. Les livres de Jeff se sont vendus à des millions d'exemplaires dans le monde entier, et il a donné des centaines d'entrevues à la radio et à la télévision.

Coauteur de *Bouillon de poulet pour l'âme du golfeur, Bouillon de poulet pour l'âme du père* et *Bouillon de poulet pour l'âme du golfeur – la 2e ronde,* Jeff n'est pas étranger au phénomène *Bouillon de poulet.* Il est marié à Patty Aubery, coauteure de *Bouillon de poulet pour l'âme des chrétiens, Bouillon de poulet pour l'âme des survivants* et *Bouillon de poulet pour l'âme de la future maman.*

Le couple et leurs deux fils, Jeffrey Terrance et Chandler Scott, habitent à Santa Barbara, Californie. Conférencier dynamique et enthousiaste, Jeff est disponible pour donner des conférences.

## Mark & Chrissy Donnelly

Golfeurs enthousiastes, Mark et Chrissy Donnelly sont un couple dynamique qui travaillent en étroite collaboration comme auteurs, spécialistes du marketing et conférenciers.

Ils sont les coauteurs de *Bouillon de poulet pour l'âme du couple, Bouillon de poulet pour l'âme du golfeur, Chicken Soup for the Sports Fan's Soul, Bouillon de poulet pour l'âme du père* et *Chicken Soup for the Baseball Fan's Soul.* Ils travaillent en ce moment à la rédaction de plusieurs autres livres à paraître, dont *Chicken Soup for the Romantic Soul* et *Chicken Soup for the Friend's Soul.*

Cofondateurs du Donnelly Marketing Group, ils préparent et mettent en œuvre des stratégies de marketing et de promotion très innovatrices pour augmenter la diffusion du message des *Bouillon de poulet pour l'âme* à des millions de personnes dans le monde.

Mark a été initié au golf à l'âge de trois ans. Il se souvient d'avoir suivi son père au terrain de golf et d'avoir trouvé un trèfle à quatre feuilles qui, croit-il, a permis à son père de gagner un important tournoi amateur local. À la suite de nombreuses autres expériences de golf avec son père, Mark en est venu à bien connaître ce jeu, et il y est passablement habile. Mark a grandi à Portland, en Orégon, et sans le savoir, il a fréquenté la même école secondaire que Chrissy. Il est diplômé de l'université de l'Arizona, où il a été président de sa fraternité Alpha Tau Omega. Il a été vice-président au marketing de l'entreprise familiale, Contact Lumber, pendant onze ans, puis a ensuite cessé de s'occuper du quotidien de l'entreprise pour se consacrer à ses activités actuelles.

Chrissy est chef de l'exploitation du Donnelly Marketing Group et elle a également grandi à Portland. Elle est diplômée de l'université d'État de Portland. En tant qu'experte-comptable agréée, elle a fait carrière pendant six ans chez Price-Waterhouse.

Mark et Chrissy partagent plusieurs passe-temps dont le golf, la randonnée, le ski, les voyages, l'aérobie hip-hop et les réunions entre amis. Mark et Chrissy habitent à Paradise Valley, en Arizona.

# *Autorisations*

Nous aimerions remercier les éditeurs et les personnes qui nous ont donné la permission d'utiliser le matériel cité. (Note: Les histoires dont les auteurs sont inconnus, qui sont du domaine public, ou écrites par Jack Canfield, Mark Victor Hansen, Jeff Aubery, Mark Donnelly et Chrissy Donnelly ne sont pas incluses dans cette liste.)

*Qui est le plus grand golfeur?*. Reproduit avec l'autorisation de *Christian Herald.* © 1967 *Christian Herald.*

*Les cent plus beaux parcours de golf.* Reproduit avec l'autorisation de Bruce Nash et Allan Zullo. De *Golf's Most Outrageous Quotes* par Bruce Nash et Allan Zullo. © 1995 Nash & Zullo Productions, Inc.

*L'homme à l'élan parfait.* Reproduit avec l'autorisation de Bruce Selcraig. © 2000 Bruce Selcraig.

*Points communs.* Reproduit avec l'autorisation de Ahmed Tharwat Abdelaal. © 2000 Ahmed Tharwat Abdelaal. Paru dans *Golf Journal,* octobre 2000.

*Préliminaires.* De *Dave Barry Is From Mars And Venus* par Dave Barry. © 1997 par Dave Barry. Reproduit avec la permission de Crown Publishers, une division de Random House, Inc.

*Mesdames, le golf est-il pour vous?*. Reproduit avec l'autorisation de Deisy M. Flood. © 1998 Deisy M. Flood. Paru dans *Golf Journal,* novembre/décembre 1998.

*Tel père, tel fils.* Reproduit avec l'autorisation de Michael Konick. © 2000 Michael Konick.

*La tombée du jour* et *Le réveil.* Reproduits avec l'autorisation de Robert S. Welch. © 2000 Robert S. Welch.

*Le médecin et l'avocat.* Mentionné dans *More of... The Best of Bits and Pieces,* © 1997 Lawrence Ragan Communications, Inc.

*La vue du tertre de départ.* Reproduit avec l'autorisation de Robert Elden Shryock. © 1995 Robert Elden Shryock. Paru dans *Golf Digest,* mars 1995.

*Golfeurs du dimanche* et *Les dix incontournables du golfeur du dimanche.* Reproduits avec l'autorisation de Ernie Witham. © 2001 Ernie Witham.

*Confession d'un accro du golf.* Reproduit avec l'autorisation de Bob Hope/Hope Enterprises, Inc. Extrait de *Bob Hope's Confessions of a Hooker: My Lifelong Love Affair with Golf* par Bob Hope avec Dwayne Netland. © 1986.

*La victoire de Payne au US Open à* Pinehurst *racontée par sa compagne.* Reproduit avec l'autorisation de Broadman & Holman Publishers. Extrait de *Payne Stewart: The Authorized Biography.* © 2000 Anastasia T. Stewart.

*En route vers « le* putt ». Reproduit avec l'autorisation de *Golf Digest,* avril 2001. © 2001 The Golf Digest Companies.

*La réalisation de deux rêves* et *Le flambeau change de main.* Reproduit avec l'autorisation de Don Wade. De *Talking On Tour,* © 2001 Don Wade, publié initialement par Contemporary Books. Tous droits réservés.

*L'armée d'Arnie.* Reproduit avec l'autorisation de William E. Pelham. © 1999 William E. Pelham.

*Une lumière intense.* Reproduit avec l'autorisation de *Golf Journal.* De *Golf Journal,* no° mars/avril, 1995.

*La vedette du golf au grand cœur.* Reproduit avec l'autorisation de Jolee Ann Edmondson. © 1982 Jolee Ann Edmondson.

*Ces fous du golf.* Reproduit avec l'autorisation de Dan Jenkins. © 1993 Dan Jenkins. Paru dans *Golf Digest,* août 1993.

*Élan et détermination.* Reproduit avec l'autorisation de Darlene Daniels Eisenhuth. © 2000 Darlene Daniels Eisenhuth.

*Les Garçons d'été, La grange de Winni*e et *Liens entre pères et fils.* © 1999, 2002, 1994 par James Dodson. Reproduit avec l'autorisation de William Morris Agency, Inc., au nom de l'auteur.

*Un trou de « combien »?.* Reproduit avec l'autorisation de *Golf Journal.* De *Golf Journal,* n° janvier 1965.

*Le rêve de golf de Uecker Jr passe au premier rang.* Reproduit avec l'autorisation de Gary D'Amato. © 1998 Gary D'Amato.

*Un coup d'éclat.* Reproduit avec l'autorisation de Ann Birmingham. © 2001 Ann Birmingham.

*À la recherche du Pro-Am idéal.* Reproduit avec l'autorisation de Ben Wright. © 1978 Ben Wright. Paru dans *A Tribute to Golf* (pp. 125-127), compilé and édité par Thomas P. Stewart. © 1990 par Thomas P. Stewart.

*L'esprit de Harvey Penick.* Reproduit avec l'autorisation de Leonard Finkel. © 2000 Leonard Finkel.

*Sur les traces du temps*. Reproduit avec l'autorisation de Matthew C. Adams. © 2001 Matthew C. Adams.

*Le caddie du Dr Scholls*. Reproduit avec l'autorisation de Dennis Oricchio. © 2000 Dennis Oricchio.

*La fête des Pères à Noël*. Extrait de *The Arizona Republic,* 1er janvier 2002 par E. J. Montini. Reproduit avec l'autorisation de *The Arizona Republic.* © 2002 *The Arizona Republic.*

*Vous pourriez être un gagnant*. Reproduit avec l'autorisation de David Owen. Paru dans *Golf Digest,* août 1997.

*Le meilleur coup de ma vie*. Reproduit avec l'autorisation de Del Madzay. © 2001 Del Madzay.

*« Sweetness »*. Reproduit avec l'autorisation de John St. Augustine. © 2000 John St. Augustine.

*Attention aux serpents!*. Reproduit avec l'autorisation de *Golf Journal.* De *Golf Journal,* n° octobre 1991.

*Plus arrogant que dans la NBA*. Reproduit avec l'autorisation de Dan Galbraith. © 1995 Dan Galbraith.

*À tricheur, tricheur et demi*. Reproduit avec l'autorisation de *Golf Journal.* De *Golf Journal,* n° septembre 1998.

*Vérifiez votre sac*. Reproduit avec l'autorisation de Robert Lalonde. © 2001 Robert Lalonde.

*La meilleure colère de golfeur de tous les temps*. The Oregonian. © 1981, Oregonian Publishing Co. Tous droits réservés. Reproduit avec autorisation.

*Ça forme le caractère*. Reproduit avec l'autorisation de James M. King. © 2000 James M. King.

*Le coup parfait – pour la voiture?*. Reproduit avec l'autorisation de Marci Martin. © 1998 Marci Martin.

*La plus belle ruse du vieux Jake*. Reproduit avec l'autorisation de Dan Jenkins. © 1999 Dan Jenkins. Paru dans *Golf Digest,* août 1999.

*La puriste par accident: le journal d'une accro débutante du golf.* Reproduit avec l'autorisation de Kate K. Meyers. © 2001 Kate K. Meyers.

*La crainte du tournoi Père-Fils*. Reproduit avec l'autorisation de *Golf Journal.* De *Golf Journal,* n° juin 2000.

*Le* wedge *de Corky*. Reproduit avec l'autorisation de *Golf Journal.* De *Golf Journal,* n° juin 1996.

*Une question de parcours*. Reproduit avec l'autorisation de Carol McAdoo Rehme. © 1999 Carol McAdoo Rehme.

*La balle miraculeuse.* Reproduit avec l'autorisation de Bob West. © 2001 Bob West.

*J'étais dans l'assistance.* Reproduit avec l'autorisation de *The Providence Journal.*

*La crise de l'an 2000.* Reproduit avec l'autorisation de George Peper. © 1999 George Peper. Paru dans *Golf Magazine,* mars 1999.

*Une parcelle de ciel.* Reproduit avec l'autorisation de *Golf Journal.* De *Golf Journal,* n° octobre 2000.

*Le plus chanceux des golfeurs.* Reproduit avec l'autorisation de Robert B. Hurt. © 1999 Robert B. Hurt.

*La force du golf de bienfaisance.* Reproduit avec l'autorisation de *Golf Digest,* août 2001. © 2001 The Golf Digest Companies. Tous droits réservés.

*Un exemple de courage.* Reproduit avec l'autorisation de *Golf World,* juillet 2001. © 2001 The Golf World Companies. Tous droits réservés.

*Faire contact.* Reproduit avec l'autorisation de Jack Cavanaugh. © 2001 Jack Cavanaugh.

*Un cadeau approprié.* Reproduit avec l'autorisation de Kay B. Tucker. © 1988 Kay B. Tucker.

*Une passion d'enfance qui résonne.* Reproduit avec l'autorisation de Andy Brumer. © 1995 Andy Brumer.

*Peiner pour réaliser son rêve.* Reproduit avec l'autorisation de *Golf Digest,* juillet 2001. The Golf Digest Companies. Tous droits réservés.

*Les débuts d'une relation amour-haine.* Extrait de *The Arizona Republic*, 8 août 1999, par Dan Bickley. Reproduit avec l'autorisation de *The Arizona Republic.* © 1999 *The Arizona Republic.*

*Le plaisir de la chasse.* Reproduit avec l'autorisation de *Golf Journal.* De *Golf Journal,* n° janvier/février, 2002.

*Dieu merci! J'ai toujours mon autre métier.* Reproduit avec l'autorisation de Kyle MacLachlan © 2002 Kyle MacLachlan.

*Jeudi, jour des messieurs.* Reproduit avec l'autorisation de Dan Jenkins. © 2000 Dan Jenkins. Paru dans *Golf Digest,* juillet 2000.

*Rêver à une normale.* Reproduit avec l'autorisation de Reid Champagne. © 2001 Reid Champagne.

*L'humour à son meilleur.* Reproduit avec l'autorisation de John Spielbergs. © 2001 John Spielbergs.

*Les aventures d'une balle de golf.* Reproduit avec l'autorisation de Robert P. Robinson. © 1971 Robert P. Robinson. Paru initialement dans *Golf Journal* (USGA), mai 1971.

*Silence, s'il vous plaît!.* Reproduit avec l'autorisation de *Golf Journal.* De *Golf Journal,* n° mai 2001.

*L'utile à l'agréable.* Reproduit avec l'autorisation de Jerry P. Lightner. © 1984 Jerry P. Lightner.

*Le plus beau cadeau.* Reproduit avec l'autorisation de J. G. Nursall. © 2001 J. G. Nursall.

## Bouillon de poulet pour l'âme des Grands-parents

*Des histoires qui vont droit au cœur et réchauffent l'âme des grands-parents*

Si vous êtes un grand-parent, ces histoires vous rappelleront la valeur de votre contribution à votre famille et mettront en lumière quelle place d'honneur vous occupez dans le cercle de vos proches. Si vous êtes un fils, une fille ou un petit-enfant, vous revivrez les souvenirs de vos parents et grands-parents en lisant ces histoires d'amour, d'humour et de sagesse.

Ce livre est le cadeau parfait pour montrer à un grand-parent à quel point il est aimé. C'est le présent idéal pour tout membre de la famille qui chérit les liens familiaux.

ISBN 2-89092-317-7 • 336 PAGES

# Bouillon de poulet pour l'âme de l'Amérique

*Des histoires pour guérir le cœur d'une nation*

Le 11 septembre 2001, l'Amérique et le monde libre ont subi la tragique perte de milliers de vies et la destruction d'un des symboles de la liberté.

Au cours des heures, des jours et des semaines qui ont suivi, une lumière a émergé de la noirceur — un phare éternel d'espoir, de compassion, de courage et d'amour — une lumière qui ne s'éteindra jamais peu importe l'ampleur de l'adversité.

Les histoires de *Bouillon de poulet pour l'âme de l'Amériqu*e rendent hommage aux hommes, aux femmes et aux enfants qui se sont présentés et ont donné le meilleur d'eux-mêmes en ces temps de grand besoin.

ISBN 2-89092-304-5 • 320 PAGES

# Bouillon de poulet pour l'âme
# Livre de Cuisine

*Des recettes et des histoires*

La cuisine est le cœur de la maison. Tant d'expériences de vie se font autour de la table familiale : nous racontons des histoires, nous passons nos journées en revue, nous transmettons des traditions, nous pleurons nos pertes, nous réglons nos différends, nous présentons nos nouvelles amours et nous célébrons des fêtes. Dans la préparation et le partage des repas, nous créons des souvenirs profonds qui restent gravés à jamais dans notre mémoire.

Dans la foulée de *Bouillon de poulet pour l'âme,* voici un recueil d'histoires chaleureuses accompagnées de recettes alléchantes. Assaisonné de bénédicités sincères, ce merveilleux livre vous aidera à retrouver les valeurs traditionnelles et à favoriser le partage de conversations riches — et de nouvelles recettes — à l'heure des repas.

ISBN 2-89092-302-9 • 352 PAGES

## PUBLICATIONS DISPONIBLES

1er bol
1er bol (poche)
2e bol
3e bol
4e bol
5e bol
Ados
Ados (poche)
Ados II
Ados — JOURNAL
Aînés
Amérique
Ami des bêtes
Célibataires
Chrétiens
Concentré (poche)
Couple
Couple (poche)
Cuisine (livre de)
Enfant
Femme
Femme II
Golfeur
Golfeur, 2e ronde
Grands-parents
Mère
Mère (poche)
Mère II
Survivant
Tasse (poche)
Travail

## À PARAÎTRE

Au Canada
Préados (9-13 ans)
Future maman
Infirmières
Père